1 MONTH OF
FREE
READING

at

www.ForgottenBooks.com

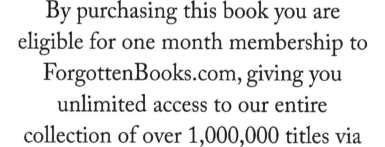

By purchasing this book you are eligible for one month membership to ForgottenBooks.com, giving you unlimited access to our entire collection of over 1,000,000 titles via our web site and mobile apps.

To claim your free month visit:

www.forgottenbooks.com/free984811

ISBN 978-0-260-90651-9
PIBN 10984811

Sammlung

von

Formeln, Aufgaben

und

Beyspielen

aus der

Arithmetik und Algebra,

nebst

vier Tafeln über die Vergleichung der vorzüglichsten
Maße, Gewichte und Münzen mit den österreichischen
und französischen.

Herausgegeben

von *S*

Joseph Salomon,

Professor am kaiserl. königl. polytechnischen Institute in Wien.

Zweyte verbesserte Auflage.

Wien.

Gedruckt und im Verlage bey Carl Gerold.

1834.

Sr. Hochwürden

dem

Hochgelehrten Herrn

Joseph Walch,

regulirtem Priester des Piaristen-Ordens, Präfekten des k. k. akademischen
Gymnasiums an der Universität in Wien, Vice-Direktor des k. k. Stadt-
Konviktes, ꝛc. ꝛc.

dem Freunde und Kenner der Mathematik,

dem hochverdienten Schulmanne

aus inniger Hochachtung und Verehrung

gewidmet

vom

Verfasser.

Vorwort.

Beyspiele und Anwendungen sind in allen Wissenschaften von großem Nutzen, in der Mathematik aber von der höchsten Wichtigkeit, ja absolut nothwendig, besonders für den Anfänger, der gewöhnlich ohne gehörige Vorbildung sich dem Studium dieser ernsten Wissenschaft widmet; vorzüglich gilt dieß für den angehenden Techniker, der frühzeitig an beständige und angestrengte Selbstthätigkeit gewöhnt werden muß. Von der Wahrheit des Gesagten fest überzeugt, habe ich vor neun Jahren eine Sammlung von Formeln, Aufgaben und Beyspielen aus der Arithmetik und Algebra herausgegeben, die trotz der außerordentlich starken Auflage, die der frühere Verleger veranstaltet hatte, bereits vergriffen ist, ein Umstand, der mich auf die Zweckmäßigkeit und Brauchbarkeit dieses Werkchens nicht ohne Grund schließen läßt. Bey der gegenwärtigen neuen Auflage habe ich daher bloß dafür Sorge getragen, jene Abänderungen in der Anordnung zu treffen, welche durch die neue Ausgabe meines Lehrbuches der Arithmetik und Algebra nöthig wurden, die Sammlung mit neuen Beyspielen und Aufgaben zu vermehren, und die bereits vorhandenen korrekter zu geben, als bey der ersten Ausgabe. Den in der frühern Auflage befindlichen Anhang, welcher die Theorie der kubischen und biquadratischen Gleichungen enthielt, habe ich ganz weggelassen, und dafür einige Tabellen über die Vergleichung der vorzüglichsten Maße, Gewichte und Münzen mit den österreichischen und französischen beygefügt.

Herr Dr. Georg Lauteschläger hat zwar in der Vor-
rede zu seiner Beyspielsammlung (Darmstadt, 1831) in Beziehung auf die Sammlung von Meier Hirsch und die von mir
herausgegebene erklärt, daß dieselbe für seinen Zweck unpassend
wäre, weil die Auflösungen unmittelbar neben den Aufgaben stehen, und bey dem Gebrauche selbst mancher Erwachsene sich nicht
immer treu bleibe und nur zu bald auf dieselben hinüberschiele;
allein demohngeachtet habe ich die Resultate auch bey dieser neuen
Ausgabe wieder beygesetzt, weil ich die Ansicht des Herrn
Lauteschläger nicht theilen kann, vielmehr die entgegengesetzte
Ansicht habe, indem meine Zuhörer nicht bloß die Resultate, sondern die vollständigen Auflösungen mit allen Nebenrechnungen
schriftlich bringen müssen. Hat der Anfänger eine Aufgabe durch-
gerechnet und sein Resultat stimmt mit dem angegebenen nicht
überein, so sieht er sich genöthigt, die Rechnung zu wiederholen
und zu untersuchen, wo er gefehlt habe, wobey er in jeder Beziehung nur gewinnt. Stimmt dagegen sein Resultat mit dem angegebenen überein, so wird ihm diese Überzeugung von der Rich-
tigkeit seiner Arbeit Vergnügen machen und ihn zur fernern Thätigkeit anspornen.

Trägt diese Schrift auch nur einigermaßen dazu bey, den
Eifer und die Liebe für das mathematische Studium zu erhöhen,
so bin ich reichlich für meine Mühe belohnt!

Wien, den 8. July 1833.

Der Verfasser.

Inhaltsverzeichniß.

— IX —

Anhang,

enthaltend vier Tabellen über die Vergleichung der vorzüglichsten Maße, Gewichte und Münzen mit den österreichischen und französischen.

Erster Abschnitt.

I. Rechnungsvortheile.

1) Multiplikation ganzer Zahlen. (§. 40 und 41 der Alg.)

1) $632748 \times \overset{abc}{157}$ *)
$\quad 3163740$
$\quad \overline{99341436}$

2) $71329 \times \overset{bac}{415}$
$\quad 285316$
$\quad \overline{29601535}$

3) $465372 \times \overset{dcba}{6431}$
$\quad 1396116$
$\quad 1861488$
$\quad \overline{2992807332}$

4) $803749 \times \overset{bca}{481} = 386603269$

5) $532467 \times \overset{b\,a}{251}$
$\quad 13311675$
$\quad \overline{133649217}$

6) $328457 \times \overset{a\,b}{253}$
$\quad 821142\ldots$
$\quad \overline{83099621}$

7) $295483 \times \overset{a\,b}{1125}$
$\quad 36935375$
$\quad \overline{332418375}$

8) $735982 \times \overset{b\,ac}{12514}$
$\quad 91997750$
$\quad \overline{9210078748}$

9) $7365478 \times \overset{a\,b\,c}{3117}$
$\quad 22096434$
$\quad 81020258$
$\quad \overline{22958194926}$

10) $643728 \times \overset{ca\,b\,d}{311256}$
$\quad 80466000$
$\quad 1931184$
$\quad \overline{200364202368}$

*) Die Ordnung, in welcher wir multipliciren, werden wir immer durch die über die Ziffern des Multiplikators gesetzten Buchstaben andeuten.

— X —

Anhang,

enthaltend vier Tabellen über die Vergleichung der vorzüglichsten Maße, Gewichte und Münzen mit den österreichischen und französischen.

Erster Abschnitt.

I. Rechnungsvortheile.

1) Multiplikation ganzer Zahlen. (§. 40 und 41 der Alg.)

1) $632748 \times \overset{abc}{157}$ *)
$$3163740$$
$$99341436$$

2) $71329 \times \overset{bac}{415}$
$$285316$$
$$29601535$$

3) $465372 \times \overset{dcba}{6431}$
$$1396116$$
$$1861488$$
$$2992807332$$

4) $803749 \times \overset{bca}{481} = 386603269$

5) $532467 \times \overset{ba}{251}$
$$13311675$$
$$133649217$$

6) $328457 \times \overset{ab}{253}$
$$821425$$
$$83099621$$

7) $295483 \times \overset{ab}{1125}$
$$36935375$$
$$332418375$$

8) $735982 \times \overset{bac}{12514}$
$$9197750$$
$$9210078748$$

9) $7365478 \times \overset{abc}{3117}$
$$22096434$$
$$81020258$$
$$22958194926$$

10) $643728 \times \overset{cabd}{311256}$
$$80466000$$
$$1931184$$
$$200364202368$$

*) Die Ordnung, in welcher wir multipliciren, werden wir immer durch die über die Ziffern des Multiplikators gesetzten Buchstaben andeuten.

11) $9347529 \times$ 1254118

        a b c d

     1168441125

      37390116

       102822819

    11722904374432

12) $4376587 \times$ 125251

   109414675

548181898337

13) $4756894 \times$ 996

    4737866424   1000—4

14) $28936 \times$ 999700

   374177073192oo   (10000—3)100

15) $418719 \times$ 9975

    —10467975   10000—25

    4176722025

16) $4983716 \times$ 399

   1993486400   400—1

   1988502684

17) $83736407 \times$ 5990

   50241844200   (600—1).10

   50158077930

18) $52748364 \times$ 82496

   421980912

    1265960736

   4351529936544

19) $6813907 \times$ 71128

   47697349

    74952977

   484659577096

20) $857036 \times$ 971067

   83132492

   832239377412

21) $708924 \times$ 13912

   9216012

    64512084

   9862550688

22) 719854 $\times$ 834719 das Produkt soll von Millionen aufwärts
917438   bestimmt werden.

575883
21596
2879
593
7
6

600874 Mill.

23) 8316762 $\times$ 467092 das Produkt soll bey hundert Millionen
90764   abbrechen.

33267
4990
582
7

38846 Hund. Mill.

24) 27854 $\times$ 80796 Man verlangt bloß die Ziffer der Hundert-
69708   tausende. Man suche also der Sicherheit
32   wegen auch die Ziffer der Zehntausende.
50
50
16

48 Zehntausende, also ist 4 die Ziffer der Hunderttausende, wegen 8 aber ist der Fehler geringer, wenn
man 5 h. t. setzt. Auf gewöhnliche Art multiplizirt
erhält man aber wirklich vier Hunderttausende.

25) 74894 $\times$ 18563 die Ziffer der Millionen wird verlangt.
Diese ist o.

26) 793418 $\times$ 18765 Man verlangt die drey höchsten Ziffern
6781   des Produktes.

793
634
55
4

1486 Welchen Lokalwerth hat die 8 hier?

27) 89764 $\times$ 91807 Man verlangt die vier höchsten Zifferstellen.
819

8078
90
71

8239

28) Wie heißt die Ziffer der Millionen im Produkte aus d Zahlen 4876 × 9348 × 7654?

29) Wie heißen die drey höchsten Zifferstellen des Produkte aus den Zahlen 73819 × 5863 × 18309 × 789? Welchen Lokalwerth hat die höchste Ziffer des Produktes?

30) Man bestimme das Produkt aus den Zahlen 8745 × 190713 × 917 × 89 von tausend Millionen aufwärts.

31) 7609452 × 123369. Zur Bestimmung des Produkte dürfen nur zwey Partialprodukte angeschrieben werden.

32) 5730849 × 43086. Auch hier sollen nur zwey Partialprodukte angesetzt werden.

33) 3097465 × 428107. Hier wird es ebenfalls genügen, nur ein Partialprodukt anzuschreiben, um das Hauptprodukt zu finden.

34) 427086743 × 4990297. Hier sollen nur zwey Partialprodukte und dann sogleich das Hauptprodukt angesetzt werden.

35) 13587 × 5893. Wie heißen die vier höchsten Stellen des Produktes, und welchen Lokalwerth hat die Ziffer 6 im Produkte?

36) 837609 × 4728 × 5381. Wie heißt die Ziffer der hundert Millionen?

37) 837509 × 471856 × 7093. Dieses Produkt soll von den Millionen aufwärts bestimmt werden.

38) 476093458 × 25999225. Nur drey Zifferreihen sind erforderlich.

39) 64790825 × 998919978. Nur zwey Zifferreihen sind zur Bestimmung des Hauptproduktes nöthig.

40) 73485 × 260943 × 27084. Wie heißt die Ziffer der Millionen?

2. Division ganzer Zahlen. (§. 42 u. 43. d. Alg.)

1) $736584 : 25$
   $\times 4$
   $29463 \frac{16}{100} = \frac{4}{1}.$

2) $357689 : 125$
   $\times 8$
   $2861 \frac{512}{1000} = \frac{64}{125}.$

3) $8569745 : 9.8$
   19 — (8
   952193
   $:8$ 119024 (1 Quotus, der Rest $= 1.9 + 8 = 17.$

4) 17594863 : 7.11.4

:7 ────────── (6

   2513551

:11 ────────── (7

   228504

:4 ────────── (0

   57126 Q., Reſt = (0.11 + 7).7 + 6 = 55.

5) 95476843 : 9.12.16

:9 ────────── (1

  10608538

:12 ────────── (10

  884044 R = (12.12 + 10).9 + 1 = 154.9 + 1 = 1387

:16 ────────── (12

  55252.

6) 89476357 : 11.25.70

:11 ────────── (3

  8134214

:25 ────────── (14

  325368 R = (8.25 + 14).11 + 3 = 214.11 + 3 = 2357

:70 ────────── (8

  4648$\frac{2357}{11.25.70}$.

7) 693754607 : 125.22.90

:125 ────────── (107

 5550036^{856}

:12 ────────── (0

  462503 R = (83.12 + 0).125 + 107 = 996.125 + 107

:90 ────────── (83   = 124607

  5138$\frac{124607}{125.12.90}$.

8) 47368.8735 : 11.12.16.25 = ?

9) 512763908 : 30.47.61 = ?

                6

10) 813749 | 356 : 994

     4882 | 494

       29 | 292

          | 174

       r | 3.6

         | 6

  818661 | 322

         | 994

         7

11) 527 | 6304 : 9993

       | 3689

   527 | 9993

   528 | 0

12)
$$\overset{11}{\frown}$$

4781	9765 : 9989
5	2591
	55
1	2411
	11
4787	2422
	9989

13)
$$\overset{25}{\frown}$$

81372	9456 : 9975
●03	4300
	5075
1	8831
	25
81576	8856
	9975

14)
$$\overset{4}{\frown}$$

91748936	723 : 996.7
366995	744
1467	980
5	868
	20
3	335
	12
92117406	347
¹⁷	⁽⁸
13159629	3335
	996.7

R = 3.996 + 347 = 3335

15)
$$\overset{9}{\frown}$$

2499	748984 : 999100
2	2491
	18
2501	9998
2502	784
	9991.100

$$\overset{2}{16)}\quad 3{,}7654 \Big|\, 832 \,:\, 998 \times 991$$

$$75 \,\Big|\, 308$$
$$\Big|\, 150$$
$$1 \,\Big|\, 290$$
$$\Big|\, 2$$

$$\overset{9}{37} \Big|\, 730 \;\tfrac{291}{991}$$
$$\Big|\, 333$$
$$1 \,\Big|\, 063$$
$$9$$

$$R = 998 \cdot 72 + 292 = 72148$$

$$38 \;\tfrac{72}{991}$$

17) $874596352 : 91063$ — Man verlangt diesen Quotienten als ganze Zahl. Dieser hat vier Ziffern.

18) Im Quot. $9120754813 : 8324567$ verlangt man die Stellen der Ganzen.
$$795 \;=\; 1095$$
$$46$$
$$4$$

19) Im Quot. $74813719 : 89967$ verlangt man die zwei höchsten Stellen.
$$29$$
$$2 \;=\; 830, \text{ denn } 8 \text{ hat den Lokalwerth } 100.$$

20) Man suche die fünf höchsten Zifferstellen im Quotienten
$$8734967548\overset{}{3} : 9167 = 952870\overset{}{0}\!$$
$$48466$$
$$2631$$
$$798$$
$$65$$
$$1$$

21) Man suche die zwey höchsten Zifferstellen im Quotienten
$$294{,}5837 : 9{,}0{,}83 = 320$$
$$22$$
$$4$$

22) Im Quotienten
$$473082796 : 8109 = 58340 \qquad \text{suche man die Stellen der Ganzen.}$$
$$67632$$
$$2760$$
$$327$$
$$3$$

23) Im Quotus

$$937094562 : (1976 \times 508)$$ sollen die Ganzen bestimmt werden.

24) Man bestimme folgenden Quotienten als ganze Zahl:

$$730852496 : (997 \times 125 \times 37).$$

25) $37520489627 : 94508$ Man suche die fünf höchsten Stellen des Quotienten.

26) $7346594867 : 9995 = ?$

27) $438761731656 : 9998900 = ?$

28) $6708409753200634 : 99975000 = ?$

29) $853076028459 : 125.25.31 = ?$

20) $942875603927 : 8.9970.11.25.93 = ?$

II. Die vier Rechnungsarten mit allgemeinen Größen.

1) Addition. (§. 47. der Alg.)

1) $(A + B) + (C - D) = A + B + C - D.$

2) $(+ A) + (+ B) = A + B.$

3) $(+ A) + (- B) = A - B.$

4) $(- A) + (- B) = - A - B = - (A + B).$

5)
$$\left. \begin{array}{l} 12a - 3b + 5ab - 6x \\ 7a - 2b - 3ab + 4x \end{array} \right\} \text{Summanden.}$$
$$\overline{19a - 5b \quad 2ab - 2x, \text{ Summe.}}$$

6)
$$\left. \begin{array}{l} 8ax + 3bx - 12abx - 20xy + 18ay - 3z \\ 5ax - 4bx - 6abx + 12xy + 10ay - 40 \\ 3ax + 6bx + 9abx + 8xy - 8ay + 5z \end{array} \right\} \text{Summanden.}$$
$$\overline{16ax + 5.bx - 9abx \quad + 20ay + 2z - 40 \text{ die Summe.}}$$

7)
$$\begin{array}{l} 40a^2 - 80ab + 40\ b^2 - 12.a^2b^2 + mx - 15 \\ 12a^2 + 50ab - 20.b^2 - 8\ a^2b^2 - nx + 24 \\ -25a^3 + 25ab - 12\ b^2 + 16\ a^2b^2 - 2mx - 8 \\ -18a^3 - 5ab + 6\ b^2 + 6\ a^2b^2 + 3nx - 1 \end{array}$$
$$\overline{9a^2 - 10ab + 14.b^2 + 2\ a^2b^2 + (m - n - 2m + 3n)x =}$$
$$= 9a^2 - 10ab + 14.b^2 + 2\ a^2b^2 + (2n - m)x,$$

8) $\quad m\,a\,x^2 - n\,a^p + 8\,a^2\,x^3 - 12\,a\,x^m - 40\,x^n\,y^m$

$\quad - n\,a\,x^2 + m\,a^p - 6\,a^2\,x^3 + 8\,a\,x^m + 24\,x^n\,y^m$

$(m-n)a\,x^2 + (m-n)\,a^p + 2\,a^2\,x^3 - 4\,a\,x^m - 16\,x^n\,y^m$

9) $\quad a^m - b^n + p.\,a^m b^n + m\,x^3\,y + n\,x^2\,y^2 - 12\,x\,y^2\,z^2$

$\quad n\,a^m + 2\,b^n - q.\,a^m b^n + 2m\,x^3\,y - m\,x^2\,y^2 + 18\,x\,y^2$

$(n+1)\,a^m + b^n + (p-q)\,a^m b^n + 3\,m\,x^3\,y + (n-m)\,x^2\,y^2$
$$\pm(18-12\,z^2)x\,y^2 =$$
$$= (n+1)\,a^m + b^n - (q-p)\,a^m b^n + 3\,m\,x^3\,y - (m-n)\,x^2\,y^2$$
$$+(18-12\,z^2)\,x\,y^2$$

10) $\quad (m+n)\,a^n - m\,a^{n-1}x + n\,a^{n-2}x^2 - (m-n)\,a\,x^n + m\,x^n$

$\quad (3m-n)\,a^n + m\,a^{n-1}x - 2m\,a^{n-2}x^2 - (2n-3m)\,a\,x^n - m\,x^n$

$4\,m.\,a^n \qquad\qquad + (n-2m)\,a^{n-2}x^2 - (n-2m)\,a\,x^n$
$$+ m\,(x^m - x^n) =$$
$$= 4\,m.\,a^n - (2m-n)\,a^{n-2}x^2 + (3m-n)\,a\,x^n + m\,(x^m - x^n).$$

2. Subtraktion. (§. 48 d. Alg.)

1) $a - (+b) = a - b.$ 2) $a - (-b) = a + b.$

3) $M - (a-b) = M - a + b.$

4) $M - (a+b-c-d+e) = M - a - b + c + d - e.$

5) $M - (\pm S) = M \mp S.$

6) $\quad 5a - 4b + 12ab - 14a^2 - 6ax^2 + 9by + 18 \quad$ Min.

$\quad -(3a + 6b + 3ab - 9a^2 + 4ax^2 + 4by + 14 \quad$ Subt.

$\qquad - \qquad - \qquad \qquad + \qquad - \qquad - \qquad -$

$2a - 10.b + 9ab - 5a^2 - 10.ax^2 + 5by + 4 \quad$ Rest.

7) $\quad 24.a + 12ab - 15.bx - 24.abx + 8mx^2 - 8y \quad$ Min.

$\quad -(20.a - 8ab + 9\ bx - 27.abx + 5mx^2 - 8y) \quad$ Subt.

$\qquad - \qquad + \qquad - \qquad + \qquad - \qquad +$

$4.a + 20ab - 24\ bx + 3.\ abx + 3mx^2 \qquad$ Rest.

8) $\quad 8.mn^2 - 7m^2n + 3mn - 24my + 8.y^2 - 13z - 7 \quad$ Min.

$\quad 3.mn^2 + 5m^2n + 4mn + 6my + 17.y^2 + 4z^2 - 7 \quad$ Subt.

$5\ mn^2 - 12m^2n - mn - 30my + y^2 - 13z - 4z^2 \quad$ Rest.

9) $\quad m\,x^3 - n\,x^2\,y + p\,x\,y^2 - q\,x^2\,y^2 + 14\,y^3 \qquad$ Min.

$\quad n\,x^3 + 2n\,x^2\,y - q\,x\,y^2 - q\,x^2\,y^2 - 6\,y^3 + 4\,y\,z - z^2 \quad$ Subt.

$(m-n)x^3 - 3n\,x^2\,y + (p+q)\ x\,y^2 + 20\,y^3 - 4\,y\,z + z^2 \quad$ Rest.

10) $7 . a + 3 b - 5 c - 6 d + 9 . b c + 12 c d - 24$ Mi

    $7 . a + 2 b - 5 c - 5 d - 3 . b c + 12 c d - 15 + z - 3 z^2$ Sub

$$b \quad - d + 12 . b c \quad - 9 - z + 3 z^2 = \text{Re}$$

11) $a^2 + 2 a b + b^2 - (a^2 - 2 a b + b^2) = 4 a b.$

12) $2 a - 3 a b + 5 b - (a - 3 b) - (2 b - 3 a + 2 a b)$
$$= 4 a - 5 a b + 6$$

13) $7 a + 3 b - 4 c - (a - b) - (- 12 a + 3 b - 4 c) = 4 a +$

14) $20 - 3 x + 4 x^2 - 5 x^3 - (1 - 2 x + x^2) - (3 - 2 x - 4 x^3)$
$$= 16 + x + 3 x^2 - x^3.$$

15) $a x^4 - \beta x^{n} - y^p + \gamma x^{n-2} y^{p+q}$
$$[\beta x^n - a x^{n-r} y^p + \gamma x^{n+r} y^{p+q}] = ?$$

16) $4 x - 3 y - (6 a - 8 y) = ?$

17) $a - 2 b - (3 a - 5 b) - (- 2 a + 7 b - c) = ?$

18) $3 a - 4 b + 2 c - (a - 3 b + 2 c) - (- a + 2 b - 5 c) = .$

19) $3 - 5 x + 7 x^2 - 9 x^3 - (1 + 2 x + x^2) - (2 - 7 x + 10 x^2 - 8 x^3) = ?$

20) $x^5 - 3 x^4 - 7 x^2 + 5 x^2 + 3 x + 8$
$$[2 x^4 - 3 x^2 - 13 - (x^5 - 3 x^3 + 7 x - 8)] = ?$$

3) Multiplikation. (§§. 50—54 d. Alg.)

1) $A \times B \times C \times D = ABCD.$

2) $A . B = AB = BA.$

3) $A . B . C = AB . C = AC . B = BA . C = BC . A = CA . B$
$$= CBA.$$

4) $(\pm A) \times (+ B) = \pm AB.$

5) $(\pm A) \times (- B) = \mp AB.$

6) $A^m . A^n = A^{m+n}.$

7) $A^m . A^n . A^p . A^q \ldots = A^{m+n+p+q \ldots}.$

8) $8 a \times 5 b = 40 a b.$

9) $347 a \times 25 x = 8675 a x.$

10) $- a \times - b \times - c = ab \times - c = - abc.$

11) $- a \times - b \times - c \times - d = + ab \times cd = abcd.$

12) $- a \times - b \times - c \times - d \times - e = abcd \times - e = - abcde.$

13) $9 a b \times - 6 m x = - 54 a b m x.$

14) $7 a \times - 6 b \times 4 c = - 42 a b . 4 c = - 168 a b c.$

15) $9 a \times - 7 b \times 11 c \times - 25 d = - 63 a b \times - 275 c d$
$$= 17325 a b c d.$$

16) $a \times a = a^2 = a^{1+1}.$

17) $a \times a \times a = a^3 = a^{1+1+1}$.

18) $a^2 . a^2 = a^4 = a^{2+2}$.

19) $a^2 . a^3 . a^5 = a^{2+3+5} = a^{10}$.

20) $a^4 \times - a^3 \times a^5 = - a^{12}$.

21) $a^3 b^2 . a^5 b^7 = a^8 b^9$.

22) $a^4 b^3 . a^2 b^2 c^3 = a^6 b^5 c^3$.

23) $a^5 b^3 c^2 . b^2 c^3 . a c^4 = a^6 b^5 c^9$.

24) $4 a^m b^a . 5 a^{2m} b^m = 20 a^{3m} b^{a+m}$.

25) $12 a^n b^{m-n} . 8 a^2 b^{9n-m} = 96 a^{n+2} b^{8n}$.

26) $14 a^a b^m \times -7 a^{3a} b^{m-n} \times 328 a^{m-m} b^{a-m} = -32144 a^{m+2a} b^m$.

27) $- 5 a^3 b^n \times 6 a^n c^3 \times - 8 a b^2 c^3 \times 7 b^{4a-1} c y$

$$= 1680 a^{n+4} b^{3a+n} c^7 y.$$

28) $(a + b + c) . d = ad + bd + cd$.

29) $(3a - 2b + 5c) . 4a = 12 a^2 - 8ab + 20ac$.

30) $(4a + 3b - 7c) \times - 5m = - 20 am - 15 bm + 35 cm$.

31) $(a^2 - 2ab + b^2) \times 2ab = 2a^3 b - 4 a^2 b^2 + 2 ab^3$.

32) $(1 + 2x - x^2 + 3x^3) \times - 4x = - 4x - 8x^2 + 4x^3 - 12x^4$.

33) $(a + b - c)(m - n) = am + bm - cm - an - bn + cn$.

34) $(3a - 2b + 5c)(2a - 3b - 2c) = 6a^2 - 13ab + 4ac$

$$+ 6b^2 - 11 . bc - 10c^2.$$

35) $(a + b)(a + b) = (a + b)^2 = a^2 + 2ab + b^2$.

36) $(a - b)(a - b) = (a - b)^2 = a^2 - 2ab + b^2$.

37) $(a^2 + 2ab + b^2)(a^2 - 2ab + b^2) = (a + b)^2 (a - b)^2 =$

$$= [(a + b)(a - b)]^2 = (a^2 - b^2)^2 = a^4 - 2 a^2 b^2 + b^4.$$

38) $(3a - 5b + 7c)(2a + 3b - 2d) = 6a^2 - ab - 15b^2$

$$+ 14ac - 6ad + 21bc + 10bd - 14cd.$$

39) $(3 - 2x + x^2)(1 + x - 2x^2) = 3 + x - 7x^2 + 5x^3 - 2x^4$.

40) $(4 + 3x - 2x^2 + x^3 - 5x^4)(2 - x - 3x^2) = 8 + 2x$

$$- 19x^2 - 5x^3 - 5x^4 + 2x^5 + 15x^6.$$

41) $(1 + x - x^5 - x^6)(1 - x + x^2 - x^3 + x^4) = 1 - x^{10}$.

42) $(4 - 4x + x^2)(8 - 12x + 6x^2 - x^3) = 32 - 80x$

$$+ 80x^2 - 40x^3 + 10x^4 - x^5.$$

43) $(x^2 + 2x - 1)(2x^2 - 3x + 1)(x - 3) = ?$

44) $(2x^3 - 3x^2 y + xy^2 + 4y^3)(x^2 - 4xy + 3y^2) = ?$

45) $(a + b + c)(a + b - c)(a + c - b)(b + c - a)$

$$= 2a^2 b^2 + 2a^2 c^2 + 2b^2 c^2 - a^4 - b^4 - c^4.$$

46) $(3a - 4m + 3n - 2x)(2a - 3n + x)(2m - n - x)$

$$(a + n + x) = ?$$

47) $(x-1)(x-2)(x-4)(x+1)(x+2)(x+3)(2x-1)$
$$= 2x^7 - 3x^6 - 33x^5 + 27x^4 + 123x^3 - 72x^2$$
$$- 92x + 48.$$

48) $(x^n - 3x^{n-1}y^r + 5x^{n-2}y^{2r} - 7x^{n-3}y^{3r} + 9x^{n-4}y^{4r})$
$$(x^{n+3} - 2x^{n+2}y^{n-r} + 4x^{n+1}y^{n-2r} - 6x^n y^{n-3r}) = ?$$

49) $(a^5 v^4 + 3a^2 v^{10} + a^7 - 7a^4 v^6 - 5v^{14} - 5a^3 v^8 - 2a^6 v^2 - 7av^{12})$
$$(a^3 - 2v^6 + 5a^1 v^4 - 3a^2 v^2) = ?$$

50) $(2 - 3x - 4x^2 + 2x^3)^2 \cdot (1 + x - 3x^2 - 4x^3) = ?$

51) Man bestimme das zehnte und vierzehnte Glied im Produkte
$(x^5 - 5x^4 y + 10x^3 y^2 - 10x^2 y^3 + 5xy^4 - y^5)(x^9 - 9x^8 y + 36x^7 y^2 -$
$- 84x^6 y^3 + 126x^5 y^4 - 126x^4 y^5 + 84x^3 y^6 - 36 x^2 y^7 + 9xy^8 - y^9)$.

52) Man verlangt bloß das vierte, sechste und achte Glied des Produktes
$(1 - 3u^2 + 5u^4 - 7u^6 + 9u^8 - 11u^{10} + 13u^{12})(2 + 4u^2 - 6u^4 -$
$$- 8u^6 + 10u^8).$$

53) Wie heißt das siebente Glied im Produkte
$(m^9 - m^8 n + m^7 n^2 - m^6 n^3 + m^5 n^4 - m^4 n^5 + m^3 n^6 - m^2 n^7$
$$+ mn^8 - n^9)(m+n)?$$

54) Man verlangt bloß das neunte und zwölfte Glied im Produkte
$$(3 - 2x + 5x^2 - 2x^3 - x^4 + 3x^5 - 2x^6 + 5x^7)^2?$$

55) Wie heißt das fünfte, siebente und neunte Glied im Produkte
$(a^n - 3a^{n-2}b + 2a^{n-4}b^2 + 5a^{n-6}b^3 - 4a^{n-8}b^4 - 2a^{n-10}b^5) \times$
$(a^{12-n} - 5a^{10-n}b^{n-4} - 3a^{8-n}b^{n-3} + 4a^{6-n}b^{n-2} + 3a^{4-n}b^{n-1})?$

56) Man bestimme die vier letzten (höchsten) Glieder im Produkte
$(7 + 3x - 4x^2 - 5x^3 + 3x^4 - 2x^5)(3 - 2x - 4x^2 - 5x^3 - 6x^4)$
$$(1 + 3x).$$

57) Man suche die fünf höchsten Glieder des Produktes
$$(1 - x^2 - x^4 - x^6 - x^8)^2 (1 + x + 2x^3 + 4x^5 + x^7).$$

58) Man suche das vierte, siebente und neunte Glied des Produktes
$(u^7 + u^6 + u^5 + u^4 + u^3 + u^2 + u + 1)(u^7 - u^6 + u^5 - u^4 + u^3 - u^2)$.

59) Man suche die vier letzten Glieder des Produktes
$(a^4 - 2a^3 x^2 - 5a^2 x^4 + 3ax^6 - 2x^8)(a^3 - 3a^2 x^2 + 3ax^4 - x^6)^2$.

60) Man suche das achte, neunte und zehnte Glied des Produktes
$$(3 - 2x - 5x^2 + 7x^3 - 3x^4 + 4x^5)^3.$$

4) Division (§. 55 bis 58 der Alg.).

1) $a : a = 1.$

2) $a : 1 = a.$

3) $a : b = \dfrac{a}{b}.$

4) $-a : b = -\dfrac{a}{b}.$

5) $a : -b = -\dfrac{a}{b}.$

6) $-a : -b = \dfrac{a}{b}.$

7) $\pm a : b = \pm\dfrac{a}{b}.$

8) $\pm a : -b = \mp\dfrac{a}{b}.$

9) $\pm a : \pm b = \dfrac{a}{b}.$

10) $\pm a : \mp b = -\dfrac{a}{b}.$

11) $am : m = \dfrac{am}{m} = a$

12) $abcm : amn = \dfrac{abcm}{amn} = \dfrac{bc}{n}.$

13) $24ab : 8a = 3b$

14) $36amx : 15an = \dfrac{12mx}{5n}.$

15) $= -48abcde : 8befg = -\dfrac{6acd}{fg}$

16) $126aabbbcd : -6abbde = -\dfrac{21abc}{e}.$

17) $-144aabcccxy : -60abbcccxx = \dfrac{12acy}{5bx}.$

18) $a^m : a^n = a^{m-n}.$

19) $a^7 : a^4 = a^{7-4} = a^3.$

20) $a^7 b^5 c^3 : a^4 b^4 c = a^{6-4} b^{5-4} c^{3-1} = a^2 b c^2.$

21) $48a^5 c^8 x^4 y^3 : 6a^3 c^6 y^2 = 8a^{5-3} c^{8-6} x^4 y^{3-2} = 8 a^2 c^2 x^4 y.$

22) $a^n : a^n = a^{n-n} = a^0 = 1.$

23) $a^4 : a^4 = 1 = a^{4-4} = a^0.$

24) $a^n : a^{2n} = a^{n-2n} = a^{-n}$ oder $\dfrac{a^n}{a^{2n}} = \dfrac{1 \cdot a^n}{a^n \cdot a^n} = \dfrac{1}{a^n}$, nämlich

$a^{-n} = \dfrac{1}{a^n}$, folglich auch $\dfrac{1}{a^n} = a^{-n}.$

25) $a^{-n} b^m = \dfrac{b^m}{a^n}.$

26) $a^m b^n c^p : a^n b^n c^q = a^{m-n} b^{n-n} c^{p-q} = a^{m-n} b^0 c^{p-q} = a^{m-n} c^{p-q}.$

27) $135 a^{2m} b^4 x^n : 45 a^m b^6 x^2 = 3 a^{2m-m} b^{-6} x^{n-2} = \dfrac{3 a^m x^{n-2}}{b^2}.$

28) $96 a^{m+2} b^{3n} c^{10} : -12 a^m b^{2n+1} c^8 = -8 a^2 b^{n-1} c^2.$

29) $-726 a^{m-n} b^{n-2} c^{m+n} : 6 a^{m-3n} b^{n-3} c^{m+n+3} = -\dfrac{121 a^{2n} b}{c^3}.$

30) $8^3 a^{p+2} b^{n-3} x^r : 8^4 a^{p+1} b^{n-3} x^{3r} = \dfrac{ab}{8 x^{2r}}.$

31) $a^m : a^{-n} = a^{m-(-n)} = a^{m+n}$, denn $a^{m+n} a^{-n} = a^m.$ Also ist

$$\frac{a^m}{a^{-n}} = a^m . a^n, \quad \text{eben fo } \frac{a^m}{x^{-n}} = a^m . x^n, \quad \text{und umgekehrt}$$

$$a^m x^n = \frac{a^m}{x^{-n}}; \quad \text{folglich allgemein}$$

$$\frac{a^m}{x^{\pm n}} = a^m . x^{\mp n}, \quad \text{oder } a^m x^{\mp n} = \frac{a^m}{x^{\pm n}}.$$

32) $12 : 3^{-2} = 12.3^{+2} = 12.9 = 108.$

33) $24^{-2} : 12^{-2} = 24^{-2} . 12^{+2} = \frac{12^2}{24^2} = \frac{12.12}{24.24} = \frac{1}{4}.$

34) $x^{-n} : a^{-m} = \frac{x^{-n}}{a^{-m}} = x^{-n} a^m = \frac{a^m}{x^n}.$

35) $6^{-2} : 2^{-3} = \frac{6^{-2}}{2^{-3}} = \frac{2^3}{6^2} = \frac{8}{36} = \frac{2}{9}.$

36) $(a + b - c) : m = \frac{a}{m} + \frac{b}{m} - \frac{c}{m}.$

37) $(24 ab - 18 bc + 30 ac) : 6a = 4b - \frac{3bc}{a} + 5c.$

38) $(40 a^4 + 32 a^3 x - 48 a^2 x^2 - 16 a x^3) : 8 a x$
$$= \frac{5 a^3}{x} + 4 a^2 - 6 a x - 2 x^2.$$

39) $[50 a^m - 45 a^n x^p - 30 a^4 x^m] : 10 a^m x^p = \frac{5}{x^p} - \frac{9}{2} a^{n-m}$
$$- 3 a^{4-m} x^{m-p}.$$

40) $[72 a^3 b^2 - 60 a^4 c^5 + 48 a b^2 c^3 - 84 b^6 c^4 - 96 a^3 b^4 c^2 + 36 c^6]$
$$: - 12 a^2 b^3 c.$$
$$= \frac{-6a}{bc} + \frac{5 a^2 c^4}{b^3} - \frac{4.c^2}{ab} + \frac{7 b^3 c^3}{a^2} + 8 abc - \frac{3.c^5}{a^2 b^3}$$
$$= - 6 a b^{-1} c^{-1} + 5 a^2 b^{-3} c^4 - 4 a^{-1} b^{-1} c^2 + 7 a^{-2} b^3 c^3$$
$$+ 8 abc - 3 a^{-2} b^{-3} c^5.$$

41) $(am - an) : (m - n) = a.$

42) $[mx - nx - my + ny] : (m - n) = x - y.$

43) $[ad + bd - cd - ae - be + ce] : (d - e) = a + b - c.$

44) $[6 a^2 - 9 ab + 8 ax + 6 bx - 8 x^2] : [2a - 3b + 4x] = 3a - 2x.$

45) $[2 a^2 - an + 3 ax - 3 n^2 - 2 nx \mp x^2] : [2a - 3n + x]$
$$= a + n + x.$$

46) $[6 a^2 - 8 am - 3 an - ax + 12 mn - 9 n^2 + 9 nx - 4 mx - 2 x^2]$
$$: [3a - 4m + 3n - 2x] = 2a - 3n + x.$$

47) $[a^5 - 5 a^4 b + 10 a^3 b^2 - 10 a^2 b^3 + 5 ab^4 - b^5] : [a^2 - 2ab + b^2]$
$$= a^3 - 3 a^2 b + 3 ab^2 - b^3.$$

48) $[64 x^6 - 192 x^5 y + 240 x^4 y^2 - 160 x^3 y^3 + 60 x^2 y^4 - 12 x y^5 + y^6]$
$$: [16 x^4 - 32 x^3 y + 24 x^2 y^2 - 8 x y^3 + y^4] = 4 x^2 - 4 x y + y^2.$$

9) $[16x^6 + 7x^4 - 2x^2 - 1] : [4x^3 + 3x^2 + 2x + 1] =$
$= 4x^3 - 3x^2 + 2x - 1.$

10) $[1 - 3x + 3x^2 - x^3 + 4x^4 - 12x^5 + 4x^6 - 4x^7 + 34x^8$
$- 46x^9 - 12x^{10} + 20x^{11} + 11x^{12} - 9x^{13} - 45x^{14} + 55x^{15}]$
$: [1 - 3x + 5x^2 - 7x^3 + 9x^4 - 11x^5] =$
$= 1 - 2x^2 + 5x^4 - 3x^6 + 4x^8 - 5x^{10}.$

51) $[64x^{12} - 576x^{10}y + 2160x^8y^2 - 4320x^6y^3 + 4860x^4y^4$
$- 2916x^2y^5 + 729y^6] : [16x^8 - 96x^6y + 216x^4y^2$
$- 216x^2y^3 + 81y^4] = 4x^4 - 12x^2y + 9y^2.$

52) $(x^7 - y^7) : (x - y) = x^6 + x^5y + x^4y^2 + x^3y^3 + x^2y^4 + xy^5 + y^6.$

53) $(x^7 + y^7) : (x + y) = x^6 - x^5y + x^4y^2 - x^3y^3 + x^2y^4 - xy^5 + y^6.$

54) $(64x^6 - 1) : (32x^5 - 16x^4 + 8x^3 - 4x^2 + 2x - 1) = 2x + 1.$

55) $[a^{m+4}x^{m-3} + a^{m+3}x^m - a^mx^{m+2} - a^{m-2}x^{m+4}] : [a^mx - a^{m-1}x^2$
$+ a^{m-2}x^3 - a^{m-3}x^4] = a^4x^{m-3} + a^3x^{m-2} + a^2x^{m-1} + ax^m.$

56) $[1728a^{m-5}b^{n+3}c^{2p+3} - 1152a^{m-3}b^{n+2}c^pt^2$
$+ 624a^{m+1}b^{n+1}c^pt^2 - 320a^mb^nc^2p + 52a^{m+3}b^{n-1}c^{2p-1}$
$- 8a^{m+5}b^{n-2}c^{2p-2} + a^{m+7}b^{2n-3}c^{2p-3}] : [216a^{m-6}b^{n+3}c^pt^3$
$- 36a^{m-4}b^{n+2}c^pt^2 + 6a^{m-2}b^{n+1}c^pt^1 - a^mb^nc^p]$
$= 8ab^nc^p - 4a^3b^{n-1}c^{p-1} + 2a^5b^{n-2}c^{p-2} - a^7b^{n-3}c^{p-3}.$

57) $[3a^{m+3}b^{n-1}c^{2p+4}d^{2q-4} - a^{m+2}b^nc^{2p+2}d^{2q-2} + 2a^{m+1}b^{n+1}c^{2p}d^{2q}$
$- 2a^mb^{n+2}c^{2p-2}d^{2q+2} - a^{m-1}b^{n+3}c^{2p-4}d^{2q+4}$
$- a^{m-2}b^{n+4}c^{2p-6}d^{2q+6}] : [3a^3b^{n-1}c^{p+4}d^{q-4} + 2a^2c^{p+2}d^{q-2}$
$+ abc^pd^q] = a^mb^nc^pd^q - a^{m-1}b^{n+1}c^{p-2}d^{q+2}$
$+ a^{m-2}b^{n+2}c^{p-4}d^{q+4} - a^{m-3}b^{n+3}c^{p-6}d^{q+6}.$

$$58) \quad \frac{1}{1-x} = 1 : (1-x) = 1 + \frac{x}{1-x},$$

oder durch fortgesetzte Division:

$$= 1 + x + \frac{x^2}{1-x},$$

$$= 1 + x + x^2 + \frac{x^3}{1-x},$$

$$= 1 + x + x^2 + x^3 + \frac{x^4}{1-x},$$

$$= 1 + x + x^2 + x^3 + x^4 + x^5 \ldots + x^{n-2} + x^{n-1} + \frac{x^n}{1-x}.$$

$$59) \quad \frac{1}{1+x} = 1 : (1+x) = 1 - \frac{x}{1+x},$$

oder durch fortgesetzte Division:

$$= 1 - x + \frac{x^2}{1+x},$$

$$= 1 - x + x^2 - \frac{x^3}{1+x},$$

$$= 1 - x + x^2 - x^3 + \frac{x^4}{1+x}$$

$$= 1 - x + x^2 - x^3 + x^4 - x^5 + \ldots + x^{n-1} \mp x^{n-1} \pm \frac{x^n}{1+x},$$

wo x^n pofitiv oder negativ ift, je nachdem n gerade oder ungerade i

60) $\quad \frac{1+x}{1-x} = 1 + \frac{2x}{1-x},$

oder durch fortgefeßte Divifion:

$$= 1 + 2x + \frac{2x^2}{1-x},$$

$$= 1 + 2x + 2x^2 + \frac{2x^3}{1-x},$$

$$= 1 + 2x + 2x^2 + 2x^3 + \frac{2x^4}{1-x},$$

$$= 1 + 2x + 2x^2 + 2x^3 + 2x^4 + 2x^5 + \ldots$$

$$\ldots + 2x^{n-1} + \frac{2x^n}{1-x}.$$

61) $\quad \frac{1-x}{1+x} = 1 - \frac{2x}{1+x},$

und durch fortgefeßte Divifion:

$$= 1 - 2x + \frac{2x^2}{1+x},$$

$$= 1 - 2x + 2x^2 - \frac{2x^3}{1+x},$$

$$= 1 - 2x + 2x^2 - 2x^3 + \frac{2x^4}{1+x},$$

$$= 1 - 2x + 2x^2 - 2x^3 + \ldots$$

$$\ldots \pm 2x^{n-1} \mp 2x^{n-1} \pm \frac{2x^n}{1+x},$$

wo der Reft pofitiv oder negativ ift, je nachdem n gerade oder ungerade ift.

62) $\quad 1 : (1 - 2x + x^2) = \frac{1}{(1-x)^2} = (1-x)^{-2}$

$$= 1 + 2x + 3x^2 + 4x^3 + 5x^4 + \ldots + (n-2)x^{n-3}$$

$$+ (n-1)x^{n-2} + nx^{n-1} + \frac{(n+1)x^n - nx^{n+1}}{1-2x+x^2}.$$

63) $\quad 1 : (1 + 2x + x^2) = \frac{1}{(1+x)^2} = (1+x)^{-2} = 1 - \frac{2x+x^2}{1+2x+x^2}$

$$= 1 - 2x + \frac{3x^2 + 2x^2}{1+2x+x^2}.$$

$$= 1 - 2x + 3x^2 - \frac{4x^3 + 3x^4}{1 + 2x + x^2}$$

$$= 1 - 2x + 3x^2 - 4x^3 + \frac{5x^4 + 4x^5}{1 + 2x + x^2}$$

$$= 1 - 2x + 3x^2 - 4x^3 + 5x^4 - \frac{6x^5 + 5x^6}{1 + 2x + x^2 x}$$

$$= 1 - 2x + 3x^2 - 4x^3 + 5x^4 - 6x^5 + \ldots$$

$$\pm (n-2)x^{n-3} \mp (n-1)x^{n-3} \pm nx^{n-1} \mp \frac{(n+1)x^n + nx^{n+1}}{1 + 2x + x^2}$$

64) $1 : (1 - 3x + 3x^2 - x^3) = \dfrac{1}{(1-x)^3} = (1-x)^{-3}$

$$= 1 + 3x + 6x^2 + 10x^3 + 15x^4 + 21x^5 + 28x^6 + 36x^7 + \ldots$$

$$+ \frac{(n-1)(n-2)}{1 \cdot 2}x^{n-3} + \frac{n(n-1)}{1 \cdot 2}x^{n-2} + \frac{(n+1)n}{1 \cdot 2}x^{n-1} +$$

$$+ \frac{\frac{(n+1)(n+2)}{1 \cdot 2}x^n - n(n+2)x^{n+1} + \frac{n(n+1)}{1 \cdot 2}x^{n+2}}{1 - 3x + 3x^2 - x^3}$$

65) $1 : (1 + 3x + 3x^2 + x^3) = \dfrac{1}{(1+x)^3} = (1+x)^{-3} = 1 - 3x$

$$+ 6x^2 - 10x^3 + 15x^4 - 21x^5 + 28x^6 - 36x^7 + \ldots$$

$$\pm \frac{(n-1)(n-2)}{1 \cdot 2}x^{n-3} \mp \frac{n(n-1)}{1 \cdot 2}x^{n-2} \pm \frac{(n+1)n}{1 \cdot 2}x^{n-1} \mp$$

$$\mp \frac{\frac{(n+1)(n+2)}{1 \cdot 2}x^n + n(n+2)x^{n+1} + \frac{n(n+1)}{1 \cdot 2}x^{n+2}}{1 + 3x + 3x^2 + x^3},$$

wo der Rest negativ oder positiv ist, je nachdem n ungerade oder gerade ist.

66) $\dfrac{a^{10} - x^{10}}{a - x} = ?$ $\quad \dfrac{a^{10} - x^{10}}{a + x} = ?$ $\quad \dfrac{a^{10} - x^{10}}{a^2 - x^2} = ?$

67) $\dfrac{v^7 + 1}{v + 1} = ?$ $\quad \dfrac{v^7 + 1}{v - 1} = ?$ $\quad \dfrac{v^6 + 1}{v + 1} = ?$

68) $(x^4 - 8x^3 + 18x^2 - 2x - 21) : (x - 3) = ?$

69) $(x^5 - 16x^3 - 84x^2 + 173x + 110) : (x - 5) = ?$

70) $(x^4 - 3x^3 - 28x^2 + 5x + 20) : (x + 4) = ?$

71) $(x^7 - 6x^5 + 1520x^3 + 50x^2 + 7x - 8) : (x + 6) = ?$

72) $(w^6 - 8w^4 + 5w^3 - 7w - 13) : (w - 2) = ?$

73) $(u^6 - 12u^5 + 60u^4 - 160u^3 + 240u^2 - 53u + 48) : (u - 1) = ?$

74) $(w^{14} - v^{14}) : (w^7 - 2w^6 + 2w^5 - 2w^4 + 2w^3 - 2w^2 + 2w - 1) = ?$

75) $(x^{8n} - y^{8n}) : (x^{5n} - x^{4n}y^r + x^n y^{4r} - y^{5r}) = ?$

76) $\dfrac{a}{1+2a} = ?$ $\dfrac{a}{1-2a} = ?$

77) $(24\,ab^2 - 14\,a^2b - 7b^3 + 15\,a^3) : (3a - b) = ?$

78) $(a^{2m} + 2\,a^m b^{2r} + b^{4r} - c^{2p}) : (a^m + b^{2r} + c^p) = ?$

79) $\dfrac{(6\,ax - 9\,bx + 3\,c^2x + 14\,a^2 - 21\,ab + 5\,ac^2 + 3\,bc^2 - c^4)}{-3x - 7a + c^2} = ?$

80) $\dfrac{(688\,a^3b^2 + 741\,b^5 + 183\,a^4b + 631\,ab^4 + 9\,a^5 - 2476\,a^2b^3)}{(26\,ab - 57\,b^2 + 3\,a^2)} = ?$

III. Zerlegung in Faktoren.

(§. 71. bis 74. der Alg.)

1) $ab - ac + ad = a\,(b - c + d)$.

2) $6\,ab + 15\,ac - 12\,ad - 9\,ae = 3\,a\,(2b + 5c - 4d - 3e)$.

3) $12\,a^2x^3 - 30\,a^3x^2 + 18\,ax^4 - 42\,a^4x = 6\,ax\,(2\,ax^2 -$
   $- 5\,a^2x + 3\,x^3 - 7\,a^3)$.

4) $15\,a^2x^2 - 30\,a^2x^3 + 105\,a^2x^4 - 75\,a^2x^5 = 15\,a^2x^2$
   $(1 - 2x + 7x^2 - 5x^3)$.

5) $-42\,a^3x^2z - 14\,a^2x^3z^2 + 28\,a^4x^3z = -14\,a^2x^2z$
   $(3a + xz - 2\,a^2x)$.

6) $-44\,ax^n + 286\,a^2x^{n+1} - 66\,a^3x^{n+2} = -22\,ax^n$
   $(2 - 13\,ax + 3\,a^2x^2)$.

7) $x^{m+n}y^m - x^{2n}y^{m+n} - x^n y^{2m} = x^n y^m\,(x^m - x^n y^n - y^m)$.

8) $x^m y^n + x^{m-2} y^{n+2} + x^{m-4} y^{n+4} = x^m y^n\,(1 + x^{-2}y^2 + x^{-4}y^4)$
   $= x^m y^n \left(1 + \dfrac{y^2}{x^2} + \dfrac{y^4}{x^4}\right)$.

9) $a^2 - ax + x^2 = a^2\,(1 - a^{-1}x + a^{-2}x^2) = a^2 \left(1 - \dfrac{x}{a} + \dfrac{x^2}{a^2}\right)$.

10) $4x^2 - 12\,xy + 9\,y^2 = (2x - 3y)(2x - 3y) = (2x - 3y)^2$.

11) $x^4y^2 - x^2y^4 = x^2y^2\,(x^2 - y^2) = x^2y^2\,(x+y)(x-y)$.

12) $x^2 + 11\,xy + 28\,y^2 = (x + 7y)(x + 4y)$.

13) $4x^2 - 2\,xy - 12\,y^2 = 2\,(2x + 3y)(x - 2y)$.

14) $6\,a^2 - 11\,an + 3\,n^2 = (3a - n)(2a - 3n)$.

15) $a^2 - 6\,an - 72\,n^2 = (a - 12n)(a + 6n)$.

16) $84\,m^3n^2 - 175\,m^2n^3 + 84\,mn^4 = 7\,mn^2\,(4m - 3n)(3m - 4n)$.

17) $12\,an^4x^5 + 24\,a^2n^3x^4 - 36\,a^3n^2x^3 = 3 \cdot 4 \cdot an^2x^3\,(nx + 3a)(nx - a)$.

18) $x^2 - 5x + 6 = (x - 2)(x - 3)$.

19) $x^2 - 10x + 24 = (x - 4)(x - 6)$.

20) $x^2 + 6x + 8 = (x + 2)(x + 4)$.

21) $3x^2 + 7x - 6 = (3x - 2)(x + 3)$.

22) $6 - 5x - x^2 = (1 - x)(6 + x)$.

23) $12 - 4x - 3x^2 + x^3 = (2 + x)(2 - x)(3 - x)$.

24) $x^3 - 13x^2 + 54x - 72 = (x - 3)(x - 4)(x - 6)$.

25) $x^4 - 151x^2 + 102x + 4752 = (x + 6)(x - 8)(x - 9)(x + 11)$.

26) $2x^4 - 33x^3 + 775x - 1500 = (2x - 5)(x + 5)(x - 4)(x - 15)$.

27) $x^5 - 25x^4 + 54x^3 + 1940x^2 - 5000x - 48000 =$
$$= (x - 10)(x + 5)(x - 16)(x + 6)(x - 10).$$

28) $x^6 - 1 = (x^3 - 1)(x^3 + 1) =$
$$= (x - 1)(x^2 + x + 1)(x + 1)(x^2 - x + 1).$$

29) $x^{10} - 1 = (x^5 + 1)(x^5 - 1) =$
$$= (x + 1)(x^4 - x^3 + x^2 - x + 1)(x - 1)(x^4 + x^3 + x^2 + x + 1).$$

30) $x^{12} - 2^{12} = (x^6 + 2^6)(x^6 - 2^6) = (x^6 + 2^6)(x^3 + 2^3)(x^3 - 2^3)$
$$= (x^6 + 2^6)(x + 2)(x^2 - 2x + 2^2)(x - 2)(x^2 + 2x + 2^2).$$

31) $36a^3b + 18a^2b^2 - 108ab^3 = ?$

32) $18ax^4 + 12a^2x^3 - 54a^3x^2 - 36a^4x = ?$

33) $286a^2x^{n+1} - 220ax^n - 66a^3x^{n+2} = ?$

34) $a^{2m+n}b^m - 2a^{m+n}b^{2m} + a^n b^{3m} = ?$

35) $a^2 + 11ax^n + 28x^{2n} = ?$

36) $12ab^4c^5 + 24a^2b^3c^4 - 36a^3b^2c^3 = ?$

37) $x^{2n+6} - 16x^{2n+3} + 64x^{2n} - 6x^{n+6} + 96x^{n+3} - 384x^n + 9x^6 - 144x^3 + 576 = ?$

38) $a^{6n+2} - a^{6n}x^2 - 2a^{5n+2}x^n + 2a^{5n}x^{n+2} + a^{4n+2}x^{2n} - a^{4n}x^{2n+2} - a^{2n+2}x^{4n} + a^{2n}x^{4n+2} + 2a^{n+2}x^{5n} - 2a^n x^{5n+2} - a^2 x^{6n} + x^{6n+2} = ?$

39) $3a^{n+1} - 6a^{n+2r+1} + 3a^{n+4r+1} = ?$

40) $8u^{12} - 26u^{10} + 78u^8 - 46u^6 - 80u^4 + 72u^2 = ?$

41) $x^2 + 2ax + a^2 - b^2 = ?$

42) $a^3 - 8x^3 = ?$

43) $1 - 27x^3 = ?$

44) $a^2 + b^2 - c^2 + 2ab = ?$

45) $a^2 + b^2 - c^2 - 2ab = ?$

46) $c^2 - a^2 - b^2 - 2ab = ?$

47) $c^2 - a^2 - b^2 + 2ab = ?$

48) $a^3 + 3a^2b + 3ab^2 + b^3 - ac^2 - bc^2 = ?$

49) $a^3 - 3a^2b + 3ab^2 - b^3 - ac^2 + bc^2 = ?$

50) $a^2 - 3ab + ac + 2b^2 - 2bc = ?$

IV. Bestimmung der einfachen und zusammengesetzten Divisoren einer gegebenen Größe.

(§. 75. der Alg.)

1) Von der Zahl 60060 sind die

einfachen	zusammengesetzten Faktoren
13	
11	143
7	91, 77, 1001.
5	65, 55, 715, 35, 455, 385, 5005.
3	39, 33, 429, 21, 273, 231, 3003, 15, 195, 165, 2145, 105, 1365, 1155, 15015.
2	26, 22, 286, 14, 182, 154, 2002, 10, 130, 110, 1430, 70, 910, 770, 10010, 6, 78, 66, 858, 42, 546, 462, 6006, 30, 390, 330, 4290, 210, 2730, 2310, 30030.
2	4, 52, 44, 572, 28, 364, 308, 4004, 20, 260, 220, 2860, 140, 1820, 1540, 20020, 12, 156, 132, 1716, 84, 1092, 924, 12012, 60, 780, 660, 8580, 420, 5460, 4620, 60060.

2) Die Größe $455 a^2 b x^3$ hat folgende

einfache	zusammengesetzte Divisoren
13	
7	91.
5	65, 35, 455.
a	$13 a, 7 a, 91 a, 5 a, 65 a, 35 a, 455 a.$
a	$a^2, 13 a^2, 7 a^2, 91 a^2, 5 a^2, 65 a^2, 35 a^2, 455 a^2.$
b	$13 b, 7 b, 91 b, 5 b, 65 b, 35 b, 455 b.$
	$ab, 13 ab, 7 ab, 91 ab, 5 ab, 65 ab, 35 ab, 455 ab, a^2 b, 13 a^2 b, 7 a^2 b, 91 a^2 b, 5 a^2 b, 65 a^2 b, 35 a^2 b, 455 a^2 b.$
x	$13 x, 7 x, 91 x, 5 x, 65 x, 35 x, 455 x, a x, 13 a x, 7 a x, 91 a x, 5 a x, 65 a x, 35 a x, 455 a x, a^2 x, 13 a^2 x, 7 a^2 x, 91 a^2 x, 5 a^2 x, 65 a^2 x, 35 a^2 x, 455 a^2 x, b x, 13 b x, 7 b x, 91 b x, 5 b x, 65 b x, 35 b x, 455 b x, a b x, 13 a b x, 7 a b x, 91 a b x, 5 a b x, 65 a b x, 35 a b x, 455 a b x, a^2 b x, 13 a^2 b x, 7 a^2 b x, 91 a^2 b x, 5 a^2 b x, 65 a^2 b x, 35 a^2 b x, 455 a^2 b x.$

einfache	zusammengesetzte Divisoren:
x	x^2, $13x^2$, $7x^2$, $91x^2$, $5x^2$, $65x^2$, $35x^2$, $455x^2$, ax^2, $13ax^2$, $7ax^2$, $91ax^2$, $5ax^2$, $65ax^2$, $35ax^2$, $455ax^2$, a^2x^2, $13a^2x^2$, $7a^2x^2$, $91a^2x^2$, $5a^2x^2$, $65a^2x^2$, $35a^2x^2$, $455a^2x^2$, bx^2, $13bx^2$, $7bx^2$, $91bx^2$, $5bx^2$, $65bx^2$, $35bx^2$, $455bx^2$, abx^2, $13abx^2$, $7abx^2$, $91abx^2$, $5abx^2$, $65abx^2$, $35abx^2$, $455abx^2$, a^2bx^2, $13a^2bx^2$, $7a^2bx^2$, $91a^2bx^2$, $5a^2bx^2$, $65a^2bx^2$, $35a^2bx^2$, $455a^2bx^2$.
x	x^3, $13x^3$, $7x^3$, $91x^3$, $5x^3$, $65x^3$, $35x^3$, $455x^3$, ax^3, $13ax^3$, $7ax^3$, $91ax^3$, $5ax^3$, $65ax^3$, $35ax^3$, $455ax^3$, a^2x^3, $13a^2x^3$, $7a^2x^3$, $91a^2x^3$, $5a^2x^3$, $65a^2x^3$, $35a^2x^3$, $455a^2x^3$, bx^3, $13bx^3$, $7bx^3$, $91bx^3$, $5bx^3$, $65bx^3$, $35bx^3$, $455bx^3$, abx^3, $13abx^3$, $7abx^3$, $91abx^3$, $5abx^3$, $65abx^3$, $35abx^3$, $455abx^3$, a^2bx^3, $13a^2bx^3$, $7a^2bx^3$, $91a^2bx^3$, $5a^2bx^3$, $65a^2bx^3$, $35a^2bx^3$, $455a^2bx^3$.

3) Die Größe $54x - 60x^3 + 6x^5$ hat folgende

einfache	zusammengesetzte Faktoren:
3	
2	6
x	$3x$, $2x$, $6x$.
$(1+x)$	$3(1+x)$, $2(1+x)$, $6(1+x)$, $x(1+x)$, $3x(1+x)$, $2x(1+x)$, $6x(1+x)$.
$(1-x)$	$3(1-x)$, $2(1-x)$, $6(1-x)$, $x(1-x)$, $3x(1-x)$, $2x(1-x)$, $6x(1-x)$, $(1-x^2)$, $3(1-x^2)$, $2(1-x^2)$, $6(1-x^2)$, $x(1-x^2)$, $3x(1-x^2)$, $2x(1-x^2)$, $6x(1-x^2)$.
$(3+x)$	$3(3+x)$, $2(3+x)$, $6(3+x)$, $x(3+x)$, $3x(3+x)$, $2x(3+x)$, $6x(3+x)$, $(3+4x+x^2)$, $3(3+4x+x^2)$, $2(3+4x+x^2)$, $6(3+4x+x^2)$, $x(3+4x+x^2)$, $3x(3+4x+x^2)$, $2x(3+4x+x^2)$, $6x(3+4x+x^2)$, $(3-2x-x^2)$, $3(3-2x-x^2)$, $2(3-2x-x^2)$, $6(3-2x-x^2)$, $x(3-2x-x^2)$, $3x(3-2x-x^2)$, $2x(3-2x-x^2)$, $6x(3-2x-x^2)$, $(3+x-3x^2-x^3)$, $3(3+x-3x^2-x^3)$, $2(3+x-3x^2-x^3)$, $6(3+x-3x^2-x^3)$, $x(3+x-3x^2-x^3)$, $3x(3+x-3x^2-x^3)$, $2x(3+x-3x^2-x^3)$, $6x(3+x-3x^2-x^3)$.

einfache	zusammengeſetzte Faktoren:
$(3-x)$	$3(3-x), \ 2(3-x), \ 6(3-x), \ x(3-x), \ 3x(3-x),$

$2x(3-x), \ 6x(3-x), \ (3+2x-x^2), \ 3(3+2x-x^2),$

$2(3+2x-x^2), \ 6(3+2x-x^2), \ x(3+2x-x^2),$

$3x(3+2x-x^2), \ 2x(3+2x-x^2), \ 6x(3+2x-x^2),$

$(3-4x+x^2), \ 3(3-4x+x^2), \ 2(3-4x+x^2),$

$6(3-4x+x^2), \ x(3-4x+x^2), \ 3x(3-4x+x^2),$

$2x(3-4x+x^2), \ 6x(3-4x+x^2), \ (3-x-3x^2+x^3),$

$3(3-x-3x^2+x^3), \ 2(3-x-3x^2+x^3),$

$6(3-x-3x^2+x^3), \ x(3-x-3x^2+x^3),$

$3x(3-x-3x^2+x^3), \ 2x(3-x-3x^2+x^3),$

$6x(3-x-3x^2+x^3), \ (9-x^2), \ 3(9-x^2), \ 2(9-x^2),$

$6(9-x^2), \ x(9-x^2), \ 3x(9-x^2), \ 2x(9-x^2),$

$6x(9-x^2), \ (9+9x-x^2-x^3), \ 3(9+9x-x^2-x^3),$

$2(9+9x-x^2-x^3), \ 6(9+9x-x^2-x^3),$

$x(9+9x-x^2-x^3), \ 3x(9+9x-x^2-x^3),$

$2x(9+9x-x^2-x^3), \ 6x(9+9x-x^2-x^3),$

$(9-9x-x^2+x^3), \ 3(9-9x-x^2+x^3),$

$2(9-9x-x^2+x^3), \ 6(9-9x-x^2+x^3),$

$x(9-9x-x^2+x^3), \ 3x(9-9x-x^2+x^3),$

$2x(9-9x-x^2+x^3), \ 6x(9-9x-x^2-x^3),$

$(9-10x^2+x^4), \ 3(9-10x^2+x^4), \ 2(9-10x^2+x^4),$

$6(9-10x^2+x^4), \ x(9-10x^2+x^4), \ 3x(9-10x^2+x^4),$

$2x(9-10x^2+x^4), \ 6x(9-10x^2+x^4).$

Man ſuche noch die einfachen und zuſammengeſetzten Diviſoren von folgenden Größen:

4) $24x^5 + 24x^4 - 1224x^3 - 2040x^2 + 8400x.$

5) $a^3 - (a-1)a^2x - (a+1)ax^2 + (a-1)x^3 + x^4.$

6) $25x^4 - 75x^3 - 1500x^2 + 5600x.$

7) $90x^2 - 30xy - 18x + 6y.$

8) $90av + 30av^2 - 90av^3 - 30av^4.$

9) $60a^2 - 30ab - 90b^2.$

10) $2a^n x^{r-2} + a^{n-1} x^{r-1} - 6a^{n-2} x^r.$

11) $x^3 - 3x^2 - 4x + 12.$

12) $6x^{n+1} y^2 - 6x^n y^2 - 96x^{n-1} y^2 + 24x^{n-2} y^2 + 288x^{n-3} y^2.$

V. Beſtimmung des größten gemeinſchaftlichen Maßes zweyer oder mehrerer Größen.

(§. 76. bis 79. der Alg.).

1) Das gr. gem. Maß von 40157 und 188429 iſt <u>3089</u>.
2) » » » » » 34727 und 35629 iſt <u>451</u>.
3) » » » » » 74003 und 177263 iſt 1721.
4) » » » » » 3031720 und 7503507 iſt <u>75793</u>.
5) » » » » » 114157 und 367457 iſt 1.
6) » » » » » 400031 und 259183 iſt 1.
7) » » » » » 5007132655 und 41363 iſt 2177.
8) » » » » » 3088915871 und 17617 iſt <u>79</u>.
9) » » » » » 16854184213545 und 40129 iſt 40129.
10) » » » » » 3959332623 und 62609 iſt 1.
11) » » » » » $185\,a^3\,b^2\,c$ und $497\,a^5\,b^2\,c^3$ iſt $37\,a^3\,b^2\,c$.
12) » » » » » $321\,a^7\,b^4\,x^3\,y^2$, $2041\,a^4\,b^6\,x^2\,z$ und $65\,a^6\,b^3\,x^3$ iſt $13\,a^4\,b^3\,x^2$.

13) Man ſuche das größte gemeinſchaftliche Maß zu den Größen

$$A = 36\,a^6\,b^2 - 18\,a^5\,b^2 - 27\,a^4\,b^2 + 9\,a^3\,b^2 \text{ und}$$
$$B = 27\,a^5\,b^2 - 18\,a^4\,b^2 - 9\,a^3\,b^2.$$

Auf den erſten Blick bemerkt man ſchon, daß beyde Polynome A und B den Faktor $9\,a^3\,b^2$ gemeinſchaftlich haben, welchen man ſich unterdeſſen notirt. Die beyden Größen A und B kürze man durch jenen gemeinſchaftlichen Faktor ab; ſo ſteht dann die Rechnung alſo:

folglich iſt $9\,a^3\,b^2\,(a-1)$ das gr. gem. Maß von A und B.

14). Man suche das größte gemeinschaftliche Maß der Größen

$$A = 3a^5x + 8a^4x^2 + 8a^3x^3 + 4a^2x^4 + ax^5 - a^2x^6.$$

und $B = a^6x + a^4x^2 - a^2x^5 - x^6.$

Die Größen A und B haben den Faktor $a x$ gemeinschaftlich, also muß dieser auch ein Faktor des größten gemein-schaftlichen Maßes seyn. Dividirt man beyde Größen durch diesen Faktor, so erhält man:

$$A' = 3a^4 + 8a^3x + 8a^2x^2 + 4ax^3 + x^4$$

und $B' = a^5 + a^4x - ax^4 - x^5.$

$a - 5x = Q'$

$3a + 11 = Q''$

$4a + 1 = Q'''$

$B' \times 3$

$$3a^5 + 3a^4x \qquad\qquad - 3ax^4 - 3x^5$$
$$3a^5 + 8a^4x + 8a^3x^2 + 4a^2x^3 + ax^4$$
$$\overline{\qquad - 5a^4x - 8a^3x^2 - 4a^2x^3 - 4ax^4 - 3x^5}$$

$\times 3$

$$- 15a^4x - 24a^3x^2 - 12a^2x^3 - 12ax^4 - 9x^5$$
$$- 15a^4x - 40a^3x^2 - 40a^2x^3 - 20ax^4 - 5x^5$$
$$\overline{\qquad 16a^3x^2 + 28a^2x^3 + 8ax^4 - 4x^5}$$

$: 4x^2$

$$R' = 4a^3 + 7a^2x + 2ax^2 - x^3$$

$$4a^3 + 7a^2x + 2ax^2 - x^3$$
$$4a^3 + 8a^2x + 4ax^2$$
$$\overline{\qquad - a^2x - 2ax^2 - x^3}$$
$$a^2 + 2ax + x^2$$
$$a^2 + 2ax + x^2$$
$$\overline{\qquad R'' = 0.}$$

$A' = 3a^4 + 8a^3x + 8a^2x^2 + 4ax^3 + x^4$

$\times 4$

$$12a^4 + 32a^3x + 32a^2x^2 + 16ax^3 + 4x^4$$
$$12a^4 + 21a^3x + 6a^2x^2 - 3ax^3$$
$$\overline{\qquad 11a^3x + 26a^2x^2 + 19ax^3 + 4x^4}$$

$\times 4$

$$44a^3x + 104a^2x^2 + 76ax^3 + 16x^3$$
$$44a^3x + 77a^2x^2 + 22ax^2 - 11x^3$$
$$\overline{\qquad 27a^2x^2 + 54ax^3 + 27x^3}$$

$: 27x$

$$R'' = a^2 + 2ax + x^2$$

Folglich ist $ax(a^2 + 2ax + x^2)$ das größte gemeinschaftliche aß der gegebenen Größen A und B.

15) Zu den Größen $(a^{11}b^2c^2 + 2a^9b^3c^3 + 2a^7b^4c^4 + 2a^5b^5c^5 a^3b^6c^6)$ und $(a^7b^2c^2 + 2a^5b^3c^3 + a^3b^4c^4)$ ist $a^3b^2c^2(a^4 + 2a^2bc + b^2c^2)$ s größte gem. Maß.

16) Zu $(4x^9y^{-1} + 7x^8 + 9x^7y + 9x^6y^2 + 9x^5y^3 + 9x^4y^4 9x^3y^5 + 5x^2y^6 + 2xy^7)$ und $(4x^6y^{-2} - x^5y^{-1} + 3x^4 - 3x^3y + 3x^2y^2 xy^3 + 2y^4)$ ist das größte gem. Maß $= 4x^2y^{-1} + 3xy^{-1} + 2$.

17) Zu $(a^4 + 2a^3b + 2a^2b^2 + 2ab^3 + b^4 + a^3c + a^2bc ab^2c + b^3c)$ und $(a^5 + b^5 + a^4c - a^3bc + a^2b^2c - ab^3c + b^4c)$ $(a + b + c)$ das größte gem. Maß.

18) Zu $[4(c+d)x^4 + (4a + 4b + 3c + 3d)x^3 + (3a + 3b - 2c + 2d)x^2 + (2a + 2b + c + d)x + (a + b)]$ und $(c+d)x^4 + (4a + 4b - 3c - 3d)x^3 - (3a + 3b + 2c + 2d)x^2 - (2a + 2b + c + d)x - (a+b)]$ ist $[(c+d)x + (a+b)]$ das rößte gem. Maß.

19) Die Größen $(x^6 + 2x^5 - 2x^4 + 2x^3 - 2x^2 + 2x - 3)$ nd $(x^6 - 8x^4 + 8x^2 - 9)$ haben $(x^5 - 3x^4 + x^3 + 3x^2 + x + 3)$ um größten gem. Maße.

20) Zu den Größen $[3x^{2n} - 2x^{2n-2}y^{m-1}(5y - 3) + x^{2n-4}y^{m-2} 7y^3 - 5y^{m+1} - 3) - x^{2n-6}y^{m-3}(9y^5 - 7y^{m+3} - 5y^{m+1} + 3) - x^{2n-8}y^{2m-3}(9y^4 + 7y^2 - 5) + x^{2n-10}y^{2m-2}(9y^2 - 7) + 9x^{2n-12}y^{2m-1}]$ und $[3x^{n+1} - x^{n-1}y(5y^{m-1} - 3) + 2x^{n-3}y^2(y^{m-1} - 3) + 8x^{n-5}y^{m+2} - 23x^{n-7}y^{m+3} + 18x^n - 9y^{m+4}]$ ist $[3x^n - 5x^{n-2}y^m + 7x^{n-4}y^{m+2} - 9x^{n-6}y^{m+2}]$ das größte gem. Maß.

21) Zu den Zahlen 170842 und 12186 das größte gemeinschaftliche Maß zu suchen.

22) Zu 4494945 und 8347755 das größte gem. Maß zu suchen.

23) Zu 7398, 5976 und 8334 das größte gem. Maß zu suchen.

24) Zu $132a^4b^3c^2$ und $165a^3c^4d^2$ das größte gem. Maß aufzufinden.

25) Zu $52a^{5n}b^{r+1}x^5$, $286a^{4n}b^rx^4y^3$ und $390a^nb^{r+1}x^2z$ das größte gem. Maß zu bestimmen.

26) Zu den Größen $(x^6 - 1)$ und $(x^5 + x^4 - 2x^3 + x^2 + x - 2)$ das größte gem. Maß zu suchen.

27) Man suche das größte gemeinschaftliche Maß zu den Größen $x^5 - (2a - b)x^3 + (3a - 2b - 2)x^2 + (3b + 4)x - 6$ und $x^4 - b^2x^2 + 4bx - 4$.

28) Zu $3a^3 - 3a^2 (b - 3) - 2ab^3 (a - b + 3) x - (4ab^6 + 12b^6 - 4b^7)x^2$ und $(2ab + 6b - 2b^2)x^2 - (a^2 - b^2 + 3a + 3b) + a^2 + 3a - ab$. das größte gemeinschaftliche Maß zu suchen.

29) Zu $12 - 18x - 26x^2 + 4x^3 - 2x^4 + 30x^5$ un $30x - 15x^2 + 5x^3 - 10x^4 - 10x^5 + 25x^6$ das größte gem. Maß z suchen.

30) Zu $a^7 + a^5 x^2 + a^4 x^3 + a^3 x^4 + a^2 x^5 + x^7$ un $a^7 + a^6 x - a x^6 - x^7$ das größte gem. Maß zu suchen.

VI. Bestimmung des kleinsten gemeinschaftlichen Dividend für zwey oder mehrere gegebene Größen.

(§. 80. der Alg.)

1) Zu den Zahlen $12, 15, 18, 20, 24, 33, 54, 66, 72, 9$ 198 und 792 ist 11880 der kleinste gemeinschaftliche Dividend.

2) Zu den Zahlen $39, 48, 65, 84, 91, 105, 192, 169, 100$ $420, 60, 52, 78$ und 143 ist 12492480 das kleinste gemeinschaftlich Vielfache.

3) Zu den Zahlen $275, 85, 51, 25, 561, 102, 935, 1530, 75$ 100 und 748 ist 168300 das kleinste gemeinschaftliche Vielfache.

4) Zu den Größen $209 a^3 b^2 x^4$, $95 a^5 b^4 x^7$, $55 a^4 x^8$, $57 b^3 x^9$ $165 a b^2 y^3$, $399 a^2 y^4$, $627 x^6 y^6$ und $9 a^2 b^3 x^7 y^3$ ist $65835 a^5 b^4 x^3 y$ der kleinste gemeinschaftliche Dividend.

5) Zu den Größen $24 a^m b^n x^4$, $60 a^{2m} x^3$, $45 b^{n-1} x^5$, $36 x^1 y^4$ $30 a^{m-3} b^{n+2} x^3$ und $72 a^{2m-4} x y^3 z^2$ ist $360 a^{2m} b^{n+2} x^5 y^4 z^2$ das kleinst gemeinschaftliche Vielfache.

6) Zu den Größen $87 a^{m+n} b^{n-p}$, $75 a^m x^r z^3$, $319 b^{2m} x^{r-3}$, $275 x^r y^4$ $725 a^{m-n} b^{n+p-1} z^4$ und $145 a^{n-p} b^p x^{r+2} y^5 z^8$ ist $23925 a^{m+n} b^{2m+p-1} x^r y^5 z^8$ das kleinste gemeinschaftliche Vielfache, wenn $r > 2$ ist.

7) Zu den Größen $(x^2 - 2x + 1)$, $(x^3 - 1)$, $(x^2 + 2x + 1)$ und $(x^2 + 2x - 3)$ ist $(x^5 + 3x^4 - 2x^3 - 6x^2 + x + 3) =$ $= (x^2 - 1)^2(x + 3)$ das kleinste gemeinschaftliche Vielfache.

8) Zu den Größen $(x^2 + 2x - 15)$, $(x^2 - 5x + 6)$, $(x^2 + 3x - 10)$ und $(x^3 - 3x^2 - 4x + 12)$ ist $(x^4 + 2x^3 - 19x^2 - 8x + 60) =$ $= (x + 2)(x - 2)(x - 3)(x + 5)$ der kleinste gemeinschaftliche Dividend.

9) Zu den Größen $(3x^3 - 30x^2 + 72x)$, $(12x^6 - 30x^5 - x^4 + 84x^3 + 144x^2)$, $(2x^2 - 15x + 18)$ und $(2x^3 - 10x^2 - 12x)$ as kleinste gemeinschaftliche Vielfache $= 12x^7 - 102x^6 + 78x^5$ $596x^4 - 360x^3 - 864x^2 = 6x^2 (x + 1)(x + 2)(x - 4)$ $-6)(2x - 3)$.

10) Das Polynom $36x^8 - 481x^6 + 1466x^4 - 481x^2 + 36$ er kleinste gemeinschaftliche Dividend für die Größen $(4x^2 - 1)$, $^2 - 5x + 2)$, $(3x^2 + 7x + 2)$, $(x^2 + x - 6)$, $(3x^2 - 10x + 3)$, $+ 2x^2 - 9x - 18)$, $(x^2 - 4)$ und $(x^2 + 5x + 6)$.

11) Das Binom $(x^{10} - 1)$ ist das kleinste gemeinschaftliche Viel- ye der Größen $(x^2 - 1)$, $(x^5 - 1)$, $(x^5 - 2x^4 + 2x^3 - 2x^2 + 2x - 1)$, $+ 2x^4 + 2x^3 + 2x^2 + 2x + 1)$, $(x^5 + 1)$, $(x - 1)$ und $+ x^5 - x - 1)$.

12) Ferner ist $(x^{4n} - 2x^{2n} + 1)$ der kleinste gemeinschaftliche Dividend zu den Größen $(x^n - 1)$, $(x^{3n} + x^{2n} - x^n - 1)$, $(x^n + 1)$, $^{3n} - x^{2n} - x^n + 1)$, $(x^{2n} - 1)$ und $(x^{2n} + 2x^n + 1)$.

13) Endlich ist $(x^6 - 64)$ der kleinste gemeinschaftliche Dividend r die Größen $(x^4 + 4x^2 + 16)$, $(x^2 - 2x + 4)$, $(x^5 - 2x^4 + 4x^3 - 8x^2 + 16x - 32)$, $(x^3 + 8)$, $(x^4 - 2x^3 + 8x - 16)$, $^4 + 2x^3 - 8x - 16)$, $(x - 2)$, $(x^2 - 4)$, $(x^5 + 2x^4 + 4x^3 - 8x^2 + 16x + 32)$, und $(x + 2)$.

Zweyter Abschnitt.
Über die Lehre von den Brüchen.

1) Über die gemeinen Brüche.

a) Auflösung unechter Brüche in gemischte Zahl und das umgekehrte Verfahren. (§. 86. der Alg.)

1) $\dfrac{17}{7} = 2\dfrac{3}{7}$.

2) $\dfrac{135}{19} = 7\dfrac{2}{19}$.

3) $\dfrac{314}{37} = 8\dfrac{18}{37}$.

4) $\dfrac{2913}{187} = 15\dfrac{108}{187}$.

5) $\dfrac{3729}{902} = 4\dfrac{121}{902}$.

6) $\dfrac{73419}{125} = 587\dfrac{44}{125}$.

7) $\dfrac{815764}{997} = 818\dfrac{218}{997}$.

8) $\dfrac{5764378}{10945} = 526\dfrac{7308}{10945}$.

9) $\dfrac{a^2n + m^2}{an} = a + \dfrac{m^2}{an}$.

10) $\dfrac{m^4 - 2m^2n + 3a^2}{m^2} = m^2 - 2n + \dfrac{3a^2}{m^2}$.

11) $\dfrac{x^2 - 2x + 5}{x-1} = x - 1 + \dfrac{4}{x-1}$.

12) $\dfrac{x^2 + 2x - 7}{x+3} = x - 1 - \dfrac{4}{x+3}$.

13) $\dfrac{a^3 - 3a^2x + 4ax^2 - 3x^3}{a^2 - 2ax + x^2} = a - x + \dfrac{ax^2 - 2x^3}{a^2 - 2ax + x^2}$.

14) $\dfrac{a^8 - 1}{a^6 - 1} = a^2 + \dfrac{a^2 - 1}{a^6 - 1}$.

$$\frac{6x^5 - 11x^4 - 94x^3 + 221x^2 + 3x - 2}{3x^2 + 2x - 1} = 2x^3 - 5x^2 + x + 5$$

$$+ \frac{-6x + 3}{3x^2 + 2x - 1} = 2x^3 - 5x^2 + x + 5 - \frac{6x - 3}{3x^2 + 2x - 1}.$$

$13\frac{5}{7} = \frac{96}{7}$.

$247\frac{3}{8} = \frac{1979}{8}$.

$4367\frac{19}{25} = \frac{109194}{25}$.

$8364\frac{73}{998} = \frac{8347345}{998}$.

$673418\frac{10}{11} = \frac{7407608}{11}$.

$a - x + \frac{x^2}{a+x} = \frac{a^2}{a+x}$.

$1 - 2x + x^2 + \frac{1 - x^4}{1 + 2x + x^2} = \frac{2 - 2x^2}{1 + 2x + x^2}$.

$am(a+m) - \frac{a^4 m + a m^4}{a^2 + 2am + m^2} = \frac{3a^2 m^2(a+m)}{(a+m)(a+m)} = \frac{3a^2 m^2}{a+m}$.

$a - m + n + \frac{am^2 + a^2 m - an^2 - a^2 n + mn^2 + m^2 n}{a^2 - m^2 + n^2} =$

$$= \frac{a^3 + m^3 + n^3}{a^2 - m^2 + n^2}.$$

) Reduktion der Brüche zur kleinsten Benennung.
(§. 87., 4., der Alg.)

) $\frac{91}{143} = \frac{7}{11}$.

) $\frac{15543}{16171} = \frac{99}{103}$.

) $\frac{761127}{382395} = \frac{6857}{3445}$.

) $\frac{210375}{235125} = \frac{17}{19}$.

) $\frac{44023}{99484} = \frac{331}{748}$.

) $\frac{53077}{212308} = \frac{1}{4}$.

) $\frac{57 \cdot a^4 x^7 z^2}{209 a^5 x^4 z^2} = \frac{3x^3}{11a}$.

8) $\dfrac{493\,a^{m-1}\,b^{3n}\,c^{p+4}}{2291\,a^{m-3}\,b^{3n+2}\,c^4} = \dfrac{17\,a\,c^p}{79\,b^2}$.

9) $\dfrac{10387\,a^{2m+n}\,b^{p-3}\,c^{2q}\,x^{4n}}{10829\,a^{m+n}\,b^p\,c^{q-1}\,y^3} = \dfrac{47\,a^m\,c^{q+2}\,x^{4n}}{49\,b^3\,y^3}$.

10) $\dfrac{a\,x^3 - a^4}{2\,a\,m + 3\,a\,n} = \dfrac{x^3 - a^3}{2\,m + 3\,n}$.

11) $\dfrac{42\,a^3 - 30\,a^2\,m}{35\,a\,m^2 - 25\,m^3} = \dfrac{6\,a^2}{5\,m^2}$.

12) $\dfrac{156\,a^3\,b^2 - 104\,a^2\,b^3}{351\,a^2\,b\,x - 234\,a\,b^2\,x} = \dfrac{4\,a\,b}{9\,x}$.

13) $\dfrac{7\,a^3\,x + 7\,a\,x^3}{a^4 - x^4} = \dfrac{7\,a\,x}{a^2 - x^2}$.

14) $\dfrac{64\,m^2 - 64\,n^2}{8\,m^2\,n - 8\,m\,n^2} = \dfrac{8\,(m+n)}{m\,n}$.

15) $\dfrac{a^2 - 2\,a + 1}{a^2 - 1} = \dfrac{a+1}{a-1}$.

16) $\dfrac{a^4 - x^4}{(a+x)^2} = \dfrac{a^3 - a^2\,x + a\,x^2 - x^3}{a+x}$.

17) $\dfrac{3\,a^2 - 4\,a\,y + y^2}{3\,a^2 + 5\,a\,y - 2\,y^2} = \dfrac{a-y}{a+2\,y}$.

18) $\dfrac{2\,n^2 + 5\,n - 3}{n^3 + 2\,n^2 - 4\,n - 3} = \dfrac{2\,n-1}{n^2 - n - 1}$.

19) $\dfrac{817\,a^4\,x^3\,(a^2 - x^2)(1+x)}{2033\,a^7\,x^2\,(a-x)(1-x^2)} = \dfrac{43\,x\,(a+x)}{107\,a^3\,(1-x)}$.

20) $3\dfrac{x^4 + 4\,x^3 - 23\,x^2 - 54\,x + 72}{x^5 + 6\,x^4 - 57\,x^3 - 96\,x^2 + 144\,x} = \dfrac{x+6}{3\,x\,(x+4)}$.

21) $\dfrac{a^n\,b^5\,x^m\,(1-x^6)(1+x)^4(x-2)}{a^{n-4}\,b^3\,x^{2m+3}\,(1+x^3)(1+x)^6(x^2-4)} = \dfrac{a^4\,b^2\,(1-x^3)}{x^{m+3}\,(1+x)^2(x+2)}$.

22) $\dfrac{(x^{2n}-2x^n+1)(m^{10}-n^{10})}{(x^{2n}-1)(m^5+n^5)(m-n)} = \dfrac{(x^n-1)(m^4 + m^3n + m^2n^2 + mn^3 + n^4)}{(x^n + 1)}$

23) $\dfrac{a^m\,x^n + a^m\,x^{n+m}\,y^2 + a^m\,x^{n+2m}\,y^4}{a^2\,x^{n-2}\,y^m + a^2\,x^{m+n-2}\,y^{m+2} + a^2\,x^{2m+n-2}\,y^{m+4}} = \dfrac{a^{m-2}\,x^2}{y^m}$.

24) $\dfrac{a^4\,m^8\,n - a^3\,m^6\,n^4 + a^2\,m^4\,n^6}{a^3\,m^6\,n^3 - a^2\,m^4\,n^6 + a\,m^2\,n^8} = \dfrac{a\,m^2}{n^2}$.

25) $\dfrac{(a^2 + ax + a + ay + xy + y)(a^{10} + a^8 y^2 + a^6 y^4 + a^4 y^6 + a^2 y^8 + y^{10})}{(a^{12} - y^{12})(a^2 + 2\,ax + x^2 - 1)}$

$$= \dfrac{1}{(a-y)(a+x-1)}.$$

6) $\dfrac{2\,x^3 - x^2 - 2\,a\,x + a}{x^4 - a^2} = ?$

7) $\dfrac{2\,x^3 - 3\,x^2 + 2\,x - 3}{x^4 - 1} = ?$

8) $\dfrac{x^3 - a\,x^2}{x^2 - 5\,a\,x + 4\,a^2} = ?$

9) $\dfrac{2\,x^3 + 5\,x^2 - 12\,x}{7\,x^3 + 25\,x^2 - 12\,x} = ?$

10) $\dfrac{a\,x^m - b\,x^{m+1}}{a^2\,x - b^2\,x^3} = ?$

11) $\dfrac{a\,c + b\,d - a\,d - b\,c}{3\,a\,c - 3\,b\,c - 4\,a\,d + 4\,b\,d} = ?$

12) $\dfrac{a^3 - 3\,a^2\,x + 3\,a\,x^2 - x^3 - a\,y^2 + x\,y^2}{2\,a^2\,x^2 + 2\,a^2\,y^2 + 2\,x^2\,y^2 - a^4 - x^4 - y^4} = ?$

γ) **Addition und Subtraktion der Brüche.**
(§. 89. und 90. der Alg.)

1) $\frac{3}{7} + \frac{2}{7} = \frac{5}{7}.$

2) $\frac{10}{83} + \frac{14}{83} + \frac{28}{83} + \frac{43}{83} = \frac{96}{83} = 1\frac{13}{83}.$

3) $\frac{4}{5} + \frac{5}{6} = \frac{49}{30} = 1\frac{19}{30}.$

4) $\frac{3}{4} + \frac{5}{8} = \frac{11}{8} = 1\frac{3}{8}.$

5) $\frac{7}{9} + \frac{1}{8} + \frac{5}{6} + \frac{11}{18} + \frac{17}{72} = \frac{197}{72} = 3\frac{11}{72}.$

6) $4\frac{3}{7} + 6\frac{9}{10} + 8\frac{9}{14} + \frac{13}{17} + 10\frac{29}{35} + \frac{37}{42} = 32\frac{1}{10}.$

7) $\frac{5}{9} - \frac{1}{9} = \frac{4}{9}.$

8) $7\frac{3}{4} - \frac{1}{2} = 7\frac{1}{4}.$

9) $4\frac{5}{8} - \frac{7}{8} = 3\frac{13}{24}.$

10) $13\frac{6}{7} - 8 = 5\frac{6}{7}.$

11) $8\frac{4}{5} - 3\frac{3}{5} = 5\frac{1}{5}.$

12) $7\frac{8}{9} - 4\frac{7}{9} = 2\frac{61}{72}.$

13) $\left(45\frac{3}{4} + 13\frac{5}{6} + 10\frac{2}{3} + 20\frac{7}{12}\right) - \left(30\frac{4}{9} + 15\frac{7}{8} + 24\frac{1}{6}\right) = 19\frac{15}{36}.$

14) $\dfrac{m}{a} + \dfrac{n}{a} = \dfrac{m+n}{a}.$

15) $\dfrac{a}{a+x} + \dfrac{b}{a+x} + \dfrac{2a}{a+x} + \dfrac{3b-a}{a+x} = \dfrac{2a+4b}{a+x}.$

16) $\dfrac{a}{b} + \dfrac{c}{d} = \dfrac{ad+bc}{bd}.$

17) $\dfrac{a}{b} + \dfrac{c}{d} + \dfrac{e}{f} = \dfrac{adf+bcf+bde}{bdf}.$

18) $\dfrac{a}{m} + \dfrac{2b}{n} + \dfrac{a+bn}{mn} + \dfrac{3a+b}{2m} = \dfrac{5an+2a+4bm+3bn}{2mn}$.

19) $\dfrac{a}{m} - \dfrac{b}{n} + \dfrac{c}{d} = \dfrac{adn-bdm+cmn}{mnd}$.

20) $\dfrac{a}{m} - \dfrac{b}{n} + \dfrac{c}{p} - \dfrac{d}{q} = \dfrac{anpq-bmpq+cmnq-dmnp}{mnpq}$.

21) $\dfrac{1}{a-1} - \dfrac{3}{a-2} = \dfrac{1-2a}{(a-1)(a-2)}$.

22) $\dfrac{1+x}{1-x} + \dfrac{1-x}{1+x} = \dfrac{2(1+x^2)}{1-x^2}$.

23) $\dfrac{1+x}{1-x} - \dfrac{1-x}{1+x} = \dfrac{4x}{1-x^2}$.

24) $\dfrac{3n}{4m} - \dfrac{5m}{6n} + \dfrac{7a}{15mn} = \dfrac{45n^2-50m^2+28a}{60mn}$.

25) $\dfrac{a}{mn^2} + \dfrac{a-b}{m^2n} - \dfrac{a}{m^2} + \dfrac{b}{n^2} - \dfrac{ab}{mn} =$

$$= \dfrac{am+an-bn-an^2+bm^2-abmn}{m^2n^2}.$$

26) $a + \dfrac{b}{x^2y^3} - \dfrac{cd}{y^2z^4} - \dfrac{ab}{x^3} - \dfrac{ac}{xz^3} + \dfrac{bd}{x^2} - bc =$

$$= \dfrac{ax^2y^3z^4+bz^4-cdx^2y-abx^2y^3z-acxy^3z^2+bdy^4-bcx^2y^3z^4}{x^2y^3z^4},$$

27) $\dfrac{5ab^2}{12m^2n} + \dfrac{13a^2b}{15n^2p} - \dfrac{25ac}{28mnp^3} - \dfrac{17b^2c}{35m^2p^4} - ap + \dfrac{1}{m^2n^2q} =$

$$= \dfrac{\begin{array}{c}(175ab^2np^4q+364a^2bm^2p^3q-375acmnpq-204\,b^2cn^2q\\ -420am^2n^2p^5q+420p^4)\end{array}}{420\,m^2n^2p^4q}.$$

28) $\dfrac{a}{x^n} + \dfrac{b}{x^{n-1}} + \dfrac{c}{x^{n-2}} + \dfrac{d}{x^{n-3}} + \dfrac{e}{x^{n-4}} + \dfrac{f}{x^{n-5}} + \dfrac{g}{x^{n-6}} + \dfrac{h}{x^{n-7}} =$

$$= \dfrac{a+bx+cx^2+dx^3+ex^4+fx^5+gx^6+hx^7}{x^n}.$$

29) $\dfrac{a}{x^n} + \dfrac{b}{x^{n-m}} + \dfrac{c}{x^{n-2m}} + \dfrac{d}{x^{n-3m}} + \ldots + \dfrac{w}{x} + A =$

$$= \dfrac{a+bx^m+cx^{2m}+dx^{3m}+\ldots+wx^{n-1}+Ax^n}{x^n}.$$

30) Man suche die algebraische Summe folgender Bruch-Ausdrücke:

$$\dfrac{x-1}{x^2+x-6} + \dfrac{2x+3}{x^2+7x+12} + \dfrac{5x-3}{x^2-8x+12} + \dfrac{2x-7}{x^2-2x-24}$$
$$+ \dfrac{x^2-2x+3}{x^3-5x^2-12x+36} = S.$$

Das kleinste Vielfache aller Nenner ist

$$(x + 3)(x - 2)(x + 4)(x - 6) = x^4 - x^3 - 32x^2 - 12x + 144.$$

Die Rechnung steht demnach also

$$x^3 - 3x^2 - 22x + 24$$
$$2x^3 - 13x^2 \qquad + 36$$
$$5x^3 + 32x^2 + 39x - 36$$
$$2x^3 - 5x^2 - 19x + 42$$
$$x^3 + 2x^2 - 5x + 12$$

$$(x + 3)(x - 2)(x + 4)(x - 6)$$
$$(x + 4)(x - 6)$$
$$(x - 2)(x - 6)$$
$$(x + 3)(x + 4)$$
$$(x + 3)(x - 2)$$
$$(x + 4)$$

$$x - 1$$
$$x^2 + x - 6$$
$$2x + 3$$
$$x^2 + 7x + 12$$
$$5x - 3$$
$$x^2 - 8x + 12$$
$$2x - 7$$
$$x^2 - 2x - 24$$
$$x^2 - 2x + 3$$
$$x^3 - 5x^2 - 12x + 36$$

folglich ist $S = \dfrac{11x^3 + 13x^2 - 7x + 78}{x^4 - x^3 - 32x^2 - 12x + 144}$

3₁) $\dfrac{7\,x}{x^2 - 7\,x + 12} + \dfrac{2x - 1}{x^3 - 5\,x^2 - 2\,x + 24} + \dfrac{3x}{x - 4}$

$+ \dfrac{x + 1}{x - 1} + \dfrac{4\,x^2 - x + 2}{x^3 - 6\,x^2 + 11.\,x - 6} + \dfrac{5 - 3x}{x^2 + x - 2}$

$+ \dfrac{1}{x^2 - x - 6} - \dfrac{3}{x^2 - 4x + 3} + \dfrac{2x - 5}{x^2 - 2x - 8}$

$- \dfrac{2x + 1}{x^2 - 3x + 2} - \dfrac{8\,x}{x^2 - 5x + 4} =$

$= \dfrac{4\,x^5 - 18\,x^4 + 30\,x^3 - 4\,x^2 + 2x - 236}{x^5 - 8\,x^4 + 16\,x^3 + 20\,x^2 - 76\,x + 48} =$

$= 4 + \dfrac{14\,x^4 - 30\,x^3 - 84\,x^2 \div 306\,x - 428}{x^5 - 8\,x^4 + 16\,x^3 + 20\,x^2 - 76\,x + 48}$

3₂) $\dfrac{\alpha + \beta\,x}{a^2 + x^2} + \dfrac{x}{a - x} + \dfrac{1}{a^{2n} - x^{2n}} - \dfrac{\alpha + \beta\,x}{a^2 - x^2} + \dfrac{x}{a + x}$

$- \dfrac{2\,ax}{a^2 + x^2}$

$= \dfrac{(1 - 2\,\alpha\,x^n - 2\,\beta\,x^{n+1}) + 4\,(a^{2n-3}x^3 + a^{2n-7}x^7 + a^{2n-11}x^{11} + \ldots + a^5 x^{2n-5} + a\,x^{2n-1})}{a^{2n} - x^{2n}}$

$= \dfrac{1 - 2\,x^n\,(\alpha + \beta\,x) + 4\,a\,x^3\,(a^{2n-4} + a^{2n-8}x^4 + a^{2n-12}x^8 + \ldots + a^4 x^{2n-8} \div x^{2n-4})}{a^{2n} - x^{2n}}$

33) $\dfrac{1 - 2x}{(1 + x)^n} + \dfrac{5\,(6\,x^3 + 2\,x - 1)}{(1 + x)^{n-1}} - \dfrac{5\,x}{(1 + x)^{n-2}}$

$+ \dfrac{2 + 3x}{(1 + x)^{n-3}} + \dfrac{3\,(1 - 2x)}{(1 + x)^{n-4}} = \dfrac{3 + 11\,x + 5\,x^2 - 6\,x^3}{(1 + x)^n}$

34) $\dfrac{3\,a}{4\,b} + \dfrac{5\,a}{8\,c} - \dfrac{1}{b} - \dfrac{d}{4\,b\,c} = ?$

35) $\dfrac{3\,a}{4\,b\,c\,d} - \dfrac{1}{2\,c} - \dfrac{5\,a}{6\,d} + \dfrac{3\,f}{8\,c\,d} - \dfrac{1}{b} = ?$

36) $\dfrac{a^2\,d}{3\,b^7\,c^3} - \dfrac{3\,a\,d}{4\,b^4\,c^2} - \dfrac{b^2}{c\,d} = ?$

3₇) $\dfrac{a}{b^n} - \dfrac{2\,c}{b^{n-1}} + \dfrac{a\,e}{b^{n-2}} = ?$

38) $\dfrac{a}{a + x} + \dfrac{a}{a - x} - \dfrac{2\,a^2}{a^2 + x^2}\ ?$

39) $\dfrac{2\,a - b}{a + x} - \dfrac{3\,a - b}{a - x} + \dfrac{a\,x}{a^2 - x^2} - \dfrac{b\,x}{a^2 - x^2} - \dfrac{4\,a}{x} = ?$

40) $\dfrac{1 + 2\,x}{3 + 2\,x - x^2} + \dfrac{7}{2 - 5\,x - 3\,x^2} + \dfrac{x}{2 + 3\,x + x^2} = ?$

8) **Multiplikation der Brüche.** (§. 92 der Alg.)

1) $\frac{a}{b} \cdot m = \frac{am}{b} = \frac{a}{b : m}$.

2) $\frac{4}{5} \cdot 3 = \frac{12}{5} = 2\frac{2}{5}$.

3) $\frac{7}{8} \cdot 4 = \frac{7}{2} = 3\frac{1}{2}$.

4) $\left(a + \frac{b}{c}\right) \cdot m = \frac{ac + b}{c} \cdot m = \frac{(ac + b)m}{c}$.

5) $(3\frac{4}{5}) \cdot 6 = \frac{19}{5} \cdot 6 = \frac{114}{5} = 22\frac{4}{5}$.

6) $(7\frac{5}{12}) \times 4 = \frac{89}{12} \cdot 4 = \frac{89}{3} = 29\frac{2}{3}$ oder
$= 7 \cdot 4 + \frac{5}{12} \cdot 4 = 28 + \frac{5}{3} = 29\frac{2}{3}$.

7) $(24\frac{11}{18}) \cdot 30 = 741\frac{2}{3}$.

8) $(312\frac{10}{12}) \cdot 12 = 3752\frac{2}{7}$.

9) $\left(1 + x + \frac{3 + x^2}{1 - x}\right)(1 - x^2) = 4(1 + x)$.

10) $\left(a - \frac{ax^2}{a^2 - x^2}\right) \cdot (a - x) = \frac{a(a^2 - 2x^2)}{a + x}$.

11) $\left(\frac{a}{b} + \frac{c}{d}\right) \cdot ad = \frac{a(ad + bc)}{b}$.

12) $\left(\frac{a}{m^2 n} - \frac{b}{m n^2} + \frac{c}{m n p}\right) \cdot mnq = \frac{q(anp - bmp + cmn)}{mnp}$.

13) $\frac{a}{b} \cdot \frac{c}{d} = \frac{ac}{bd}$.

14) $\frac{a^m}{b^n} \cdot \frac{b^2}{c} = \frac{a^m}{b^{n-2} c}$.

15) $\frac{a^m}{b^n} \cdot \frac{b^n}{a^m} = 1$.

16) $\left(a + \frac{b}{c}\right) \cdot \frac{c}{m} = \frac{ac + b}{m}$.

17) $\left(a + \frac{b}{c}\right)\left(d + \frac{m}{p}\right) = \frac{(ac + b)(dp + m)}{cp}$.

18) $\left(a + \frac{m}{x}\right)\left(a - \frac{m}{x}\right) = \frac{a^2 x^2 - m^2}{x^2} = a^2 - \frac{m^2}{x^2}$.

19) $\left(\frac{a}{b} + \frac{c}{d}\right)\left(m - \frac{n}{p}\right) = \frac{(ad + bc)(mp - n)}{bdp}$.

20) $\left(\frac{a}{m^2} - \frac{a}{n^2}\right)\frac{mn}{a}\left(\frac{b}{m - n} + \frac{c}{m + n}\right) =$
$= -\frac{b(m + n) + c(m - n)}{mn}$.

21) $\left(\frac{a^2 b}{cm^2} - \frac{b^2 c}{an^2} + \frac{mn}{bc}\right) \cdot abn^2 = \frac{a^3 b^2 n^2}{c^2 m^3} - \frac{b^3}{m} + \frac{an^3}{c^2}$.

22) $\left(\dfrac{a}{c} + \dfrac{a^2}{b^2} + \dfrac{a}{b}\right) \left(\dfrac{b^3}{acd} - \dfrac{b}{d} - \dfrac{d^2}{ad}\right) = \dfrac{b^4 - c^2 (a + b)^2}{b c^2 d}$.

23) $\left(\dfrac{1 + x}{1 - x} - \dfrac{1 - x}{1 + x}\right) \left(\dfrac{3}{4x} + \dfrac{x}{4} - 1\right) = \dfrac{3 - x}{1 + x}$.

24) $\left[\dfrac{1 + x}{(1 - x)^2} - \dfrac{1 - x}{(1 + x)^2} - 6x\right] \times \left[1 + \dfrac{4}{x} + \dfrac{7}{1 + x}\right.$

$\left. + \dfrac{2}{x^3} - \dfrac{4}{x^2} - \dfrac{16}{1 + 2x}\right] = \dfrac{4 (7 - 3x^2)}{1 + 2x} = 3 - 6x + \dfrac{25}{1 + 2x}$.

25) $\left(x^2 - \dfrac{3x}{5} + 2\right) \left(\dfrac{x^3}{2} - \dfrac{2x^2}{3} + \dfrac{3x}{4}\right) = ?$

26) $\dfrac{7\frac{1}{2} - x}{\frac{5}{6} + x} \cdot \dfrac{4}{2x - 3} \cdot \dfrac{8\frac{3}{4} - 3x}{1 - \frac{4}{5}x} = ?$

27) $\left[\dfrac{2x^4 + 13a^2x^2 - 2a^3x - a^4}{(a^2 - x^2)^2} + \dfrac{a^2 + 5ax}{(a + x)^2}\right] \cdot \dfrac{a - x}{a + 2x} = ?$

28) $\left[\dfrac{1}{1 + x} + \dfrac{2x}{1 - x^2}\right] \cdot \left(\dfrac{1}{x} - 1\right) = ?$

29) $\left[\dfrac{a^3 - ab^2 + b^3}{(a - b)^3} - \dfrac{b}{a - b}\right] \cdot \left[\dfrac{a^2 - 2ab + 2b^2}{a^2 - ab + b^2} - \dfrac{b}{a}\right] = ?$

30) $\left[1 + \dfrac{a - b}{z} - \dfrac{(a - b) b}{z^2} + \dfrac{(a - b) b^2}{z^3} - \dfrac{(a - b) b^3}{(b + z) z^3}\right]$

$\left[\dfrac{a}{b} + \dfrac{(a - b) z^2}{b^2 (b - z)}\right] = ?$

ε) Division der Brüche. (§. 93 der Alg.)

1) $\dfrac{a}{b} : m = \dfrac{a : m}{b} = \dfrac{a}{bm}$.

2) $\dfrac{12}{17} : 4 = \dfrac{3}{17}$.

3) $\dfrac{15}{32} : 8 = \dfrac{15}{256}$.

4) $\left(a + \dfrac{b}{c}\right) : m = \dfrac{ac + b}{cm}$.

5) $17\frac{1}{4} : 2 = \dfrac{71}{4} : 2 = \dfrac{71}{8} = 8\frac{7}{8}$, oder kürzer

$17\frac{1}{4} : 2 = \dfrac{17}{1} + \dfrac{1}{4} : 2 = 8 + (1 + \frac{1}{4}) : 2 = 8\frac{7}{4 \cdot 2} = 8\frac{7}{8}$.

6) $319\frac{5}{6} : 12 = 26\frac{47}{72}$.

7) $\left(\dfrac{a}{b} + \dfrac{c}{d}\right) : m = \dfrac{a}{bm} + \dfrac{c}{dm}$.

8) $\left(a + \dfrac{b}{c} + \dfrac{d}{e} - \dfrac{f}{g}\right) : n = \dfrac{a}{n} + \dfrac{b}{cn} + \dfrac{d}{en} - \dfrac{f}{gn}$.

9) $a : \dfrac{m}{n} = \dfrac{an}{m}$.

10) $\dfrac{a}{b} : \dfrac{m}{n} = \dfrac{an}{bm}$.

$$) \quad \left(a + \frac{b}{c}\right) : \frac{m}{n} = \frac{(ac + b)n}{cm}.$$

$$) \quad \frac{a}{b} : \left(c + \frac{m}{n}\right) = \frac{an}{b(cn + m)}.$$

$$) \quad \left(a + \frac{b}{c}\right) : \left(m + \frac{n}{p}\right) = \frac{(ac + b)p}{c(mp + n)}.$$

$$) \quad \left(\frac{a}{b} + \frac{c}{d}\right) : \left(\frac{e}{f} - \frac{g}{h}\right) = \frac{(ad + bc)fh}{bd(eh - fg)}.$$

$$5) \quad \left(\frac{a}{b} - \frac{c}{d}\right) : \left(\frac{a}{b} + \frac{c}{d}\right) = \frac{ad - bc}{ad + bc}.$$

$$5) \quad \left[\frac{ab^2 q}{mnp} - \frac{b^3}{n^3} + \frac{a^2 b}{np^2} - \frac{a^2}{m} + \frac{a^2 b p}{n^2 q} - \frac{a^3}{bpq}\right] :$$

$$: \left[\frac{bq}{an} - \frac{p}{b}\right] = \frac{a^2 b}{mp} - \frac{ab^2}{n^2 q} + \frac{a^3}{p^2 q}.$$

$$7) \quad \left[\frac{a^{m+n}}{b^{m-n}} - \frac{2\,a^{m+n-1}}{b^{m-n-1}} + \frac{a^{m+n-2}}{b^{m-n-2}} - \frac{a^{m+n-3}}{b^{m-n-3}} + \frac{a^{m+n-5}}{b^{m-n-5}}\right] :$$

$$: \left[\frac{a^n}{b^m} - \frac{a^{n-1}}{b^{m-1}} + \frac{a^{n-2}}{b^{m-2}} - \frac{a^{n-3}}{b^{m-3}}\right] =$$

$$= a^m b^n - a^{m-1} b^{n+1} - a^{m-2} b^{n+2}.$$

$$8) \quad \left[\frac{8 b^6}{a^3 m^3} - \frac{6 b^4}{m^2 n^2} + \frac{3 a^3 b^2}{2 m n^4} - \frac{a^6}{8 n^6}\right] :$$

$$: \left[\frac{4 b^4}{a^2 n^2} - \frac{2 a b^2}{m n^2} + \frac{a^4}{4 n^4}\right] = \frac{2 b^2}{a m} - \frac{a^2}{2 n^2}.$$

$$9) \quad \left[m^9 - \frac{9 m^8}{x^2} + \frac{28 m^7}{x^4} - \frac{33 m^6}{x^6} + \frac{28 m^5}{3 x^8} - \frac{m^4}{x^{10}} + \frac{m^3}{27 x^{12}}\right] :$$

$$: \left[m^3 - \frac{3 m^2}{x^2} + \frac{m}{3 x^4}\right] = m^6 - \frac{6 m^5}{x^2} + \frac{29 m^4}{3 x^4} - \frac{2 m^3}{x^6} + \frac{m^2}{9 x^8}.$$

$$10) \quad \left[\frac{a^6}{m^6} - \frac{b^6}{n^6}\right] : \left[\frac{a^2}{m^2} - \frac{ab}{mn} + \frac{b^2}{n^2}\right] =$$

$$= \frac{a^4}{m^4} + \frac{a^3 b}{m^3 n} - \frac{a b^3}{m n^3} - \frac{b^4}{n^4}.$$

$$21) \quad \left\{\frac{a + \frac{b}{g} + \frac{d}{b}}{\frac{f}{g} + \frac{g}{b} - a}\right\} : \left\{\frac{\frac{a^2}{b^2} - 1}{a - b + \frac{2ab}{a - b}}\right\} =$$

$$= \frac{(abg + b^2 + dg) \cdot b^2 (a^2 + b^2)}{(bf + g^2 - abg)(a + b)(a - b)^2}.$$

$$22) \quad \left[1 - \frac{4}{z} + \frac{1}{z^2} + \frac{6}{z^3}\right] : \left[1 - \frac{2}{z} - \frac{3}{z^3}\right] = ?$$

$$23) \quad \frac{1 - \frac{1}{2} x + \frac{2}{3} x^2 + \frac{1}{4} x^3}{\frac{3}{4} + \frac{5}{6} x - \frac{3}{2} x^2 - \frac{5}{12} x^3 + x^4} :$$

$$: \left\{ 9 - \frac{21 - 35x - 7\frac{1}{2}x^2 + 18x^3}{\frac{4}{3x} + \frac{5}{3} - 3x - \frac{5x^2}{6} + 2x^3} \right\} = ?$$

24) $\dfrac{\frac{2}{6}x^n - \frac{5}{6}x^{n-1} + x^{n-2}}{\frac{1}{6}x^{r+1} - x^r + \frac{1}{2}x^{r-1} - 3x^{r-2}}$:

$$: \left\{ \frac{\frac{1}{3}x^r - 2x^{r-1}}{\frac{x}{2} - 3 + \frac{3}{2x} - \frac{9}{x^2}} - \frac{x^r}{x^2 + 3} \right\} = ?$$

2) Über die Decimalbrüche. (§. 94. u. f. der Alg.)

α) **Verwandlung gemeiner Brüche in zehntheilige und umgekehrt.**

1) $\frac{29}{32} = 0{\cdot}90625.$

2) $\frac{53}{400} = 0{\cdot}1325.$

3) $\frac{7345}{16384} = 0{\cdot}44830322265625.$

4) $\frac{13}{1024} = 0.0126953125.$

5) $48\frac{23}{24} = 48{\cdot}9583\dot{3}.$

6) $\frac{37}{54} = 0{\cdot}685\dot{1}.$

7) $\frac{13}{14} = 0{\cdot}9\dot{2}8571\dot{4}.$ ·

8) $\frac{13}{19} = 0{\cdot}\dot{6}84210526315789473\dot{.}$

9) $\frac{18}{23} = 0{\cdot}\dot{7}8260869565217391304\dot{3}4.$

10) $\frac{9}{13} = 0{\cdot}\dot{6}9230\dot{7}.$

11) $\frac{8}{17} = 0{\cdot}\dot{4}705882352941176.$

12) $\frac{41}{93} = 0{\cdot}\dot{4}4086021505376\dot{3}. $

13) $0{\cdot}8125 = \frac{13}{16}.$

14) $0{\cdot}675 = \frac{27}{40}.$

15) $0{\cdot}3888 = \frac{243}{625}.$

16) $2{\cdot}\dot{4} = 2\frac{4}{9}.$

17) $0{\cdot}58\dot{3} = \frac{7}{12}.$

18) $0{\cdot}7604\dot{16} = \frac{73}{96}.$

19) $0.\dot{6}\dot{3} = \frac{7}{11}.$

20) $0{\cdot}\dot{6}85714\dot{2} = \frac{24}{35}.$

21) $0{\cdot}\dot{8}780\dot{4} = \frac{36}{41}.$

22) $0\overset{.}{\cdot}7\overset{.}{1}794\overset{.}{8} = \frac{..}{..}$.

23) $0.583\overset{.}{7} = \frac{...}{...}$.

24) $0\cdot95348837209302325581\overset{.}{3} = \frac{4.}{4.}$.

25) $0\cdot4\overset{.}{3}10344827586206896\overset{.}{5}517241379 = \frac{..}{..}$.

26) $0\cdot83\overset{.}{4}57\overset{.}{6} = ?$

27) $2\cdot686\overset{.}{4}9\overset{.}{3} = ?$

28) $\frac{1327}{2590} = ?$

29) $\frac{743}{1212} = ?$

30) $\frac{1328}{1897} = ?$

β) Addition. (§. 99. der Alg.)

1) 0·845732
    0·278643
    ————————
    1·124375

2) 0·45798
    0·8756
    ————————
    1·33358

3) 0·4563
    0·13568
    ————————
    0·59198

4) 0·37854
    3·24596746
    7·908
    ————————
    11·53250746

5) 83·7482
    19·35
    58·695208
    0 087
    ————————
    161·880408

6) 43·9087
    578·43
    0·65948
    27·458
    ————————
    650·45618

7) 3728·43
    0·97652
    182·5
    67·34
    0·00698
    ————————
    3979·2535

8) 7436
    28·45
    0·679
    85649·2
    4·98765
    0 02835
    ————————
    93119·345

9) 48·563
    0 2584
    4·7
    29·
    5·831
    846·5
    0·24
    ————————
    935·0924

10) 413780·45
    243·9408
    0·7
    0·497
    7482·635
    57·5772
    ————————
    421565·8

γ) Subtraktion.

$$
\begin{array}{l}
1)\quad 0\cdot 958 \\
\quad -0\cdot 645 \\
\hline
\quad 0\cdot 313
\end{array}
\qquad
\begin{array}{l}
2)\quad 49\cdot 43768 \\
\quad -2\cdot 58496 \\
\hline
\quad 46\cdot 85272
\end{array}
\qquad
\begin{array}{l}
3)\quad 729\cdot 8456 \\
\quad -4\cdot 967 \\
\hline
\quad 724\cdot 8786
\end{array}
$$

$$
\begin{array}{l}
4)\quad 825\cdot 378 \\
\quad -17\cdot 65947 \\
\hline
\quad 807\cdot 71853
\end{array}
\qquad
\begin{array}{l}
5)\quad 1\cdot 27 \\
\quad -0\cdot 8497564 \\
\hline
\quad 0\cdot 4202436
\end{array}
$$

$$
\begin{array}{l}
6)\quad 8\cdot \\
\quad -0\cdot 75645 \\
\hline
\quad 7\cdot 24355
\end{array}
\qquad
\begin{array}{l}
7)\quad 420\cdot 73 \\
\quad -48\cdot 9648 \\
\hline
\quad 471\cdot 7652
\end{array}
$$

$$
\begin{array}{l}
8)\quad 0\cdot 8 \\
\quad -0\cdot 510987 \\
\hline
\quad 0\cdot 289013
\end{array}
\qquad
\begin{array}{l}
9)\quad 10\cdot \\
\quad -4\cdot 7936 \\
\hline
\quad 5\cdot 2064
\end{array}
$$

$$
10)\quad
\begin{array}{l}
85\cdot 837 \\
\left\{
\begin{array}{l}
1\cdot 4965 \\
0\cdot 74821 \\
12\cdot 52 \\
3\cdot 8 \\
0\cdot 035 \\
24\cdot 007648
\end{array}
\right. \\
\hline
43\cdot 229642
\end{array}
\qquad
11)\quad
\begin{array}{l}
457\cdot 32 \\
\left\{
\begin{array}{l}
19\cdot 847 \\
0\cdot 4 \\
36\cdot 28 \\
120\cdot 5 \\
4\cdot
\end{array}
\right. \\
\hline
276\cdot 293
\end{array}
$$

δ) Multiplikation. (§. 100 und 101 der Alg.)

1) $4\cdot 7 \times 5 = 23\cdot 5.$

2) $83\cdot 4 \times 12 = 1000\cdot 8.$

3) $145\cdot 28 \times 10 = 1452\cdot 8.$

4) $0\cdot 56 \times 100 = 56.$

5) $2\cdot 79 \times 10000 = 27900.$

6) $0\cdot 25 \times 800 = 200.$

7) $0\cdot 00745 \times 324 = 2\cdot 4138.$

8) $516 \times 2\cdot 54 = 1310\cdot 64.$

9) $87 \times 0\cdot 39 = 33\cdot 93.$

10) $4\cdot 253 \times 1\cdot 2 = 5\cdot 1036.$

11) $23\cdot 6 \times 4\cdot 8 = 113\cdot 28.$

12) $0\cdot 82 \times 0\cdot 4 = 0\cdot 328.$

13) $0\cdot 0236 \times 0\cdot 045 = 0\cdot 001062.$

14) $0\cdot 001082 \times 0\cdot 000321 = 0\cdot 000000347322.$

15) $643\cdot 8 \times 0\cdot 25 = 160\cdot 95.$

16) $4\cdot 08 \times 3\cdot 5 \times 0\cdot 4 = 5\cdot 712.$

17) $8 \cdot 4093 \times 7 = ?$

18) $0 \cdot 0758632 \times 25 = ?$

19) $0 \cdot 104763 \times 4998 = ?$

20) $3 \cdot 275 \times 1 \cdot 409 = ?$

21) $18 \cdot 4507 \times 0 \cdot 308 = ?$

22) $0 \cdot 3546 \times 0 \cdot 00184 = ?$

23) $0 \cdot 00735 \times 0 \cdot 000873 = ?$

24) $6243 \cdot 5763 \times 12 \cdot 5375 = ?$

ε) Abgekürzte Multiplikation.

Man entwickle das Produkt.

1) $423 \cdot 729408 \times 52 \cdot 8037$ bis zur vierten Decimale.

```
      7 30825
   2118 64704
     84 74588
     33 89835
        12712
         2966
  22374.4805
```

2) $729 \cdot 456327 \times 0 \cdot 47083$ bis auf die fünfte Decimale.

```
     3 8074
   2917 8253
    510 6194
      5 8356
        2188
   343·44991
```

3) $824 \cdot 5764 \times 21 \cdot 0943$ bis zur vierten Decimalstelle.

```
     3 49912
   1649 15289
     82 45764
      7 42118
        32983
         2474
  17393·8619
```

4) $53 \cdot 4708105 \times 0 \cdot 0793648$ bis zur dritten Decimalstelle.

```
   639 7
   374 3
    48 1
     1 6
       3
   4·243
```

5) $0 \cdot 0078094 \times 0 \cdot 0009567$ bis zur achten Decimale.

$$
\begin{array}{r}
659 \\
\hline
702 \\
39 \\
4 \\
\hline
\end{array}
$$

$0 \cdot 00000745$

6) $3728 \cdot 508 \times 0 \cdot 476950 2$ bis zur fünften Decimale.

$$
\begin{array}{r}
205 \; 9674 \\
\hline
14914 \; 0320 \\
2609 \; 9556 \\
223 \cdot 7105 \\
33 \; 5565 \\
1 \; 8643 \\
74 \\
\hline
1778 \cdot 31263
\end{array}
$$

7) $0 \cdot 000438 \times 0 \cdot 00001876$ bis auf 6 Decimalstellen. Hier ist das Produkt $= 0$.

8) $0 \cdot 007456 \times 0 \cdot 000835$ bis zur sechsten Decimale.

$$
8
$$

$0 \cdot 000006$

9) $813 \cdot 27456 \times 2 \cdot 0825 = 1693 \cdot 64427$ näherungsweise.

10) $4728 \cdot 34508 \times 0 \cdot 0030415 = 4 \cdot 38126 \ldots$

11) $5 \cdot 732489 \times 0 \cdot 0004308 = 0 \cdot 092469 \ldots$

12) $28070 \cdot 4 \times 1 \cdot 25485 = 35224 \cdot 142 \ldots$

13) $76 \cdot 8309 \times 4 \cdot 07583$ mit vier Decimalstellen.

14) $58347 \cdot 520387 \times 231 \cdot 409306$ mit drei Decimalstellen.

15) $613890 \cdot 724563 \times 0 \cdot 0007834$ mit fünf Decimalstellen.

16) $0 \cdot 78345 \times 0 \cdot 000076435$ mit sechs Decimalstellen.

17) $48 \cdot 207356 \times 0 \cdot 43575757 \ldots$ mit sechs Decimalstellen.

18) $0 \cdot 00049378 \times 0 \cdot 000010839$ mit sieben Decimalstellen.

19) $3 \cdot 1415926 \times 2 \cdot 71828535 \times 0 \cdot 73459$ mit fünf Dec.

20) $847935 \cdot 2 \times 0 \cdot 0846092 \times 0 \cdot 00075862$ mit sieben Dec.

2) Division. (§. 102 und 103 der Alg.)

1) $2 \cdot 4 : 3 = 0 \cdot 8$.

2) $0 \cdot 36 : 12 = 0 \cdot 03$.

3) $0 \cdot 048 : 6 = 0 \cdot 008$.

4) $729 \cdot 25 : 40 = 18 \cdot 23125$.

5) $34664 \cdot 793 : 83129 = 0 \cdot 417$.

6) $36 \cdot 864 : 576 = 0 \cdot 064$.

7) $84 : 1 \cdot 2 = 70$.

8) $512 : 0 \cdot 32 = 1600$.

9) $7413 : 1 \cdot 024 = 7239 \cdot 2578125$.

10) $17 \cdot 28 : 4.8 = 3 \cdot 6$.

11) $2 \cdot 028 : 0 \cdot 65 = 3 \cdot 12$.

12) $357 \cdot 497 : 20 \cdot 48 = 17 \cdot 455908203125$.

13) $476 \cdot 398 : 3906 \cdot 25 = 0 \cdot 121957888$.

14) $329 \cdot 724 : 4 \cdot 6875 = 70 \cdot 34112$.

15) $637 \cdot 84 : 0 \cdot 00512 = 124578 \cdot 125$.

16) $3063 \cdot 75 : 0 \cdot 7125 = 4300$.

17) $9048 : 3 \cdot 12 = 2900$.

18) $75 : 81 \cdot 92 = 0 \cdot 91552734375$.

19) $5981 \cdot 976 : 328 \cdot 68 = 18 \cdot 2$.

20) $62.745 : 120 = 0 \cdot 522875$.

21) $897 \cdot 34561 : 12 = ?$

22) $387 \cdot 285 : 1 \cdot 083 = ?$

23) $6034 \cdot 7582 : 32 \cdot 54 = ?$

24) $89763 \cdot 24 : 0 \cdot 9997 = ?$

25) $7 \cdot 20893 : 603 \cdot 415 = ?$

26) $0 \cdot 83976 : 0 \cdot 0094 = ?$

27) $0 \cdot 000325 : 0 \cdot 008052 = ?$

28) $0 \cdot 074958 : 907 \cdot 804 = ?$

29) $3 \cdot 1415926 : 819 \cdot 7 = ?$

30) $1 : 3 \cdot 1415926 = ?$

η) Abgekürzte Division.

1) Man bestimme den Quotienten $37875 \cdot 9376 : 756 \cdot 08492$ mit vier Dezimalstellen.

$$37875 \cdot 9376 : 756 \cdot 08492 = 50 \cdot 0948$$
$$71\ 68$$
$$3\ 64$$
$$62$$

2) Man bestimme den Quotienten $857 \cdot 32694 : 8904 \cdot 5376$ mit fünf Dezimalstellen.

$$857 \cdot 32694 : 8904 \cdot 5376 = 0 \cdot 09628$$
$$55\ 91$$
$$2\ 49$$
$$71$$

3) Man bestimme den Quotienten $43968 \cdot 7245 : 2 \cdot 35468$ mit drei Decimalstellen.

$$43968 \cdot 7245 : 2 \cdot 35468 = 18672 \cdot 909$$
$$20421 \ 93$$
$$1584 \ 484$$
$$171 \ 676$$
$$6 \ 848$$
$$2 \ 139$$
$$20$$

4) Man bestimme den Quotienten $748,50623 : 0 \cdot 9807345$ mit zwei Decimalen.

$$748 \cdot 50623 : 0 \cdot 9807345 = 763 \cdot 21$$
$$61 \ 992$$
$$3 \ 148$$
$$206$$
$$10$$

5) Man suche den Quotienten $0 \cdot 83745 : 0 \cdot 0034506$ mit drei Decimalen.

$$0 \cdot 83745 : 0 \cdot 0034506 = 242 \cdot 697$$
$$147330$$
$$9306$$
$$2405$$
$$335$$
$$24$$

6) Man suche den Quotienten $0 \cdot 0073845 : 91 \cdot 2345$ mit acht Decimalen.

$$0 \cdot 0073845 : 91 \cdot 2345 = 0 \cdot 00008094$$
$$858$$
$$37$$
$$1$$

7) $43 : 991 \cdot 7 = 0 \cdot 04335988$

8) $819 \cdot 465 : 7025 = 0 \cdot 11664982$

9) $0 \cdot 000473652 : 0 \cdot 08347 = 0 \cdot 005674518$

10) $3 \cdot 4796 : 0 \cdot 0008532 = 4078 \cdot 2934$.

11) $0 \cdot 000348257 : 908 \cdot 736 = 0 \cdot 000000383$.

12) $712 \cdot 653 : 0 \cdot 091208 = 7813 \cdot 492237$.

13) $743 \cdot 5269 : 8 \cdot 0934$ mit drei Decimalstellen.

14) $8719456 : 93 \cdot 70853$ mit vier Decimalstellen.

15) $4375 \cdot 8329 : 6907 \cdot 4367$ mit fünf Decimalstellen.

16) $72 \cdot 456932 : 0 \cdot 8094382$ mit vier Decimalstellen.

17) $0 \cdot 0374956 : 7 \cdot 32564$ mit 8 Decimalstellen.

18) 0·0183745 : 0·004356 mit fünf Decimalstellen.

19) 0·00438579 : 0·1087493 mit sieben Decimalstellen.

20) 0·00075938 : 813·4096 mit sechs Decimalstellen.

21) 32 : 925·736408 mit sieben Decimalstellen.

22) 7 : 0·00347562 mit drei Decimalstellen.

23) 8·3 : 0·943 mit fünf Decimalstellen.

24) $13\tfrac{1}{8}$: 72·458 mit sieben Decimalstellen.

25) 1 : 3·1415926535 mit sieben Decimalstellen anzugeben.

4) Ueber die Kettenbrüche. (§. 106 bis 110 der Alg.)

α) **Verwandlung der gewöhnlichen Brüche in Kettenbrüche. (§. 107).**

1) $\dfrac{157}{225} = \dfrac{1}{1} + \dfrac{1}{2} + \dfrac{1}{3} + \dfrac{1}{4} + \dfrac{1}{5}.$

2) $\dfrac{8}{13} = \dfrac{1}{1} + \dfrac{1}{1} + \dfrac{1}{2} + \dfrac{1}{1} + \dfrac{1}{2}.$

3) $\dfrac{2065}{4626} = \dfrac{1}{2} + \dfrac{1}{4} + \dfrac{1}{6} + \dfrac{1}{8} + \dfrac{1}{10}.$

4) $\dfrac{1051}{1380} = \dfrac{1}{1} + \dfrac{1}{3} + \dfrac{1}{5} + \dfrac{1}{7} + \dfrac{1}{9}.$

5) $\dfrac{29}{70} = \dfrac{1}{2} + \dfrac{1}{2} + \dfrac{1}{2} + \dfrac{1}{2} + \dfrac{1}{2}.$

6) $\dfrac{189}{433} = \dfrac{1}{2} + \dfrac{1}{3} + \dfrac{1}{2} + \dfrac{1}{3} + \dfrac{1}{2} + \dfrac{1}{3}.$

7) $\dfrac{1015}{1462} = \dfrac{1}{1} + \dfrac{1}{2} + \dfrac{1}{3} + \dfrac{1}{1} + \dfrac{1}{2} + \dfrac{1}{3} + \dfrac{1}{1} + \dfrac{1}{2} + \dfrac{1}{3}.$

8) $0·845 = \frac{1}{1} + \frac{1}{5} + \frac{1}{2} + \frac{1}{4} + \frac{1}{1} + \frac{1}{2}.$

9) $0·438 = \frac{1}{2} + \frac{1}{3} + \frac{1}{1} + \frac{1}{1} + \frac{1}{2} + \frac{1}{4}.$

10) $\frac{854157}{2069437} = \frac{1}{2} + \frac{1}{5} + \frac{1}{17} + \frac{1}{99} + \frac{1}{2} + \frac{1}{13} + \frac{1}{4}.$

11) $\frac{20090359}{4687536} = 4 + \frac{1}{3} + \frac{1}{2} + \frac{1}{103} + \frac{1}{1} + \frac{1}{2} + \frac{1}{214} + \frac{1}{10}.$

12) $\frac{46776}{22283} = \frac{1}{0} + \frac{1}{2} + \frac{1}{10} + \frac{1}{12} + \frac{1}{13} + \frac{1}{14}.$

Man verwandle noch folgende Brüche in gleichgeltende Kettenbrüche

$\frac{2}{3}$, $\frac{2}{4}$, $\frac{3}{5}$, $\frac{3}{5}$, $\frac{4}{6}$, $\frac{5}{6}$, $\frac{2}{7}$, $\frac{3}{7}$, $\frac{4}{7}$, $\frac{5}{7}$, $\frac{6}{7}$, $\frac{7}{13}$, $\frac{5}{17}$, $3\frac{7}{19}$, $\frac{37}{13}$, $\frac{114}{113}$, $\frac{83}{191}$, $\frac{788}{807}$, $0·956$, $0·1375$, $2·35825$, $0·283$, $0·054359$, $2·75302$, $3·1415926$.

β) Verwandlung gegebener Kettenbrüche in gemeine mit Angabe aller Näherungswerthe, worunter auch die eingeschalteten Brüche mitbegriffen sind, welche leßtern immer eingeklammert erscheinen. (§. 108).

1) $\frac{1}{3} + \frac{1}{2} + \frac{1}{3} + \frac{1}{1} + \frac{1}{8} = \frac{79}{272}$

Hiervon sind $\frac{1}{3}$, $\left(\frac{3}{10}, \frac{5}{17}\right)$, $\frac{7}{24}$, $\left(\frac{16}{55}, \frac{25}{86}, \frac{43}{148}, \frac{52}{179}, \frac{61}{210}, \frac{70}{241}\right)$ und $\frac{79}{272}$ die abnehmenden, und $\frac{2}{7}$ und $\frac{9}{31}$ die zunehmenden Näherungsbrüche.

1) $\frac{1}{4} + \frac{1}{3} + \frac{1}{2} + \frac{1}{1} + \frac{1}{5} + \frac{1}{4} = \frac{238}{1023}$.

Hier sind $\frac{1}{4}$, $\left(\frac{4}{17}\right)$, $\frac{7}{30}$, $\left(\frac{17}{73}, \frac{27}{116}, \frac{37}{159}, \frac{47}{202}\right)$, $\frac{57}{245}$ die abnehmenden, und $\frac{3}{13}$, $\frac{10}{43}$, $\left(\frac{67}{288}, \frac{124}{533}, \frac{181}{778}\right)$ und $\frac{238}{1023}$ die zunehmenden Näherungsbrüche.

3) $\frac{1}{1} + \frac{1}{30} + \frac{1}{10} + \frac{1}{2} + \frac{1}{1} + \frac{1}{3} = \frac{3431}{3545}$

Die Näherungswerthe durch Abnahme sind:

$\frac{1}{1}$, $\left(\frac{31}{32}, \frac{61}{63}, \frac{91}{94}, \frac{121}{125}, \frac{151}{156}, \frac{181}{187}, \frac{211}{218}, \frac{241}{249}, \frac{271}{280}\right) \frac{301}{311}$ und $\frac{933}{964}$.

Die Näherungswerthe durch Zunahme sind:

$\frac{30}{31}$, $\left(\frac{331}{342}\right)$, $\frac{632}{536}$, $\left(\frac{1565}{1617}, \frac{2498}{2581}\right)$ und $\frac{3431}{3545}$.

4) $\frac{1}{3} + \frac{1}{4} + \frac{1}{4} + \frac{1}{3} + \frac{1}{2} + \frac{1}{1} + \frac{1}{7} = \frac{1401}{4534}$

Hier sind die abnehmenden Näherungsbrüche:

$$\frac{1}{3}, \left(\frac{5}{16}, \frac{9}{29}, \frac{13}{42}\right), \frac{17}{55}, \left(\frac{72}{233}\right), \frac{127}{411},$$

$$\left(\frac{309}{1000}, \frac{491}{1589}, \frac{673}{2178}, \frac{855}{2767}, \frac{1037}{3356}, \frac{1219}{3945}\right), \frac{1401}{4534}.$$

Die zunehmenden Näherungswerthe aber sind:

$$\frac{4}{13} \left(\frac{21}{68}, \frac{38}{123}\right), \frac{55}{178} \text{ und } \frac{182}{589}.$$

5) $\frac{1}{5} + \frac{1}{1} + \frac{1}{1} + \frac{1}{3} + \frac{1}{4} + \frac{1}{6} + \frac{1}{2} = \frac{404}{1149}$

Abnehmende Näherungsbrüche

$$\frac{1}{6},\ \frac{2}{11}\ \left(\frac{9}{50},\ \frac{16}{89},\ \frac{23}{128}\right)\ \frac{30}{167}\ \left(\frac{217}{1208}\right)\ \frac{404}{2249}\ ;$$

Wachsende Näherungsbrüche

$$\frac{1}{6}\ \left(\frac{3}{17},\ \frac{5}{28}\right)\ \frac{7}{39}\ \left(\frac{37}{206},\ \frac{67}{373},\ \frac{97}{540},\ \frac{127}{707},\ \frac{157}{874}\right)\ \text{und}\ \frac{187}{1041}.$$

6) $\dfrac{1}{1} + \dfrac{1}{2} + \dfrac{1}{5} + \dfrac{1}{1} + \dfrac{1}{1} + \dfrac{1}{3} + \dfrac{1}{4} + \dfrac{1}{2} = \dfrac{613}{1156}.$

Abnehmende Näherungsbrüche

$$\frac{1}{1}\ \left(\frac{3}{4},\ \frac{5}{7},\ \frac{7}{10},\ \frac{9}{13}\right)\ \frac{11}{16},\ \frac{24}{35}\ \left(\frac{109}{159},\ \frac{194}{283},\ \frac{279}{407}\right)\ \text{und}\ \frac{864}{531},$$

Wachsende Näherungsbrüche

$$\frac{2}{3},\ \frac{13}{19}\ \left(\frac{37}{54},\ \frac{61}{89}\right)\ \frac{85}{124}\ \left(\frac{449}{655}\right)\ \frac{813}{1186}.$$

Man verwandle noch folgende Kettenbrüche in gemeine Brüche mit Angabe aller reducirten Werthe und aller eingeschalteten Brüche.

1) $\dfrac{1}{2} + \dfrac{1}{1} + \dfrac{1}{3} + \dfrac{1}{6} + \dfrac{1}{2} + \dfrac{1}{5}.$

2) $3 + \dfrac{1}{1} + \dfrac{1}{1} + \dfrac{1}{2} + \dfrac{1}{5} + \dfrac{1}{1} + \dfrac{1}{10}.$

3) $\dfrac{1}{0} + \dfrac{1}{2} + \dfrac{1}{3} + \dfrac{1}{5} + \dfrac{1}{7} + \dfrac{1}{4} + \dfrac{1}{3}.$

4) $\dfrac{1}{0} + \dfrac{1}{1} + \dfrac{1}{1} + \dfrac{1}{1} + \dfrac{1}{1} + \dfrac{1}{1} + \dfrac{1}{1} + \dfrac{1}{2}.$

5) $40 + \frac{1}{3} + \frac{1}{2} + \frac{1}{5} + \frac{1}{3} + \frac{1}{2} + \frac{1}{5} \cdots$

6) $1 + \frac{1}{9} + \frac{1}{8} + \frac{1}{7} + \frac{1}{6} + \frac{1}{5} + \frac{1}{4} + \frac{1}{3} + \frac{1}{2} .$

7) $\frac{1}{1} + \frac{1}{2} + \frac{1}{7} + \frac{1}{1} + \frac{1}{2} + \frac{1}{7} + \cdots$

8) $\frac{1}{0} + \frac{1}{4} + \frac{1}{2} + \frac{1}{5} + \frac{1}{4} + \frac{1}{2} + \frac{1}{5} + \cdots$

9) Diese Kettenbrüche sollen sämmtlich durch Reihen ausge=
drückt werden (§. 109. X. der Alg.).

Dritter Abschnitt.
Die Kombinationslehre.

a) Über Permutationen. (§. 112. der Alg.)

1) Von der Komplexion 12345 sollen alle möglichen Versetzungen angegeben werden.

2) Man soll von der Komplexion 5743 alle möglichen Permutationen bilden.

3) Von der Komplexion 111244 sollen alle Permutationsformen angegeben werden.

4) Alle möglichen Versetzungen von der Komplexion a a c b b d zu bilden.

5) Wie oft lassen sich die Faktoren des Produktes

$$a^3 b c^2 d e = a a a b c c d e$$

versetzen?

6) Wie oft können acht Personen, die in einem Kreise sitzen, ihre Plätze wechseln?

7) Wie oft lassen sich zehn Kugeln in eine andere Ordnung bringen?

8) Wie viele Verbindungen sind bey jenen zehn Kugeln möglich, wenn unter denselben drey blau, vier grün, zwey roth und eine schwarz ist?

9) Wie viele ganze zehnzifferige Zahlen gibt es, deren Ziffern sämmtlich von einander verschieden sind?

10) Wie viele Verbindungen können aus der Komplexion $a^3 b^4 c^5 d$ gebildet werden?

11) Ein Student hat 12 Bände, worunter das aus fünf Bänden bestehende Lexikon von Heinsius sich befindet; wie oft kann dieser Student seine Bücher versetzen, wenn Heinsius stets den ersten Platz einnehmen soll?

12) Wie oft kann eben dieser Student seine zwölf Bücher versetzen, wenn die fünf Bände des Heinsius immer in derselben Ordnung neben einander stehen sollen?

b) Über Kombinationen. (§. 113. — 117. der Alg.)

Man entwickle folgende kombinatorische Zeiger:

$$1)\ \mathfrak{C}^3_w \begin{pmatrix} a, & b, & c, & d, & e, & f \\ 1, & 2, & 3, & 4, & 5, & 6 \end{pmatrix}$$

$$2)\ \mathfrak{C}^3 \begin{pmatrix} a, & b, & c, & d, & e, & f \\ 1, & 2, & 3, & 4, & 5, & 6 \end{pmatrix}$$

$$3)\ \mathfrak{C}^4_w \begin{pmatrix} a, & b, & c \\ 1, & 2, & 3 \end{pmatrix}$$

$$4)\ \mathfrak{C}^5 \begin{pmatrix} a, & b, & c, & d, & e, & f, & g \\ 1, & 2, & 3, & 4, & 5, & 6, & 7 \end{pmatrix}$$

5) In einer Gesellschaft befinden sich sechs Personen, welche Whist spielen wollen, und zwar so lange, bis jeder mit allen übrigen eine Partie gemacht hat. Da nun immer vier Personen spielen, und die beyden übrigen zusehen, so fragt sich, wie viele Partien müssen gespielt werden?

6) In der gewöhnlichen sogenannten deutschen Karte befinden sich 32 Blätter. Mit einer solchen Karte spielen vier Personen, und jede erhält acht Blätter; wie viele verschiedene Spiele sind möglich?

7) In einem Städtchen liegt eine Kompagnie, die 100 Mann stark ist, und täglich 25 Mann auf die Wache geben muß. Die Kompagnie hat die Ordre, so lange die Garnison jenes Städtchens zu bilden, bis jeder einzelne mit jedem andern zugleich die Wache bezogen hat. Wie lange muß diese Kompagnie in derselben Garnison bleiben?

8) Wie viele verschiedene Würfe sind mit drey Würfeln möglich?

Einige Bemerkungen, die zur Beantwortung der folgenden Fragen nothwendig sind.

a) Wenn A eine Anzahl gleich möglicher Fälle bezeichnet, unter denen α Fälle dem Eintreffen irgend eines Ereignisses günstig, also β = A — α Fälle dem Eintreffen desselben Ereignisses ungünstig sind; so ist die absolute Wahrscheinlichkeit w, daß ein günstiger Fall eintrete,

$$w = \frac{\alpha}{A},$$

und die absolute Wahrscheinlichkeit w′, daß ein ungünstiger eintrete,

$$w' = \frac{\beta}{A}.$$

4 *

und die Summe beyder Wahrscheinlichkeiten

$$w + w' = \frac{\alpha + \beta}{A} = \frac{A}{A} = 1,$$

ist die Gewißheit für das Eintreten eines günstigen oder ungünstigen Falles. Die absolute Wahrscheinlichkeit w des Eintreffens irgend eines Ereignisses wird demnach gefunden, wenn man die Anzahl der gün gen Fälle durch die Anzahl aller möglichen Fälle dividirt, also du einen echten Bruch $\frac{\alpha}{A}$ dargestellt.

Je größer der Zähler α wird, desto größer wird die Wahrscheinlichkeit w, und diese wird zur Gewißheit gesteigert, wenn $\alpha = A$ wird das Symbol der Gewißheit ist demnach die Einheit.

b) Bezeichnen w und w' die absoluten Wahrscheinlichkeiten z Ereignisse, so nennt man die Wahrscheinlichkeit, daß das erste die Ereignisse eintrete, die r e l a t i v e W a h r s c h e i n l i c h k e i t, und die wird gefunden, wenn man die absolute Wahrscheinlichkeit jenes E eignisses durch die Summe beyder absoluten Wahrscheinlichkeiten divi dirt; es ist nämlich die relative Wahrscheinlichkeit, wenn wir diese mi w_r bezeichnen,

$$w_r = \frac{w}{w + w'}.$$

c) Wir haben bisher zwey einander ausschließende Ereignisse E_1 und E_2 vorausgesetzt, so daß nothwendig eines von beyden Statt finden muß. Sind aber mehr als zwey Ereignisse möglich, und es ist die An zahl der günstigen Fälle für das Ereigniß

$$E_1 = a,$$
$$\text{für } E_2 = b,$$
$$\text{» } E_3 = c,$$
$$\text{» } E_4 = d,$$

und man setzt die Anzahl aller gleich möglichen Fälle

$$a + b + c + d + \ldots = n;$$

so ist offenbar die absolute Wahrscheinlichkeit

$$\text{für } E_1 = \frac{a}{n},$$
$$\text{» } E_2 = \frac{b}{n},$$
$$\text{» } E_3 = \frac{c}{n},$$

Die Wahrscheinlichkeit für E_1 und E_2 zusammengenommen, die Wahrscheinlichkeit nämlich, daß entweder E_1 oder E_2 eintrete, ist

$$\frac{a}{n} + \frac{b}{n} = \frac{a+b}{n},$$

ub eben so ist die Wahrscheinlichkeit, daß entweder E_1 oder E_2 oder E_3 intreffe,

$$\frac{a}{n} + \frac{b}{n} + \frac{c}{n} = \frac{a+b+c}{n}.$$

d) Die beyden erwähnten Wahrscheinlichkeiten nennt man ein-ache Wahrscheinlichkeiten, dagegen nennt man die Wahrscheinlich-eit eines Ereignisses zusammengesetzt, wenn das wahrscheinliche Eintreten desselben von einem andern, selbst noch ungewissen Ereignisse abhängt.

Ist für das Eintreffen des Ereignisses E_1 die einfache Wahrschein-lichkeit $w = \frac{a}{a+b}$, für das Eintreffen des Ereignisses E_2 aber $w_1 = \frac{a_1}{a_1+b_1}$, so ist die Wahrscheinlichkeit für das gleichzeitige Ein-treffen beyder Ereignisse gleich

$$W = \frac{a}{a+b} \cdot \frac{a_1}{a_1+b_1} = \frac{a\,a_1}{(a+b)(a_1+b_1)}.$$

und daher die entgegengesetzte Wahrscheinlichkeit

$$W' = \frac{b\,b_1}{(a+b)(a_1+b_1)}.$$

Es ist demnach hier $W + W' < 1$.

Eben so ist, wenn für ein Ereigniß E_1 die Wahrscheinlichkeit $= \frac{a}{a+b}$, für das Ereigniß E_2 aber $= \frac{a_1}{a_1+b_1}$, und für das Ereig-niß E_3 endlich $= \frac{a_2}{a_2+b_2}$ ist, für das Zusammentreffen aller drey Er-eignisse die Wahrscheinlichkeit gleich

$$\frac{a}{a+b} \cdot \frac{a_1}{a_1+b_1} \cdot \frac{a_2}{a_2+b_2} = \frac{a \cdot a_1 \cdot a_2}{(a+b)(a_1+b_1)(a_2+b_2)}.$$

e) Die Wahrscheinlichkeit, daß ein Ereigniß, dessen absolute Wahrscheinlichkeit $w = \frac{a}{A}$ ist, mehrere Mal, z. B. n Mal nach ein-ander eintreffe, ist

$$w^n = \left(\frac{a}{A}\right)^n.$$

f) Bezeichnet **w** die absolute Wahrscheinlichkeit eines Ereignisses E_1, und **w′** die absolute Wahrscheinlichkeit für ein anderes Ereigniß E_2; so ist $1 - w$ die Wahrscheinlichkeit, daß E_1 nicht eintrete, und $w\,w′$ die Wahrscheinlichkeit, daß E_1 und E_2 zugleich eintreffen. Ferner ist $w(1-w′)$ die Wahrscheinlichkeit, daß zu gleicher Zeit E_1, aber nicht E_2 eintreffe, $w′(1-w)$ die Wahrscheinlichkeit, daß gleichzeitig E_2 eintreffe, aber nicht E_1, und endlich ist $(1-w)(1-w′)$ die Wahrscheinlichkeit, daß E_1 und E_2 zugleich nicht eintreffen.

Mithin ist $1 - (1-w)(1-w_1) = w + w_1 - w\,w_1$ die Wahrscheinlichkeit, daß von den beyden Ereignissen E_1 und E_2 wenigstens eines eintreffe.

g) Eine Lotterie enthalte n Nummern, von welchen bey jeder Ziehung r Nummern gezogen werden. Wenn nun jemand a Nummern setzt, und es ist w die Wahrscheinlichkeit, daß alle a Nummern herauskommen, so ist

$$w = \frac{r(r-1)(r-2)\ldots(r-a+1)}{n(n-1)(n-2)\ldots(n-a+1)}.$$

Denn die Anzahl aller möglichen Fälle ist $\binom{n}{a}$, und die Anzahl aller günstigen Fälle ist $\binom{r}{a}$; folglich die gesuchte Wahrscheinlichkeit

$$w = \frac{\binom{r}{a}}{\binom{n}{a}} = \frac{\frac{r(r-1)(r-2)\ldots(r-a+1)}{1.2.3\ldots(a-1)a}}{\frac{n(n-1)(n-1)\ldots(n-a+1)}{1.2.3\ldots(a-1).a}} = \frac{r(r-1)(r-2)\ldots(r-a+1)}{n(n-1)(n-2)\ldots(n-a+1)}.$$

h) Sollen a Nummern, welche sich in einer Urne befinden, in einer bestimmten Ordnung herauskommen; so ist die Wahrscheinlichkeit dafür $= \frac{1}{1.2.3(a-1)a}$. Wenn daher bey der in g) angeführten Lotterie die a gesetzten Nummern sämmtlich in einer bestimmten Ordnung zum Vorscheine kommen; so ist nach d) und g) die Wahrscheinlichkeit für das Eintreffen dieses Ereignisses gleich

$$\frac{1}{1.2.3\ldots a}\cdot w = \frac{r(r-1)(r-2)\ldots(r-a+1)}{1.2.3\ldots a.n(n-1)(n-2)\ldots(n-a+1)}.$$

Nun wird man ohne Schwierigkeit die folgenden Fragen beantworten können.

9) Wie groß ist die absolute Wahrscheinlichkeit, mit zwey gewöhnlichen Würfeln, deren Flächen der Ordnung nach mit den Zahlen 1, 2, 3, 4, 5, 6 bezeichnet sind, die Summe 7, oder die Summe 8

zu werfen? Wie groß ist die relative Wahrscheinlichkeit für diese zwey Summen?

10) Wie groß ist die Wahrscheinlichkeit, daß jemand mit zwey Würfeln zwey gleiche Zahlen wirft?

11) Wie groß ist die Wahrscheinlichkeit, daß ein Spieler mit drey solchen Würfeln drey gleiche Zahlen werfen wird? — Wie groß ist die Wahrscheinlichkeit, daß unter den geworfenen Zahlen zwey gleiche sich befinden, und welche Wahrscheinlichkeit hat der Spieler, daß er drey verschiedene Zahlen wirft? — Wie groß ist die Wahrscheinlichkeit, daß unter den drey geworfenen Zahlen wenigstens zwey gleiche sind?

12) Wie groß ist die Wahrscheinlichkeit, mit drey Würfeln die Summe 12 zu werfen? — Wie groß ist die Wahrscheinlichkeit, mit drey Würfeln wenigstens die Summe 12 zu werfen?

13) Wie groß ist die Wahrscheinlichkeit, mit drey Würfeln drey auf einander folgende Zahlen zu werfen?

14) Wie groß ist die relative Wahrscheinlichkeit, daß man mit drey Würfeln eher drey auf einander folgende Zahlen wirft, als drey Zahlen, unter welchen zwey gleiche Zahlen sich befinden, und die dritte von diesen verschieden ist?

15) Vier Personen spielen mit drey Würfeln. Jede der drey ersten Personen hat die Summe 14 geworfen, und nun hat noch die vierte Person zu werfen. Welche Wahrscheinlichkeit hat diese vierte Person, daß sie das Spiel gewinnen wird?

16) In einer Urne befinden sich fünf weiße und sieben schwarze Kugeln, und es zieht jemand zwey Kugeln; wie groß ist die Wahrscheinlichkeit, daß derselbe eine weiße und eine schwarze ziehen wird?

17) Eine Urne enthält fünf weiße und sieben schwarze Kugeln, und es wird fünf Mal nach einander eine Kugel gezogen und jedes Mal wieder hineingeworfen; wie groß ist die Wahrscheinlichkeit, daß zwey Mal eine weiße, und drey Mal eine schwarze Kugel wird gezogen werden?

18) Vier Personen spielen mit der gewöhnlichen Karte von 32 Blättern, so daß jede immer acht Blätter bekömmt. Wie groß ist die Wahrscheinlichkeit, daß unter vier Spielen der A wenigstens ein Mal alle vier Könige erhält?

19) Zwey Personen spielen mit zwey Würfeln unter der Bedingung, daß der Erste gewinnen soll, wenn er die Summe 7, und der Andere, wenn er die Summe 4 wirft. Welche relative Wahrscheinlichkeit hat jeder der beyden Spieler, daß er gewinnen werde?

20) Welche Wahrscheinlichkeit hat man, mit drey Würfeln drey Mal nach einander drey gleiche Zahlen zu werfen?

21) Welche Wahrscheinlichkeit hat man, mit zwey Würfeln das erste Mal die Summe 7, und dann die Summe 8 zu werfen?

22) Wenn ein Spiel von 32 Karten in vier Theile nach den vier Farben getheilt wird, so daß jeder alle Blätter derselben Farbe enthält, welche Wahrscheinlichkeit hat man, auf den ersten Zug eine Figur von gegebener Farbe zu ziehen?

23) Eine Urne enthält drey weiße und zwey schwarze Kugeln; eine andere Urne aber enthält fünf weiße und drey schwarze Kugeln. Wenn nun aus einer dieser beyden Urnen eine Kugel gezogen werden soll, so fragt sich, welches die Wahrscheinlichkeit sey, daß eine weiße Kugel gezogen werde?

24) Wie groß ist die Wahrscheinlichkeit, mit zwey Würfeln auf den ersten Wurf die Summe 8, und wenn dieß nicht geschieht, wenigstens auf den zweyten Wurf die Summe 7 zu werfen?

25) Wie groß ist die Wahrscheinlichkeit, in unserer gewöhnlichen Lotterie mit einer gesetzten Nummer einen Auszug, mit zwey gesetzten Nummern eine Ambe, mit drey gesetzten Nummern eine Terne u. s. f. zu machen?

26) Es setzt jemand vier Nummern beym Lotto, die in einer angegebenen Ordnung erscheinen sollen. Wie groß ist die Wahrscheinlichkeit, eine solche bestimmte Quaterne bey unserer gewöhnlichen Lotterie zu machen?

27) Wie viele verschiedene Summen lassen sich mit fünf gewöhnlichen Würfeln werfen?

28) Von 100 Jünglingen sollen 25 durch das Loos zum Militärdienste ausgehoben werden. Wie groß ist die Wahrscheinlichkeit, daß drey bestimmte Jünglinge zugleich Soldaten werden müssen?

29) Wie viel Sylben, die aus einem Selbstlaute und zwey Mitlauten bestehen, wie z. B. der, vor, arm ꝛc., sind in der deutschen Sprache möglich?

30) In einem Sacke befinden sich mehrere gleich große Kugeln, z. B. 30, und es nimmt jemand aus demselben mehrere mit der Hand auf ein Mal heraus. Wie groß ist die Wahrscheinlichkeit, daß er eine gerade, und wie groß die Wahrscheinlichkeit, daß er eine ungerade Anzahl Kugeln nimmt?

31) Wie viele einfache und zusammengesetzte Divisoren entsprechen em Produkte P = 342 a³ b⁴ c² d?

32) In einer Gesellschaft befinden sich sechs Mädchen, deren je= es 18 Jahre alt ist, vier Mädchen von 20 Jahren, und drey von 4 Jahren. Ferner acht Männer von 25 Jahren, fünf von 27 Jah= en, und endlich vier von 30 Jahren. Nun kommt die Gesellschaft iberein, daß immer vier Personen tanzen sollen, jedoch so, daß die Tanzenden zusammen immer 200 Jahre zählen. Wie viele Tänze müs= en wohl gemacht werden?

33) Auf wie viele Arten lassen sich 40 verschiedene Kugeln iv wey Haufen abtheilen, daß der eine 30 und der andere 10 Kugeln enthalte?

34) In einer Gesellschaft befinden sich 20 Personen, die an vier Tischen spielen wollen. Am ersten Tische sollen zwey Personen Schach spielen, am zweyten Tische vier Personen Whist, am dritten Tische sechs Personen den gelben Zwerg, und am vierten Tische acht Perfo= nen Hammer und Glocke. Auf wie viele Arten lassen sich diese 20 Per= fonen in die genannten vier Partieen abtheilen?

35) Die Piketkarte besteht aus 32 Blättern, jeder der beyden Spieler erhält 12 Karten, und die übrigen acht Blätter werden als Kauffkarten zurückgelegt; wie viele verschiedene Spiele sind demnach bey der Austheilung der Karten möglich?

36) Wie groß ist die Wahrscheinlichkeit, daß von 20 in der ge= wöhnlichen Zahlenlotterie besetzten Nummern nur eine, oder gerade zwey, oder gerade drey, weder mehr noch weniger, herauskommen werden?

Erstes Kapitel.

A) Ueber die Potenzen der Monome.
(§. 118. — 122. der Alg.)

1) $(a^m)^n = a^{mn} = (a^n)^m$.

2) $(a^{-m})^n = a^{-mn} = \dfrac{1}{a^{mn}}$.

3) $(a^m)^{-n} = a^{-mn} = \dfrac{1}{a^{mn}}$.

4) $(a^{-m})^{-n} = a^{mn}$.

5) $[(a^m)^n]^p = a^{mnp}$.

6) $[(a^{-m})^n]^{-p} = (a^{-m})^{-np} = a^{mnp}$.

7) $(a^{\pm m})^n = a^{\pm mn}$.

8) $(a^{\pm m})^{-n} = a^{\mp mn}$.

9) $(a^m b^n)^p = a^{mp} b^{np}$.

10) $(a^m b^n)^{-p} = \dfrac{1}{(a^m b^n)^p} = \dfrac{1}{a^{mp} b^{np}}$.

11) $(a^{-m} b^{-n})^p = a^{-mp} b^{-np} = \dfrac{1}{a^{mp} b^{np}}$.

12) $(a^{-m} b^n)^p = a^{-mp} b^{np} = \dfrac{b^{np}}{a^{mp}}$.

13) $(a^{-m} b^{-n})^{-p} = a^{mp} b^{np}$.

14) $(a^m b^{-n})^{-p} = a^{-mp} b^{np} = \dfrac{b^{np}}{a^{mp}}$.

15) $(a^m b^n c^p)^{\pm r} = a^{\pm mr} b^{\pm nr} c^{\pm pr}$.

16) $\left(\dfrac{a^m}{b^n}\right)^p = (a^m b^{-n})^p = a^{mp} b^{-np} = \dfrac{a^{mp}}{b^{np}} = \dfrac{(a^m)^p}{(b^n)^p}$.

17) $\left(\dfrac{a^m}{b^n}\right)^{-p} = (a^m b^{-n})^{-p} = a^{-mp} b^{np} = \dfrac{a^{-mp}}{b^{-np}} = \dfrac{(a^m)^{-p}}{(b^n)^{-p}}$,

oder $= (a^m b^{-n})^{-p} = a^{-mp} b^{np} = \dfrac{b^{np}}{a^{mp}} = \dfrac{(b^n)^p}{(a^m)^p} = \left(\dfrac{b^n}{a^m}\right)^p$.

18) $\left(\dfrac{a^{-m}}{b^n}\right)^{-p} = \left(\dfrac{b^n}{a^{-m}}\right)^p = \dfrac{b^{np}}{a^{-mp}} = a^{mp} b^{np}$.

19) $\left(\dfrac{a^{-m}}{b^{-n}}\right)^{-p} = \dfrac{a^{mp}}{b^{np}}$.

20) $\left(\dfrac{a^m b^n c^p}{a^\mu \beta^\nu \gamma^\pi}\right)^{\pm r} = \dfrac{a^{\pm mr} b^{\pm nr} c^{\pm pr}}{a^{\pm \mu r} \beta^{\pm \nu r} \gamma^{\pm \pi r}} = a^{\pm mr} b^{\pm nr} c^{\pm pr} a^{\mp \mu r} \beta^{\mp \nu r} \gamma^{\mp \pi r}$

21) $(+a^m)^{2n} = +a^{2mn}$

22) $(+a^m)^{2n+1} = +a^{m(2n+1)}$

23) $(-a^m)^{2n} = [(-a^m)^2]^n = [-a^m \times -a^m]^n$
$= (+a^{2m})^n = +a^{2mn}$

24) $(-a^m)^{2n+1} = (+a^m)^{2n}(-a^m) = +a^{2mn} \times -a^m$
$= -a^{2mn+m} = -a^{m(2n+1)}$.

25) $(\pm a^m)^{2n} = +a^{2mn}$.

26) $(\pm a^m)^{2n+1} = \pm a^{m(2n+1)}$.

27) $(\pm a^m)^{-2n} = +a^{-2mn}$.

28) $(\pm a^m)^{-2n\pm1} = \pm a^{m(-2n\pm1)}$.

29) $\dfrac{[2(3a^2x)^3]^{-2}}{[4(3^{-1}a^3x^4)^{-2}]^2} = \dfrac{2^{-2}(3a^2x)^{-6}}{4^2(3^{-1}a^3x^4)^{-4}} = \dfrac{(3^{-1}a^3x^4)^4}{2^2 4^2(3a^2x)^6}$
$= \dfrac{3^{-4}a^{12}x^{16}}{2^2 \cdot 4^2 \cdot 3^6 a^{12}x^6} = \dfrac{x^{10}}{2^2(4)^2 \cdot 3^6 \cdot 3^4}$
$= \dfrac{x^{10}}{2^2 \cdot (2^2)^2 \cdot 3^{10}} = \dfrac{x^{10}}{2^6 3^{10}}$.

30) $\left[\dfrac{3a^2(4^{-2}a^3x^{-3})^2}{2^{-3}(3a^3x^{-2})^{-1}} : \dfrac{12ax^{10}(2^3a^{-2}x^4)^{-3}}{(3^2a^3x^{-5})^{-2}}\right]^{-1} =$
$= \left(\dfrac{3^2a^{11}}{2^5x^6} : \dfrac{3^5a^{13}}{2^7x^{12}}\right)^{-1} = \left(\dfrac{2^2x^4}{3^3a^2}\right)^{-1} = \dfrac{3^3a^2}{2^2x^4} = \dfrac{27a^2}{4x^4}$.

31) $\left[\dfrac{2}{3}a^2\left(\dfrac{-a^2}{2x^3}\right)^{-2}(6a^2x^{-2})^3 : \dfrac{4}{9}\left(\dfrac{x^{-2}}{a^3}\right)^{-1} \cdot \dfrac{12a^{-2}}{-x^3}\right] \cdot \dfrac{8a^7x^4}{27} =$
$= [2^6 3^2 a^4 : 2^4 3^{-1}ax^{-1}] \cdot \dfrac{2^3 a^2 x^4}{3^3} = 2^2 3^3 a^3 x \cdot \dfrac{2^3 a^2 x^4}{3^3}$
$= 2^5 a^5 x^5 = 32 a^5 x^5$.

32) $\left[12a^3x^{-2}\left(\dfrac{3a^2}{2x^3} : \dfrac{9a}{4x^3}\right)^{-2}\left(\dfrac{6x^3}{a^2}\right)^3 : 8a^2x^{-3} \times\right.$
$\left.\times \left(\tfrac{4}{3}a^2x^3 : \tfrac{2}{3}ax^4\right)^{-1}\right]^2 \cdot \dfrac{a^{15}}{1944} = 2^3 3^3 a^3 x^{18} =$
$= 8 \cdot 27 \cdot a^3 x^{18} = 216 a^3 x^{18}$.

B) Von den eingliedrigen Wurzelgrößen. (§. 123.—135. der Alg.)

a) Wenn die Exponenten nur ganze Zahlen sind.

1) $a = (\sqrt[n]{a})^n = \sqrt[n]{a^n}$.

2) Ist $a \gtreqless b$; so ist auch $\sqrt[n]{a} \gtreqless \sqrt[n]{b}$.

3) $\sqrt[n]{AB} = \sqrt[n]{A} \cdot \sqrt[n]{B}$ und $\sqrt[n]{A} \cdot \sqrt[n]{B} = \sqrt[n]{A \cdot B}$.

4) $\sqrt[n]{\frac{A}{B}} = \frac{\sqrt[n]{A}}{\sqrt[n]{B}}$ und $\sqrt[n]{A} : \sqrt[n]{B} = \sqrt[n]{A : B}$.

5) $\sqrt[n]{ABCD} = \sqrt[n]{A} \cdot \sqrt[n]{B} \cdot \sqrt[n]{C} \cdot \sqrt[n]{D}$

$\qquad$ und $\sqrt[n]{A} \cdot \sqrt[n]{B} \cdot \sqrt[n]{C} \cdot \sqrt[n]{D} = \sqrt[n]{ABCD}$.

6) $A\sqrt[n]{B} = \sqrt[n]{A^n \cdot B}$.

7) $\dfrac{\sqrt[n]{B}}{A} = \sqrt[n]{\dfrac{B}{A^n}}$.

8) $\dfrac{B}{\sqrt[n]{A}} = \sqrt[n]{\dfrac{B^n}{A}}$.

9) $\sqrt[n]{A^{n\alpha+\beta}} = A^{\alpha}\sqrt[n]{A^{\beta}}$.

10) $\sqrt[n]{A^{-r}} = \dfrac{1}{\sqrt[n]{A^r}}$.

11) $(\sqrt[n]{A})^r = \sqrt[n]{A^r}$.

12) $(\sqrt[n]{A})^{-r} = \sqrt[n]{A^{-r}}$.

13) $\sqrt[-n]{A^r} = \dfrac{1}{\sqrt[n]{A^r}} = \sqrt[n]{A^{-r}}$.

14) $(\sqrt[n]{A})^{\pm n} = A$.

15) $\sqrt[n]{A^p} = A^{\frac{p}{n}}$ und $A^{\frac{p}{n}} = \sqrt[n]{A^p}$ (vergl. §. 128.).

16) $\sqrt[n]{A^m} = \sqrt[n \cdot p]{A^{m \cdot p}} = \sqrt[n:q]{A^{m:q}}$.

17) $\sqrt[n]{(\sqrt[m]{A})} = \sqrt[nm]{A}$ und $\sqrt[mn]{A} = \sqrt[n]{(\sqrt[m]{A})} = \sqrt[m]{(\sqrt[n]{A})}$.

18) $\sqrt[m]{\sqrt[n]{(\sqrt[p]{A})}} = \sqrt[mnp]{A}$ und $\sqrt[mnp]{A} = \sqrt[m]{\sqrt[n]{(\sqrt[p]{A})}} = \sqrt[m]{\sqrt[p]{\sqrt[n]{A}}} = ..$

b) Für jeden ganzen oder gebrochenen Exponenten.

19) $A^{\frac{p}{n}} = A^{\frac{\alpha \cdot p}{\alpha \cdot n}} = A^{\frac{p:\beta}{n:\beta}}$.

20) $a^{\frac{r}{n}} \cdot a^{\frac{v}{m}} = a^{\frac{r}{n} + \frac{v}{m}}$.

1) $a^{\frac{r}{n}} : a^{\frac{v}{m}} = a^{\frac{r}{n} - \frac{v}{m}}$.

12) $(AB)^{\frac{m}{n}} = A^{\frac{m}{n}} B^{\frac{m}{n}}$.

13) $\left(\frac{A}{B}\right)^{\frac{m}{n}} = \frac{A^{\frac{m}{n}}}{B^{\frac{m}{n}}}$.

14) $\left(A^{\frac{v}{n}}\right)^{\frac{r}{m}} = A^{\frac{vr}{mn}}$.

25) $\sqrt[m]{A} \cdot \sqrt[n]{B} = \sqrt[mn]{A^n B^m}$.

26) $\sqrt[m]{A} : \sqrt[n]{B} = \sqrt[mn]{\frac{A^n}{B^m}}$.

27) $A\sqrt[m]{B} \cdot C\sqrt[n]{D} = AC\sqrt[mn]{B^n D^m} = \sqrt[mn]{A^{mn} C^{mn} B^n D^m}$.

28) $\frac{A\sqrt[m]{B}}{C\sqrt[n]{D}} = \frac{A}{C} \cdot \sqrt[mn]{\frac{B^n}{D^m}}$.

29) $\sqrt[3]{a^{12}} = a^4$.

30) $\sqrt[3]{(1+x)^6} = (1+x)^2$.

31) $\sqrt[5]{1024} = \sqrt[5]{2^{10}} = 2^2 = 4$.

32) $\sqrt[12]{a^{30}} = \sqrt{a^5} = a^{\frac{5}{2}} = \sqrt{a^4 \cdot a} = a^2\sqrt{a}$.

33) $\sqrt[-3]{a^2} = \sqrt[3]{a^{-2}} = a^{-\frac{2}{3}} = \frac{1}{a^{\frac{2}{3}}} = \frac{1}{\sqrt[3]{a^2}}$.

34) $\sqrt[\frac{3}{2}]{a^6} = \sqrt[3]{a^{12}} = a^4$.

35) $\sqrt[-\frac{4}{5}]{a^{16}} = \sqrt[4]{a^{-80}} = a^{-20} = \frac{1}{a^{20}}$.

36) $(\sqrt{a})^3 = \sqrt{a^3} = a\sqrt{a}$.

37) $(\sqrt[6]{a})^2 = \sqrt[\frac{6}{2}]{a} = \sqrt[3]{a}$.

38) $(4\sqrt[3]{9})^2 = 16\sqrt[3]{81} = 16\sqrt[3]{3^4} = 48\sqrt[3]{3}$.

39) $\sqrt[3]{\frac{8}{27}a^{-3}b^6 c^{-12}} = \frac{2b^2}{3ac^4}$.

40) $[2\sqrt{3\sqrt[3]{2a}}]^6 = 3456\,a$.

41) $(\sqrt{a} - m^2\sqrt{b})^4 = (a - m^2\sqrt{b})^2 = a^2 - 2am^2\sqrt{b} + m^4 \cdot b$.

42) $\sqrt[30]{a^2} = \sqrt[15]{a} = \sqrt[8]{\sqrt[5]{a}} = \sqrt[5]{\sqrt[3]{a}}$.

43) $\sqrt[12]{\sqrt[\frac{5}{3}]{a^2}} = \sqrt[20]{a^2} = \sqrt[10]{a}$.

44) $\sqrt[n^2]{a^m} = \sqrt[n]{\sqrt[n]{a^m}}$.

45) $\sqrt[m+n]{\sqrt[m-n]{a^{m^2-2mn+n^2}}} = \sqrt[m^2-n^2]{a^{(m-n)^2}} = \sqrt[m+n]{a^{m-n}}$.

46) $\sqrt[-1]{\sqrt[2]{\sqrt[\frac{3}{2}]{a^2}}} = \sqrt[-2]{\sqrt[\frac{3}{2}]{a^2}} = \sqrt[8]{a^2}$.

47) $\sqrt{a^5}\,\sqrt{a^3} = \sqrt{a^8} = a^4$.

48) $\sqrt[3]{a^4}\cdot\sqrt[3]{a^5}\cdot\sqrt[3]{a^7}\cdot\sqrt[3]{a^{11}} = \sqrt[3]{a^{27}} = a^9$.

49) $\sqrt{a^3}\cdot\sqrt[3]{a^2} = \sqrt[6]{a^{13}} = \sqrt[6]{a^{12}\cdot a} = a^2\sqrt[6]{a}$.

50) $\sqrt[3]{a^5 b^2}\cdot\sqrt[4]{a^3 b^2} = \sqrt[12]{a^{29}b^{14}} = a^2 b\,\sqrt[12]{a^5 b^2}$.

51) $\sqrt{a^5 b^3}\cdot\sqrt[6]{a^3 b^2}\cdot\sqrt[4]{a b}\cdot\sqrt[3]{a^2 b^2 c} = a^3 b^2\sqrt[12]{a^{11}b^9 c^4}$.

52) $\sqrt{6 a^3\sqrt{3 a b^3}}\cdot\sqrt{18 a^2\sqrt{2 a}} = 6 a^3\sqrt[4]{54 b^3}$.

53) $\sqrt{12 a^5 b^3\sqrt[4]{18 a^8 b^6}}\cdot\sqrt[3]{3 a^2 b^{11}\sqrt{a^9 b}} = 6 a^5 b^6\sqrt[24]{72 a b^2}$.

54) $6\sqrt{\frac{5}{12}} = \sqrt{6^2\cdot\frac{5}{12}} = \sqrt{15}$.

55) $\frac{6}{5}\sqrt[3]{\frac{625}{108}} = \sqrt[3]{\frac{6^3}{5^3}\cdot\frac{625}{108}} = \sqrt[3]{10}$.

56) $\frac{3x-6x^2}{2+4x}\sqrt{\frac{8+16x}{3x(1-2x)^3}} = \sqrt{\frac{6x}{1-4x^2}}$.

57) $\frac{1}{2}\sqrt{\frac{4}{3}a^3\sqrt[3]{\frac{81 a^2}{3^2}}} = a\sqrt[6]{\frac{a^5}{3}}$.

58) $a b^2\sqrt[n]{a^m b^p\sqrt{\frac{a^{n-2m}}{b^{2p+n}}}} = a b\sqrt{a b}$.

59) $\sqrt{\frac{169}{625}} = \frac{\sqrt{169}}{\sqrt{625}} = \frac{13}{25}$.

60) $\sqrt{\frac{18 a^3 b^2}{2197 m^3}} = \frac{\sqrt{9 a^2 b^2\cdot 2a}}{\sqrt{13^2\cdot m^2\cdot 13 m}} = \frac{3 a b\sqrt{2a}}{13 m\sqrt{13 m}}$

$= \frac{3 a b}{13 m}\sqrt{\frac{2a}{13 m}} = \frac{3 a b\sqrt{26 a m}}{13 m\cdot 13 m} = \frac{3 a b}{169 m^2}\sqrt{26 a m}$.

1) $\sqrt[3]{\dfrac{343\,a^7\,m^7}{32\,n^2}} = \dfrac{7\,a\,m^2}{2}\sqrt[3]{\dfrac{a^2\,m}{4\,n^2}} = \dfrac{7\,a\,m^2}{4\,n}\sqrt[3]{2\,a^2\,m\,n}.$

2) $\sqrt{\dfrac{2\,a\,\sqrt{a\,n^3}}{\sqrt{2\,a}}} = \sqrt[4]{2\,a^2\,n^3}.$

3) $\sqrt[4]{\dfrac{a^3\,b^2\sqrt[3]{a^2\,b}}{\sqrt{a\,b^3}}} = \sqrt[24]{a^{19}\,b^5}.$

4) $24\sqrt{28} : 3\sqrt{32} = 2\sqrt{14}.$

5) $48 : \sqrt[3]{108} = 8\sqrt[3]{2}.$

6) $a : \sqrt{a} = \sqrt{a}.$

7) $6\,a^3\,b^2 : \sqrt[5]{72\,a^4\,b^3} = a^2\,b\sqrt[5]{108\,a\,b^2}.$

8) $\sqrt[3]{\dfrac{80\,a^5\,b^4}{63\,m^4\,n^2}} : \sqrt[3]{\dfrac{10\,a^2\,b^2}{189\,m^2\,n\,x}} = 2\,a\sqrt[3]{\dfrac{3\,b^2\,x}{m^2\,n}}$

$= \dfrac{2\,a}{m\,n}\sqrt[3]{3\,b^2\,m\,n^2\,x}.$

69) $\dfrac{12\,a^3}{5\,b^2}\sqrt[4]{\dfrac{a^7\,b}{32\,m}} : \dfrac{3\,a^2}{10\,b^3}\sqrt[4]{\dfrac{a^3\,b}{4\,m}} = 4\,a^2\,b\sqrt[4]{2}.$

70) $\sqrt{a^3} : \sqrt[4]{a} = a\sqrt[4]{a}.$

71) $\sqrt[5]{a^7\,b^2\,c^3} : \sqrt[4]{a^5\,b\,c^3} = \sqrt[20]{\dfrac{a^3\,b^3}{c^3}}.$

72) $\sqrt[6]{\dfrac{a}{m}} : \sqrt[3]{\dfrac{a}{m}} = \sqrt[6]{\dfrac{m}{a}}.$

73) $12\sqrt[3]{a^2} : 3\sqrt{a} = 4\sqrt[6]{a}.$

74) $28\sqrt[4]{192} : 7\sqrt[6]{12} = 8\sqrt[12]{12}.$

75) $\sqrt[2]{\dfrac{a^m\,b^2}{c^3\,x^2}} : \sqrt[2n]{\dfrac{a^3\,b^6}{c^6}} = \sqrt[n]{a^{m-\frac{3}{2}}\,c}{b\,x^2}.$

76) $\sqrt[3]{\dfrac{3\,a^2\,\sqrt{a\,x}}{2\,x\,\sqrt[3]{a^2}}} : \sqrt{\dfrac{3\,x^2\,\sqrt[3]{a}}{2\,a\,\sqrt{x}}} = \dfrac{x}{a}\sqrt[36]{\dfrac{64\,x^3}{729\,a^2}}.$ $a = 6.0327$ $x = 0.05866$

77) $\sqrt{a^2 - x^2} : \sqrt[3]{a - x} = \sqrt[6]{(a+x)^3(a-x)} =$

$= \sqrt{a+x}\,\sqrt[6]{a-x}.$

78) $(\sqrt{a+x})\,(\sqrt[4]{a-x}) : (\sqrt[3]{a^2-x^2})\,(\sqrt[12]{a+x}) = \sqrt[12]{\dfrac{a+x}{a-x}}$.

79) $\left[\dfrac{1}{\sqrt{1+x}} + \sqrt{1-x}\right] : \left[\sqrt{(1-x^2)} + 1\right] = \sqrt{1-x}$

80) $\sqrt[6]{(1-x)}\,\sqrt[7]{(1-x)^6} : \dfrac{(1-x)\,\sqrt[7]{(1-x)^4}}{\sqrt{1-x}\,\sqrt[3]{1-x}} = \sqrt[7]{(1-x)^2}$.

Man transformire zur Übung noch folgende Wurzelausdrücke.

1) $\sqrt[4]{a\sqrt[p]{b}}$.

2) $a\sqrt{\dfrac{b}{c}} \cdot d\sqrt{bc}$.

3) $\sqrt[10]{6} \cdot \sqrt[3]{3} \cdot \sqrt[15]{\tfrac{1}{2}}$.

4) $2\sqrt[8]{\tfrac{3}{2}} \cdot \sqrt{\tfrac{4}{5}} \cdot \tfrac{1}{8}\sqrt[6]{\tfrac{3}{4}}$.

5) $\sqrt{\tfrac{1}{2}} \cdot \sqrt[4]{\tfrac{4}{3}} \cdot \sqrt[6]{2} \cdot \sqrt[8]{\tfrac{1}{2}}$.

6) $\sqrt{3}\,\sqrt[3]{\dfrac{2\sqrt{3}}{9}}$.

7) $\left[2\sqrt{\dfrac{1-x}{x}} \cdot \sqrt[3]{\dfrac{9x^2}{4-8x+4x^2}}\right]^{-1} : \left(\dfrac{2x\sqrt{x}}{\sqrt{1-x^2}}\right)^{-3}$.

8) $\sqrt{2\sqrt{2\sqrt{2}}} : \dfrac{64}{3x\sqrt{2}}$.

9) $\sqrt[3]{\dfrac{2x\sqrt{6x}}{\sqrt{1-x^2}}} : \dfrac{1+x}{\sqrt{1-x}}$.

10) $\left[\sqrt{\dfrac{2\sqrt{a^3}}{a\sqrt[3]{2}}}^{\,-\frac{2}{3}} + \sqrt{\dfrac{a\sqrt{2}}{2\sqrt{a}}}^{\,\frac{1}{3}}\right]^{\frac{3}{2}} : \left[\dfrac{\sqrt{a}}{\sqrt[3]{2}} ; \dfrac{a\sqrt{2}}{4\sqrt[3]{a^2}}\right]^{-\frac{1}{3}}$.

11) $\left[\sqrt[4]{\dfrac{a\sqrt{2}}{2\sqrt{a}}} : \sqrt{\dfrac{2a}{\sqrt[4]{2a^4}}}\right] \cdot \left(\dfrac{\sqrt[4]{a^{\frac{5}{2}}}\,(6a)^{-\frac{1}{2}}}{\sqrt[6]{\sqrt{27}}}\right)^{-1}$.

12) $\sqrt{\dfrac{a^3\sqrt{a^2-x^2}}{a-x}}^{\,-2n} \cdot \sqrt[n]{\dfrac{a^{-\frac{3}{2}}(a-x)^{\frac{1}{2}}}{\sqrt[4]{x}\cdot\sqrt{a^2x^{-2}-1}}}$.

C. Mehrgliedrige Wurzelgrößen.

1) Addition und Subtraktion. (§. 130 der Alg.)

a) $a\sqrt[m]{A} + b\sqrt[m]{A} + c\sqrt[m]{A} + d\sqrt[m]{A} = (a+b+c+d)\sqrt[m]{A}.$

b) $3\sqrt[3]{4} + 7\sqrt[3]{4} - 9\sqrt[3]{4} + 17\sqrt[3]{4} = 18\sqrt[3]{4}.$

c) $8\sqrt[4]{\tfrac{3}{2}} - 7\sqrt[3]{5} - 5\sqrt[4]{\tfrac{3}{2}} + 6\sqrt[3]{5} = 3\sqrt[4]{\tfrac{3}{2}} - \sqrt[3]{5}.$

d) $12\sqrt[n]{3a} - 18\sqrt[m]{4x} + 2\sqrt[p]{ax} - 8\sqrt[n]{3a} - 10\sqrt[p]{ax} + 13\sqrt[m]{4x}$
$$= 4\sqrt[n]{3a} - 5\sqrt[m]{4x} - 8\sqrt[p]{ax},$$

e) $6\sqrt[3]{12} - 3\sqrt[4]{15} + 2\sqrt[3]{6} - (4\sqrt[3]{12} - 3\sqrt[4]{15} + 6\sqrt{6})$
$$= 2\sqrt[3]{12} - 4\sqrt{6}.$$

f) $\sqrt{18} + \sqrt{50} = 3\sqrt{2} + 5\sqrt{2} = 8\sqrt{2}.$

g) $2\sqrt{12} - 3\sqrt{75} + 7\sqrt{108} - 4\sqrt{27} = 19\sqrt{3}.$

h) $8\sqrt[3]{16} + 4\sqrt{45} - 6\sqrt{175} + 2\sqrt[3]{250} - 2\sqrt{125} + 7\sqrt{112}$
$$= 26\sqrt[3]{2} + 2\sqrt{5} - 2\sqrt{7}.$$

9) $\sqrt[4]{48} + \sqrt[4]{243} + \sqrt[4]{1875} - \sqrt[4]{\dfrac{7203}{256}} = \dfrac{33}{4}\sqrt[4]{3}.$

10) $3\sqrt[3]{44.8} - 2\sqrt[3]{700} + 4\sqrt[3]{\dfrac{756}{5}} + 4\sqrt[3]{\dfrac{7}{10}} = 20\sqrt[3]{\dfrac{7}{10}} =$
$$= 20\sqrt[3]{0.7} = 2\sqrt[3]{700}.$$

11) $12\sqrt{0.2} + 2\sqrt{\dfrac{20}{9}} +$
$$+ 5\sqrt{0.16528925619834710743801} = \dfrac{766}{165}\sqrt{5}.$$

12) $\sqrt{147a^2m} + \sqrt{192m^5} - \sqrt{75a^2m} - 3m\sqrt{12m} =$
$$= 2(a+m)\sqrt{3m}.$$

13) $\sqrt{54a^5b} - 2a\sqrt{24ab^3} - 4ab\sqrt{54a^3b^5} + 3a\sqrt{24a^3b} -$
$$- 2\sqrt{96a^3b^3} + 2a^2\sqrt{216ab^7} + \sqrt{96ab^5} =$$
$$= (3a - 2b)^2\sqrt{6ab}.$$

14) $209m\sqrt{\dfrac{2}{15}a^3m^3} - \dfrac{169}{5}m\sqrt{\dfrac{5}{6}a^3m^3} - 3an^2\sqrt{\dfrac{19.2a}{m}} +$

$$+ \frac{13}{5} m^2 \sqrt{\frac{490}{3} a^3 m} - 71\, a\, m^2 \sqrt{\frac{a\, m}{30}} =$$

$$= 12\, a \left(m^2 - \frac{n^2}{5\, m} \right) \sqrt{30\, a\, m}.$$

15) $15 \sqrt{2\, a\, b} \cdot \sqrt[3]{3\, a\, b} - \dfrac{8\, b \sqrt[3]{3\, a} \sqrt{\frac{1}{2} a}}{\sqrt[6]{6\, b}} + \dfrac{12\, a \sqrt{b} \sqrt[3]{96\, b}}{\sqrt[6]{2\, a}} =$

$$= 35 \sqrt[6]{72\, a^5\, b^5}.$$

16) $7 \sqrt{6} - \frac{3}{2} \sqrt{\frac{3}{2}} + 2 \sqrt{\frac{2}{3}} - \frac{1}{4} \sqrt{150} + \frac{1}{3} \sqrt{24} = ?$

17) $\sqrt{63} - 6 \sqrt{24} + 2 \sqrt{75} + 2 \sqrt{98} - 3 \sqrt{108} + 2 \sqrt{54} -$
$$- 3 \sqrt{28} + \sqrt{2} = ?$$

18) $3 \sqrt[3]{54} + \frac{5}{4} \sqrt[3]{48} - 7 \sqrt[3]{864} + 3 \sqrt[3]{0.75} + 6 \sqrt[3]{108} - \dfrac{2}{\sqrt[3]{4}} = ?$

19) $5 \sqrt{1.5} - 6 \sqrt[4]{0.074} + 12 \sqrt[3]{0.027} + 7 \sqrt[3]{162} -$
$$- 12 \sqrt{0.6} - \sqrt[4]{96} = ?$$

20) $12 \sqrt{\frac{3}{8}} - 10 \sqrt{242} + \sqrt[4]{\frac{3}{64}} - 2 \sqrt{1250} + 6 \sqrt[4]{\frac{2}{27}} \sqrt{3} + 3 \sqrt[4]{96} = ?$

2) Multiplikation. (§. 130 der Alg.)

1) $(\sqrt[n]{a} + \sqrt[n]{b} + \sqrt[n]{c}) \sqrt[n]{d} = \sqrt[n]{a\, d} + \sqrt[n]{b\, d} + \sqrt[n]{c\, d}.$

2) $(\sqrt[n]{a} + \sqrt[m]{b} - \sqrt[p]{c}) \cdot \sqrt[r]{d} = \sqrt[nr]{a^r\, d^n} + \sqrt[mr]{b^r\, d^m} - \sqrt[pr]{c^r\, d^p}.$

3) $\sqrt{2} + \sqrt{3} - \sqrt{5}) \sqrt{2} = 2 + \sqrt{6} - \sqrt{10}.$

4) $(3 \sqrt{6} - 2 \sqrt{3} + 4 \sqrt{2}) \cdot \sqrt{6} = 18 - 6 \sqrt{2} + 8 \sqrt{3}.$

5) $(\frac{1}{4} \sqrt{15} + \frac{2}{7} \sqrt{6} - \frac{1}{2} \sqrt{35}) \, 6 \sqrt{210} = \frac{45}{2} \sqrt{14} + 24 \sqrt{35} -$
$$- 315 \sqrt{6}.$$

6) $(\sqrt[n]{a} + \sqrt[n]{b}) (\sqrt[n]{c} - \sqrt[n]{d}) = \sqrt[n]{a\, c} + \sqrt[n]{b\, c} - \sqrt[n]{a\, d} - \sqrt[n]{b\, d}.$

7) $(\sqrt{6} - \sqrt{3}) (\sqrt{3} - \sqrt{2}) = 3 \sqrt{2} - 3 - 2 \sqrt{3} + \sqrt{6}.$

8) $(\sqrt{15} + \sqrt{7}) (\sqrt{15} - \sqrt{7}) = 8.$

9) $(2 \sqrt{5} - 3 \sqrt{2} + 2 \sqrt{3}) (3 - 2 \sqrt{6} + 5 \sqrt{10}) = 29 \sqrt{2} +$
$$+ 18 \sqrt{3} + 6 \sqrt{30} - 24 \sqrt{5}.$$

10) $(\sqrt{30} - \sqrt[3]{60} - \sqrt[6]{120}) \sqrt{3} = 3 \sqrt{10} - \sqrt[3]{97200} - \sqrt[6]{3240}.$

11) $(\sqrt{6} + \sqrt[4]{18} + \sqrt[8]{864}) (\sqrt[4]{108} - \sqrt[8]{72}) = 6 \sqrt{3} + 3 \sqrt[4]{24} +$
$$+ 6 \sqrt[8]{6} - \sqrt[8]{93312} - \sqrt[8]{23328} - 2 \sqrt[8]{243}.$$

2) $(9 + 2\sqrt{7})(5 - 3\sqrt{7}) = 3 - 17\sqrt{7}.$

3) $(7 - 2\sqrt{3})(7 + 2\sqrt{3}) = 37.$

4) $(\sqrt[3]{5} + \sqrt[3]{3})(\sqrt[3]{5} - \sqrt[3]{3}) = \sqrt[3]{25} - \sqrt[3]{9}.$

5) $(\sqrt[4]{13} + \sqrt[4]{5})(\sqrt[4]{13} - \sqrt[4]{5}) = \sqrt{13} - \sqrt{5}.$

16) $(\sqrt[4]{17} - \sqrt[4]{8})(\sqrt[4]{17} + \sqrt[4]{8}) = \sqrt{17} - 2\sqrt{2}.$

17) $(3\sqrt{21} - 5\sqrt{13})(3\sqrt{21} + 5\sqrt{13}) = -136.$

18) $(2\sqrt[5]{32} - 3\sqrt{2})(2\sqrt[4]{32} + 3\sqrt{2}) = 16\sqrt{2} - 18.$

19) $(3\sqrt[4]{12} - 2\sqrt{2} + 8\sqrt{6})(6\sqrt{3} + \sqrt{8} - \sqrt{54}) = 46 + 24\sqrt{3}.$

20) $(5\sqrt{45} - 6\sqrt{3} + 3\sqrt{15})(15\sqrt{5} + 3\sqrt{12}) = 1017 + 225\sqrt{3} + 54\sqrt{5}.$

21) $(\tfrac{1}{2}\sqrt{\tfrac{2}{3}} + \tfrac{5}{6}\sqrt{63} - \tfrac{1}{2}\sqrt{18})(\tfrac{1}{2}\sqrt{\tfrac{3}{2}} - \tfrac{1}{7}\sqrt{28} + \sqrt{\tfrac{1}{7}}) = \tfrac{13}{12} + \tfrac{11}{24}\sqrt{42} - \tfrac{2}{7}\sqrt{3} + \tfrac{3}{4}\sqrt{14}.$

22) $\left(\dfrac{3\sqrt{15}}{2} - 2\sqrt{5}\right)\left(\dfrac{4\sqrt{3}}{3} + 3\sqrt{\tfrac{1}{5}}\right) = 6\sqrt{5} - \tfrac{8}{3}\sqrt{15} + \tfrac{45}{5} - 10\sqrt{3}.$

23) $(6\sqrt{\tfrac{5}{3}} + \tfrac{1}{2}\sqrt{\tfrac{2}{3}})(\tfrac{1}{2}\sqrt{\tfrac{5}{3}} - \tfrac{1}{5}\sqrt{\tfrac{2}{3}}) = \tfrac{1}{15}(44 - \sqrt{10}).$

24) $(5\sqrt{8} - 3)(3\sqrt{2} + 2\sqrt{6}) = 66 - 9\sqrt{2} + 40\sqrt{3} - 6\sqrt{6}.$

25) $(4\sqrt{14} - 3\sqrt{6})(5\sqrt{7} - 2\sqrt{3}) = 158\sqrt{2} - 23\sqrt{42} = (158 - 23\sqrt{21})\sqrt{2}.$

26) $(3\sqrt{45} - 2\sqrt{12} + 5\sqrt{18} - 3\sqrt{24})(2\sqrt{20} + 4\sqrt{27} - \sqrt{98} - 3\sqrt{150}) = 366 + 92\sqrt{15} - 3\sqrt{10} - 159\sqrt{30} + 208\sqrt{6} - 36\sqrt{2} - 366\sqrt{3}.$

27) $(5\sqrt{\tfrac{3}{2}} + 3\sqrt{\tfrac{1}{3}} - 2\sqrt{\tfrac{1}{6}})(2\sqrt{2} - 3\sqrt{3} + \sqrt{6}) = -1 - \tfrac{11}{2}\sqrt{6} + \tfrac{11}{2}\sqrt{3} + 6\sqrt{2}.$

28) $(3\sqrt{a} - 4\sqrt[3]{a^2 b} + 3\sqrt[3]{a b^2} - 2\sqrt{b})(2\sqrt{a} + 5\sqrt[3]{a^2 b} - 3\sqrt[3]{a b^2} - 4\sqrt{b}) = 6a + 7a\sqrt[6]{a b^2} - 3\sqrt[6]{a^5 b^4} - 16\sqrt{a b} + 27 a b - 20 a\sqrt[3]{a b^2} - 9 b\sqrt[3]{a^2 b} + 6\sqrt[6]{a^4 b^5} - 6 b\sqrt[6]{a^2 b} + 8 b.$

29) $\left(a\sqrt{\dfrac{b}{a}} + b\sqrt{\dfrac{a}{b}}\right)\left(a\sqrt{\dfrac{b}{a}} - b\sqrt{\dfrac{a}{b}}\right) = 0.$

5 *

30) $\left(\sqrt{a}\;\sqrt[4]{\tfrac{a^3}{n}} - n\sqrt{\tfrac{n^3}{a}}\right) \cdot \tfrac{n^3}{a}\left(a\sqrt[4]{\tfrac{a}{n}} + \tfrac{n^2}{a}\sqrt{an}\right)$
$$= \tfrac{n^2}{a^2}\left(a^3\sqrt{an} - n^6\right).$$

31) $\left[\sqrt[4]{a^3}\sqrt{1+\tfrac{b}{a}} + \sqrt{a(a+b)}\right]\left[\sqrt[4]{a}\sqrt{1-\tfrac{b}{a}} + \right.$
$\left. +\sqrt{a-b}\right] = (1+2\sqrt[4]{a}+\sqrt{a})\sqrt{a^2-b^2} = (1+\sqrt[4]{a})^2\sqrt{a^2-b^2}.$

32) $(\sqrt{x+y}+\sqrt{x}-\sqrt{y})(\sqrt{x+y}-\sqrt{x}+\sqrt{y}) = 2\sqrt{xy}.$

33) $(\sqrt{5}-\sqrt{3})^2 = 8 - 2\sqrt{15}.$

34) $(\sqrt{7}+\sqrt{3}-\sqrt{2})^2 = 12 + 2\sqrt{21} - 2\sqrt{14} - 2\sqrt{6}.$

35) $(\sqrt{a}-\sqrt{b})^2 = a+b - 2\sqrt{ab}.$

36) $(\sqrt{1+x}+\sqrt{1-x})^2 = 2 + 2\sqrt{1-x^2}.$

37) $\left(a - \tfrac{m}{\sqrt{a}}\right)^2 = a^2 + \tfrac{m^2}{a} - 2m\sqrt{a}.$

38) $(\sqrt{6}+\sqrt{5})^3 = 21\sqrt{6} + 23\sqrt{5}.$

39) $(\sqrt[3]{12} - \sqrt[3]{18})^2 = 2\sqrt[3]{18} + 3\sqrt[3]{12} - 12.$

40) $(\sqrt[3]{15} + \sqrt[3]{6})^3 = 21 + 9\sqrt[3]{50} + 9\sqrt[3]{20}.$

41) $(\sqrt[4]{6} - \sqrt{2})^2 = 2 + \sqrt{6} - 2\sqrt[4]{24}.$

42) $(2\sqrt{15} - 3\sqrt{10})^4 = 900\,(49 - 20\sqrt{6}).$

43) $[\sqrt{a+b} + \sqrt{a} + \sqrt{b}]^3 = 4\,(a+b)\sqrt{a+b} +$
$+ 2\,(2a+3b)\sqrt{a} + 2\,(3a+2b)\sqrt{b} + 6\sqrt{ab\,(a+b)}$

44) $[\sqrt[4]{3+2\sqrt{3}} + \sqrt{5-\sqrt{3}}]\,[\sqrt[4]{3-\sqrt{3}} - \sqrt{5-\sqrt{3}}] =$
$$= \sqrt[4]{3(1+\sqrt{3})} + \sqrt[4]{2(57-29\sqrt{3})} - \sqrt[4]{2(12+13\sqrt{3})} -$$
$$- 5 + \sqrt{3}.$$

45) $(\alpha\sqrt{a} + \beta\sqrt{b})(\gamma\sqrt{a} + \delta\sqrt{b}) = ?$

46) $\left(\tfrac{1}{c^2}\sqrt{acd^2} + \sqrt{\tfrac{a^2}{b}}\right)(\sqrt{ac} + \sqrt{b^3}) = ?$

47) $(\tfrac{3}{5}\sqrt{12} - 2\sqrt{\tfrac{5}{3}})(2\sqrt{\tfrac{27}{25}} + \tfrac{4}{3}\sqrt{\tfrac{5}{3}}) = ?$

48) $(2\sqrt{\tfrac{10}{3}} + \tfrac{2}{5}\sqrt{22\cdot5})(5\sqrt{0\cdot53} - \tfrac{1}{4}\sqrt{0\cdot025}) = ?$

49) $(\sqrt{147}\sqrt[4]{1250} + \sqrt{18}\sqrt[4]{48})(7\sqrt{75}\cdot\sqrt[4]{2} - 6\sqrt{\tfrac{2}{9}}\sqrt[4]{15\cdot1875}) = ?$

50) $(2\sqrt[3]{12} - 3\sqrt{10})^2\,(3\sqrt[3]{12} + 2\sqrt{10})^2 = ?$

3) Division. (§. 130 und 131 der Alg.)

1) $\left(\sqrt[n]{a} + \sqrt[n]{b} - \sqrt[n]{c}\right) : \sqrt[n]{m} = \sqrt[n]{\dfrac{a}{m}} + \sqrt[n]{\dfrac{b}{m}} - \sqrt[n]{\dfrac{c}{m}}$.

2) $\left(\sqrt{24} - \sqrt{18} + \sqrt{12}\right) : \sqrt{3} = 2\sqrt{2} - \sqrt{6} + 2$.

3) $\left(\sqrt{96} + \sqrt{48} + \sqrt{32}\right) : \sqrt{6} = 4 + 2\sqrt{2} + \dfrac{4\sqrt{3}}{3}$.

4) $\left(10\sqrt{\tfrac{4}{5}} - 3\sqrt{\tfrac{1}{2}} + \tfrac{2}{3}\sqrt{\tfrac{5}{8}}\right) : \tfrac{1}{2}\sqrt{10} = 4\sqrt{2} - \tfrac{3}{5}\sqrt{5} + \tfrac{1}{6}$.

5) $\left(36 + 4\sqrt{18} - 3\sqrt[3]{12}\right) : 2\sqrt{3} = 6\sqrt{3} + 2\sqrt{6} - \sqrt[3]{\tfrac{243}{4}}$.

6) $\left(\sqrt{24} - \sqrt[3]{36} + \sqrt[4]{48}\right) : 2\sqrt{3} = \sqrt{2} - \sqrt[6]{\tfrac{4}{4}} + \sqrt[4]{\tfrac{1}{3}} =$

$$= \sqrt{2} - \dfrac{\sqrt[6]{48}}{2} + \dfrac{\sqrt[4]{27}}{3}.$$

7) $\dfrac{1}{a + \sqrt{b}} = \dfrac{a - \sqrt{b}}{a^2 - b}$.

8) $\dfrac{1}{\sqrt{a} + \sqrt{b}} = \dfrac{\sqrt{a} - \sqrt{b}}{a - b}$.

9) $\dfrac{1}{\sqrt{a} - \sqrt{b}} = \dfrac{\sqrt{a} + \sqrt{b}}{a - b}$.

10) $\dfrac{A}{\sqrt[n]{\sqrt{a} \pm \sqrt{b}}} = \dfrac{A\sqrt[n]{(\sqrt{a} \pm \sqrt{b})^{n-1}}}{\sqrt{a} \pm \sqrt{b}} =$

$$= \dfrac{A(\sqrt{a} \mp \sqrt{b})\sqrt[n]{(\sqrt{a} \pm \sqrt{b})^{n-1}}}{a - b}.$$

11) $\dfrac{Z}{\sqrt{a} + \sqrt{b} - \sqrt{c}} = \dfrac{a(\sqrt{a} + \sqrt{b} + \sqrt{c})}{A + b - c + 2\sqrt{ab})} =$

$$= \dfrac{Z(\sqrt{a} + \sqrt{b} + \sqrt{c})(a + b - c - 2\sqrt{ab})}{a^2 + b^2 + c^2 - 2ab - 2ac - 2bc}.$$

12) $\dfrac{\sqrt{30}}{\sqrt{5} - \sqrt{3} + \sqrt{2}} = \tfrac{1}{2}(5 - \sqrt{10} + \sqrt{15})$.

13) $\dfrac{1}{\sqrt{7} + 2} = \dfrac{\sqrt{7} - 2}{3}$.

14) $\dfrac{3}{4 - \sqrt{3}} = \dfrac{3(4 + \sqrt{3})}{13}$.

15) $\dfrac{6}{\sqrt{5} + \sqrt{3}} = \dfrac{6(\sqrt{5} - \sqrt{3})}{2} = 3(\sqrt{5} - \sqrt{3})$.

16) $\dfrac{3 + \sqrt{7}}{\sqrt{10} - \sqrt{7}} = \dfrac{3\sqrt{10} + 3\sqrt{7} + \sqrt{70} + 7}{3}$.

17) $\dfrac{12}{\sqrt{5} + \sqrt{3}} = \dfrac{12\sqrt{5 + \sqrt{3}}}{5 + \sqrt{3}} = \tfrac{6}{11}\sqrt{22(5 - \sqrt{3})}$.

18) $\dfrac{1 + \sqrt{5}}{\sqrt{7} + \sqrt{5} - \sqrt{3}} = \dfrac{(1 + \sqrt{5})(\sqrt{7} - \sqrt{5} + \sqrt{3})(1 + 2\sqrt{15})}{59}$.

19) $\dfrac{\cdot}{\sqrt[3]{(\sqrt{5} - \sqrt{3})}} = \dfrac{\sqrt[3]{8 - 2\sqrt{15}}}{\sqrt{5} - \sqrt{3}} = \tfrac{1}{2}\sqrt[3]{4(\sqrt{5} + \sqrt{3})}$.

20) $\dfrac{1 + \sqrt{2}}{1 - \sqrt{2}} = -3 - 2\sqrt{2}$.

21) $\dfrac{3\sqrt{5} + 2\sqrt{}}{\sqrt{} - 4} = 3\sqrt{85} + 2\sqrt{119} + 12\sqrt{5} + 8\sqrt{7}$.

22) $\dfrac{3 + 4\sqrt{3}}{\sqrt{6} + \sqrt{3} - \sqrt{2}} = \dfrac{96 - 33\sqrt{2} + 63\sqrt{3} - 31\sqrt{6}}{23}$.

23) $\dfrac{3 + \sqrt{6}}{2\sqrt{12} - 3\sqrt{6}} = -\left(2\sqrt{3} + 2\sqrt{2} + \tfrac{3}{2}\sqrt{6} + 3\right)$.

24) $\dfrac{5 + 2\sqrt{3}}{3\sqrt{\tfrac{1}{3}} + 2\sqrt{\tfrac{1}{2}}} = \dfrac{45\sqrt{2} - 20\sqrt{3} + 18\sqrt{6} - 24}{19}$.

25) $\dfrac{\sqrt{\tfrac{3}{4}} - 6\sqrt{\tfrac{2}{3}}}{4\sqrt{12} - 3\sqrt{\tfrac{1}{2}}} = \tfrac{1}{115}\left(4 - 16\sqrt{2} + \tfrac{1}{4}\sqrt{6} - 2\sqrt{3}\right)$.

26) $\dfrac{2\sqrt{\tfrac{2}{3}}}{3\sqrt{\tfrac{1}{6}} + 2\sqrt{\tfrac{1}{3}} - 3\sqrt{\tfrac{1}{2}}} = \tfrac{2}{47}\left(18\sqrt{6} + 15\sqrt{3} + 28\sqrt{2} + 39\right)$.

27) $\dfrac{x + y - 2\sqrt{xy}}{x\sqrt{y} - y\sqrt{x}} = \dfrac{x\sqrt{y} - y\sqrt{x}}{xy} = \dfrac{\sqrt{y}}{y} - \dfrac{\sqrt{x}}{x}$.

28) $\dfrac{x\sqrt{y} + y\sqrt{x}}{\sqrt{x} + \sqrt{y}} = \sqrt{xy}$.

29) $\dfrac{x\sqrt{y} - y\sqrt{x}}{\sqrt{x} + \sqrt{y}} = \dfrac{(x + y)\sqrt{xy} - 2xy}{x - y}$.

30) $\dfrac{2\sqrt{mn}}{m + n - 2\sqrt{mn}} = \dfrac{2(m + n)\sqrt{mn} + 4mn}{(m - n)^2}$.

31) $\dfrac{m + n}{\sqrt{m} + \sqrt{n} - \sqrt{mn}} =$

$= \dfrac{(m + n)\left[(m - n - mn)\sqrt{m} + (n - m - mn)\sqrt{n} + (m + n - mn)\sqrt{mn - 1mn}\right]}{m^2 + n^2 + m^2 n^2 - 2mn(m + n + 1)}$

32) $\dfrac{-1 + \sqrt{5}}{\sqrt{5 + \sqrt{5}}} = \tfrac{1}{5}\sqrt{10(5 - 2\sqrt{5})}$.

33) $\dfrac{6}{\sqrt[3]{10} - \sqrt[3]{4}} = \dfrac{6\left(\sqrt[3]{10^2} + \sqrt[3]{10 \cdot 4} + \sqrt[3]{4^2}\right)}{(\sqrt[3]{10} - \sqrt[3]{4})\left(\sqrt[3]{10^2} + \sqrt[3]{10 \cdot 4} + \sqrt[3]{4^2}\right)} =$

$= \sqrt[3]{100} + 2\sqrt[3]{5} + 2\sqrt[3]{2}$.

$$\text{)}\quad \frac{8}{\sqrt{6}+\sqrt[4]{3}} = \frac{8}{\sqrt[4]{36}+\sqrt[4]{3}} = \tfrac{8}{33}(6\sqrt{6}-6\sqrt[4]{3}+3\sqrt{2}-\sqrt[4]{27}).$$

$$\text{)}\quad \frac{1}{\sqrt[5]{24}-\sqrt[5]{18}} = \tfrac{2}{3}\sqrt[5]{324}+2+\sqrt[5]{24}+\sqrt[5]{18}+\tfrac{1}{2}\sqrt[5]{432}.$$

$$\text{)}\quad \frac{1}{\sqrt[6]{32}+\sqrt[3]{4}} = \frac{1}{\sqrt[6]{32}+\sqrt[6]{16}} = \sqrt[6]{2}-1+\tfrac{1}{2}\sqrt[6]{32}-\tfrac{1}{2}\sqrt[6]{4}+$$
$$+\tfrac{1}{2}\sqrt[6]{2}-\tfrac{1}{2}\sqrt[3]{2}.$$

$$7)\quad \frac{\sqrt[6]{7776}+2\sqrt[3]{9}+2\sqrt{3}\sqrt[6]{2}+2\sqrt[3]{6}+2\sqrt{2}\sqrt[6]{3}+2\sqrt[3]{4}}{\sqrt[6]{6}+\sqrt[3]{2}} =$$
$$= \sqrt[6]{36}+2\sqrt[3]{3}+2\sqrt[3]{2}.$$

$$8)\quad \frac{\sqrt{x^2+x^3}+x\sqrt{1-x}}{\sqrt{1+x}-\sqrt{1-x}} = 1+\sqrt{1-x^2}.$$

$$9)\quad \frac{1+4x}{\sqrt{5}} : \sqrt{\sqrt{3+2x}+\sqrt{2(1-x)}} =$$
$$= \tfrac{1}{5}\sqrt{5}\,\sqrt{(1+4x)(\sqrt{3+2x}-\sqrt{2(1-x)}}$$

$$40)\quad \sqrt[2x]{\left[\sqrt{1+\sqrt[3]{x}}-\sqrt{1-\sqrt[3]{x}}\right]} = \qquad\qquad x\mp 30\text{ ?}$$
$$= \sqrt[6]{x^5}\sqrt{2\left(\sqrt{1+\sqrt[3]{x}}+\sqrt{1-\sqrt[3]{x}}\right)}.$$

$$41)\quad \frac{1}{\sqrt[5]{8}+\sqrt{3}+\sqrt{2}} = \frac{1}{\sqrt[5]{8}+(\sqrt{3}+\sqrt{2})} =$$
$$= \frac{z}{8+89\sqrt{3}+109\sqrt{2}}\;\text{(wenn wir den Zähler kurz durch z bezeichnen)}$$
$$= \frac{(7085\sqrt{2}+5607\sqrt{3}-155216\sqrt{6}+379688)\,z}{6079103}.$$

$$42)\quad \frac{1}{\sqrt[8]{12}+\sqrt{18}} = \frac{(3\sqrt{2}-\sqrt[3]{12})(18+\sqrt[4]{12})(162+\sqrt{3})}{51482} =$$
$$= \tfrac{1}{51482}\left[8748\sqrt{2}-2916\sqrt[8]{12}+972\sqrt[4]{3}-162\sqrt[8]{1728}+\right.$$
$$\left.+54\sqrt{6}-18\sqrt[8]{972}+6\sqrt[4]{27}-\sqrt[8]{139968}\right].$$

$$43)\quad (\sqrt{72}+\sqrt{32}-4):2\sqrt{2}=?$$

$$44)\quad (6+2\sqrt{3}-\sqrt[8]{18}):\sqrt[4]{\tfrac{1}{2}}=?$$

$$45)\quad (5-7\sqrt{3}):(1+\sqrt{3})=?$$

46) $3 : (1 + \sqrt{2}) = ?$

47) $1 : (\sqrt{2} + \sqrt{3} - \sqrt{6}) = ?$

48) $1 : \sqrt[3]{a} + \sqrt{b} = ?$

49) $\sqrt{\dfrac{3-\sqrt{2}}{3+\sqrt{2}}} : \dfrac{1}{7} \sqrt[3]{\dfrac{2\sqrt{3}}{\sqrt{3}+\sqrt{2}}} = ?$

50) $(\sqrt[4]{6} + \sqrt[4]{5}) : (\sqrt[4]{6} - \sqrt[4]{5}) = ?$

51) $24 : (\sqrt{6} - \sqrt{3} + \sqrt{2}) = ?$

52) $12\sqrt{6} : (\sqrt{6} - \sqrt{12} + \sqrt{2} + 1) = ?$

53) $8\sqrt[4]{2} : (2\sqrt{2} - \sqrt[4]{3}) = ?$

54) $(3\sqrt{2} + 5\sqrt{3}) : \sqrt{3 + 2\sqrt{5} - 2\sqrt{2}} = ?$

55) $(21\sqrt{6} + 23\sqrt{5}) : \sqrt{(11 + 2\sqrt{30})} = ?$

56) $\sqrt[3]{6} - 2\sqrt{3} : (\sqrt{10} - 3\sqrt{4} - 3\sqrt{2}) = ?$

57) $48\sqrt[4]{12} : (\sqrt[4]{20} + \sqrt{6} - \sqrt[3]{2}) = ?$

58) $(7 + 3\sqrt{2}) : \sqrt{2\sqrt{7} - 3\sqrt[3]{2}} = ?$

59) $(\sqrt[4]{6} + \sqrt[8]{3} + \sqrt{2}) : [3\sqrt[4]{6} - 2\sqrt{2 + \sqrt[8]{2}}] = ?$

60) $[3\sqrt[6]{72} - 2\sqrt[6]{12} + \sqrt[4]{2} \cdot \sqrt[12]{3}]\sqrt[6]{3} : (3\sqrt{3} - 2\sqrt[6]{\frac{9}{2}} + \sqrt[4]{1 \cdot 5}) = ?$

D. Rechnung mit imaginären Größen. (Alg. §. 132—134.)

1) Addition und Subtraktion.

1) $m\sqrt[2n]{-a} + p\sqrt[2n]{-a} - q\sqrt[2n]{-a} = (m + p - q)\sqrt[2n]{-a}.$

2) $3\sqrt{-5} - 2\sqrt[4]{-7} - 2\sqrt{-5} + 5\sqrt[4]{-7} = \sqrt{-5} + 3\sqrt[4]{-7}.$

3) $8\sqrt{-12} + 5\sqrt[4]{-80} - 6\sqrt{-3} + 3\sqrt[4]{-405} =$
   $= 10\sqrt{-3} + 3_7\sqrt[4]{-5}.$

4) $7\sqrt{-18} + 3\sqrt{-36} - 2\sqrt{-28} + 3\sqrt{-9} - 2\sqrt{-8} - \sqrt{-63}$
   $+ 7\sqrt{-\frac{1}{7}} = 17\sqrt{-2} + 27\sqrt{-1} - 6\sqrt{-7}.$

5) $4\sqrt[6]{-27} - 2\sqrt[4]{-1} + 3\sqrt[12]{-81} + 2\sqrt{-3} + \frac{1}{2}\sqrt[4]{-4}$
   $= 4\sqrt[6]{(-3)^3} - 2\sqrt[4]{-1} + 3\sqrt[12]{3^4}\sqrt[12]{-1} + 2\sqrt{-3}$

$$+ \tfrac{1}{2}\sqrt{2}\,\sqrt[4]{-1} = 4\sqrt{-3} - 2\sqrt[4]{-1} + 3\sqrt[3]{3}\,\sqrt[12]{(-1)^3}$$

$$+2\sqrt{-3} + \tfrac{1}{2}\sqrt{2}\,\sqrt[4]{-1} = 6\sqrt{-3} + (3\sqrt[3]{3} + \tfrac{1}{2}\sqrt{2} - 2)\sqrt[4]{-1}.$$

6) $\tfrac{1}{2}\sqrt[10]{-1024} - \tfrac{1}{3}\sqrt[6]{-64} + \sqrt[6]{-512} = (\tfrac{7}{3} - 2\sqrt{2})\sqrt{-1}.$

7) $\sqrt[6]{-729} - 2\sqrt[10]{-32} + 3\sqrt[14]{-128} - \sqrt[6]{-125}$
$$= (3 + \sqrt{2} - \sqrt{6})\sqrt{-1}.$$

8) $m\sqrt[4]{-a^5} - 3\sqrt[18]{-a^9x^6} - 2\sqrt[6]{-216} - 3\sqrt[6]{-8} + 5\sqrt[6]{-a^6x^2}$
$$- n\sqrt[12]{-a^6x^4} = \sqrt{a}(m\sqrt[4]{a^3} - n\sqrt[4]{x})\sqrt{-1}$$
$$+ [\sqrt{a}\sqrt[3]{x}(5\sqrt{a} - 3) - \sqrt{2}(3 + 2\sqrt{3})]\sqrt{-1}.$$

2) Multiplifation.

1) $\sqrt[2n]{-a} \cdot \sqrt[2n]{-a} = (\sqrt[2n]{-a})^2 = \sqrt[n]{-a}.$

2) $\sqrt[2n]{-a} \cdot \sqrt[2n]{-b} = \sqrt[2n]{a \times -1 \times b \times -1} = \sqrt[2n]{ab}\,\sqrt[2n]{(-1)^2}$
$$= \sqrt[2n]{ab}\,\sqrt[n]{-1}.$$

3) $\sqrt[6]{-a} \cdot \sqrt[6]{-b} = \sqrt[6]{ab}\,\sqrt[6]{(-1)^2} = \sqrt[3]{-1}\,\sqrt[6]{ab} = -\sqrt[6]{ab}.$

4) $\sqrt[4]{-a} \cdot \sqrt[4]{-b} = \sqrt[4]{ab(-1)^2} = \sqrt[4]{ab}\,\sqrt{-1}.$

5) $3\sqrt{-8} \cdot 2\sqrt{-18} = 6\sqrt{8 \cdot 18}(\sqrt{-1})^2 = -72.$

6) $2\sqrt{-10} \times 4\sqrt{-5} = -40\sqrt{2}.$

7) $-6\sqrt{-15} \cdot \sqrt{-3} = +18\sqrt{5}.$

8) $5\sqrt[6]{-24} \cdot 4\sqrt[6]{-3} = -20\sqrt{2}\sqrt[3]{3}.$

9) $-7\sqrt[6]{-2} \cdot 2\sqrt[6]{-6} \cdot 7\sqrt[6]{-3} = 98\sqrt{6}\,\sqrt[3]{-1}.$

10) $\sqrt[4]{-a} \cdot \sqrt[4]{-a^3} = a\sqrt{a}\,\sqrt[4]{-1}.$

11) $\sqrt{-a^2b^3} \cdot \sqrt{-a^3b^5} \cdot \sqrt[4]{-a^2b^4} = -a^3b^5\,\sqrt[4]{-1}.$

12) $\sqrt{-2a} \cdot \sqrt[6]{-4a^5} = \sqrt[6]{-8a^3 \times -4a^5}$
$$= \sqrt[6]{32a^8}\,\sqrt[6]{(-1)^3} = -a\sqrt[6]{32a^2}.$$

13) $\sqrt[4]{-a^3 b^2} \times \sqrt[4]{-ab^2} \cdot \sqrt[4]{-b^5} \cdot a\sqrt[4]{-a^2 b^3}$

$= a^2 b^3 \sqrt{a} \sqrt[4]{(-1)^4} = -a^2 b^3 \sqrt{a}.$

14) $(\sqrt{-a} + 2\sqrt{-a^3 b} - \sqrt{-ab^2}) \cdot \sqrt{-ab} =$

$= -a\sqrt{b} - 2a^2 b + ab\sqrt{b}.$

15) $(\sqrt{-3} + \sqrt{-2}) \cdot \sqrt{-6} = -3\sqrt{2} - 2\sqrt{3}.$

16) $(2\sqrt{-5} - 3\sqrt{-2})\sqrt{-10} = -10\sqrt{2} + 6\sqrt{5}.$

17) $(2\sqrt{-7} + 3\sqrt{-5})(2 - \sqrt{-10}) = 4\sqrt{-7} + 6\sqrt{-5}$

$+ 2\sqrt{70} + 15\sqrt{2}.$

18) $(4 - \sqrt{-6})(3 + 2\sqrt{-6}) = 24 + 5\sqrt{-6}.$

19) $(2\sqrt{-6} + 3\sqrt{-4})(3\sqrt{-3} - 2\sqrt{-2}) = -6\sqrt{2} - 10\sqrt{3}.$

20) $(\sqrt{-10} + \sqrt{-7})(\sqrt{-10} - \sqrt{-7}) = -3.$

21) $(4\sqrt{-13} + 7\sqrt{-6})(4\sqrt{-13} - 7\sqrt{-6}) = 86.$

22) $(\frac{1}{2}\sqrt{-\frac{3}{4}} - \frac{2}{3}\sqrt{-\frac{1}{2}})(\frac{1}{2}\sqrt{-\frac{1}{4}} + \frac{2}{3}\sqrt{-\frac{1}{2}}) = \frac{23}{44}.$

23) $(4\sqrt{-15} + \sqrt{3})(2\sqrt{-5} - 3\sqrt{3}) = -40\sqrt{3} + 2\sqrt{-15}$

$- 36\sqrt{-5} - 9.$

24) $(-2 + \frac{1}{3}\sqrt{-7})(-1 - \frac{3}{2}\sqrt{-14}) =$

$= 2 + (3\sqrt{2} - \frac{1}{3})\sqrt{-7} + \frac{7\sqrt{2}}{2}.$

25) $(\sqrt{-10} - \sqrt{-5} + \sqrt{-2})(\sqrt{-10} + \sqrt{-5} - \sqrt{-2})$

$= -3 - 2\sqrt{10}.$

26) $(\sqrt{-20} + \sqrt[4]{-10})(2\sqrt{-10} - \sqrt[4]{-40}) =$

$= -20\sqrt{2} - 2\sqrt{5}\sqrt{-1}.$

27) $(\sqrt[6]{-a} + \sqrt[4]{-b} - \sqrt{-ab})(\sqrt[6]{-a} - \sqrt[4]{-a^2 b} + \sqrt{-ab^4})$

$= -\sqrt[3]{a} - b\sqrt[3]{a^2} + ab\sqrt{b} + \sqrt[6]{a^2}\sqrt[4]{b} + (\sqrt[6]{a}\sqrt[4]{b} - \sqrt[4]{a^2}\sqrt[3]{b}$

$+ a\sqrt[4]{b^3} + b\sqrt[6]{a}\sqrt[4]{b})\sqrt[4]{-1} - \sqrt{ab}\sqrt{-1}.$

28) $(\sqrt{-5} + \sqrt{-3})^2 = -8 - 2\sqrt{15}.$

29) $(\sqrt{-7} - \sqrt{-13})^2 = -20 + 2\sqrt{91}.$

30) $(\sqrt{-12} - \sqrt{-27})^2 = -3.$

31) $(\sqrt[4]{-6} - \sqrt{-3})^2 = \sqrt{-6} - 2\sqrt[4]{-54} - 3$.

32) $(\sqrt[4]{-8} + \sqrt[4]{-3})^2 = 2\sqrt{-2} + 2\sqrt[4]{24}\,\sqrt{-1} + \sqrt{-3}$
$= (2\sqrt{2} + 2\sqrt[4]{24} + \sqrt{3})\sqrt{-1}$.

33) $(\sqrt[6]{-15} + \sqrt[6]{-5})^2 = -\sqrt[3]{15} - 2\sqrt[6]{75} - \sqrt[3]{5}$
$= -\sqrt[3]{5}(\sqrt[3]{3} + 2\sqrt[6]{3} + 1)$.

34) $(2\sqrt{-7} - 3\sqrt{-10})^2 = -118 + 12\sqrt{70}$.

35) $(\sqrt{-7} + \sqrt{-5})^3 = -22\sqrt{-7} - 26\sqrt{-5}$.

36) $(2\sqrt{-5} - 3\sqrt{-13})^4 = 28129 - 3288\sqrt{65}$.

37) $(\sqrt{-12} - \sqrt{-18} + \sqrt{-6})^2 = -12(3 - \sqrt{6} + \sqrt{2} - \sqrt{3})$.

38) $(\sqrt{-a} - \sqrt{-b} + \sqrt{c})^3 = -(a + 3bc - 3c)\sqrt{-a}$
$+ (3a - 3c + b)\sqrt{-b} - (3a + 3b - c)\sqrt{c} + 6\sqrt{abc}$.

39) $(\sqrt{-1})^{4n} = +1$.

40) $(\sqrt{-1})^{2(2n\pm1)} = -1$.

41) $(\sqrt{-1})^{4n+1} = +\sqrt{-1}$.

42) $(\sqrt{-1})^{4n+3} = -\sqrt{-1}$.

43) $(3 - \sqrt{-5})(4 - 3\sqrt{-5}) = ?$

44) $(2\sqrt{-3} - 10\sqrt{-1} - 7\sqrt{-2})\cdot(\sqrt{-7} - 2\sqrt{-1}) = ?$

45) $\left(\dfrac{e^{x\sqrt{-1}} - e^{-x\sqrt{-1}}}{2\sqrt{-1}}\right)^2 = ?$

46) $\left(\dfrac{e^{x\sqrt{-1}} - e^{-x\sqrt{-1}}}{2\sqrt{-1}}\right)^2 + \left(\dfrac{e^{x\sqrt{-1}} + e^{-x\sqrt{-1}}}{2}\right)^2 = ?$

47) $\left(\dfrac{e^{x\sqrt{-1}} + e^{-x\sqrt{-1}}}{2}\right)\cdot\left(\dfrac{e^{v\sqrt{-1}} + e^{-v\sqrt{-1}}}{2}\right)$
$\pm \left(\dfrac{e^{x\sqrt{-1}} - e^{-x\sqrt{-1}}}{2\sqrt{-1}}\right)\left(\dfrac{e^{v\sqrt{-1}} - e^{-v\sqrt{-1}}}{2\sqrt{-1}}\right) = ?$

48) $\left(\dfrac{e^{x\sqrt{-1}} - e^{-x\sqrt{-1}}}{2\sqrt{-1}}\right)\left(\dfrac{e^{v\sqrt{-1}} + e^{-v\sqrt{-1}}}{2}\right)$
$\pm \left(\dfrac{e^{x\sqrt{-1}} + e^{-x\sqrt{-1}}}{2}\right)\left(\dfrac{e^{v\sqrt{-1}} - e^{-v\sqrt{-1}}}{2\sqrt{-1}}\right) = ?$

49) $\dfrac{a + b\sqrt{-1}}{a - b\sqrt{-1}} \pm \dfrac{a - b\sqrt{-1}}{a + b\sqrt{-1}} = ?$

50) $\dfrac{a + b \sqrt{-1}}{\alpha + \beta \sqrt{-1}} \pm \dfrac{a - b \sqrt{-1}}{\alpha - \beta \sqrt{-1}} = ?$

3) Division.

1) $m\sqrt[2r]{-a} : n\sqrt[2r]{-a} = \dfrac{m}{n}$.

2) $\sqrt[2n]{-a} : \sqrt[2n]{-b} = \sqrt[2n]{a} . \sqrt[2n]{-1} : \sqrt[2n]{b} . \sqrt[2n]{-1} = \sqrt[2n]{\dfrac{a}{b}}$.

3) $a : \sqrt[2n]{-a} = \sqrt[2n]{-a^{2n-1}}$.

4) $a : \sqrt{-a} = -\sqrt{-a}$.

5) $\sqrt{-a} : \sqrt[4]{-a} = \sqrt[4]{-a}$.

6) $\sqrt[4]{-a^3} : \sqrt{-a} = \sqrt[4]{-a}$.

7) $\sqrt[4]{-a} : \sqrt[4]{-x} = \sqrt[4]{\dfrac{a}{x}}$.

8) $\sqrt[6]{-a^5} : \sqrt{-a} = \sqrt[3]{a}$.

9) $(8\sqrt{-12} - 12\sqrt{-6}) : 4\sqrt{-3} = 4 - 3\sqrt{2}$.

10) $(\sqrt{-42} - 6\sqrt{-21}) : -2\sqrt{-6} = -\frac{1}{2}\sqrt{7} + \frac{3}{2}\sqrt{14}$.

11) $(\sqrt{-30} + \sqrt{-70}) : \sqrt{-10} = \sqrt{3} + \sqrt{7}$.

12) $24 : (\sqrt{-6} - \sqrt{-8}) = 12 (\sqrt{3} + 2)\sqrt{-2}$.

13) $4 : (1 + \sqrt{-3}) = 1 - \sqrt{-3}$.

14) $(2\sqrt{-3} - 3\sqrt{-2}) : (2\sqrt{-3} + 3\sqrt{-2}) = -5 + 2\sqrt{6}$.

15) $14 : \sqrt{15\sqrt{-1} - 2\sqrt{-2}} = \frac{2}{11}\sqrt{217(15 + 2\sqrt{2})}\sqrt[4]{-1}$.

16) $(35 + 10\sqrt{-3} - 21\sqrt{-7} + 6\sqrt{21}) : (5 - 3\sqrt{-7}) =$
    $= 7 + 2\sqrt{-3}$.

17) $(13 - 4\sqrt{3}) : (4 - \sqrt{-8} + 3\sqrt{-6}) = \frac{1}{3} + \frac{1}{3}\sqrt{-2}$
    $- \frac{1}{2}\sqrt{-6}$.

18) $(3 + \sqrt{-2}) : \sqrt{7 - 6\sqrt{-2}} = \dfrac{7 + 6\sqrt{-2}}{11}$.

19) $(6\sqrt{-1} - 4\sqrt{-3} + \sqrt{6} - 9) : -3\sqrt{-2} = ?$

20) $(-46 - 43\sqrt{-3}) : (7 - 4\sqrt{-3}) = ?$

11) $-2\sqrt{-1} : (1 - \sqrt{-1}) = ?$

12) $(\sqrt{14} + 3\sqrt{15} - 3\sqrt{-35} - \sqrt{-6}) : (\sqrt{2} - 3\sqrt{-5}) = ?$

13) $22 : (1 + \sqrt{-2}) = ?$

14) $\sqrt{-\sqrt{-1}} : (\frac{1}{2}\sqrt{2} - \frac{1}{2}\sqrt{-2}) = ?$

15) $(7 + 6\sqrt{-2}) : \sqrt{7 + 6\sqrt{-2}} = ?$

16) $2\sqrt{2\sqrt{-1}} : (1 + \sqrt{-1}) = ?$

17) $(19 - \sqrt{-2}) : \sqrt{17 - 20\sqrt{-2}} = ?$

18) $(2\sqrt[4]{15} + 2\sqrt[4]{5} - \sqrt[4]{48}) : (\sqrt[4]{-3} - \sqrt[4]{-5}) = ?$

19) $\left[\dfrac{3 - \sqrt{-3} - \sqrt{-2}}{\sqrt{-1}}\right]^2 : \left(\dfrac{2}{\sqrt{-1}} - 3\sqrt{3} - 3\sqrt{2} - \frac{1}{2}\sqrt{-6}\right) = ?$

20) $\sqrt{\dfrac{3 + 2\sqrt{-3} - 3\sqrt{-2}}{2\sqrt{-6}}} : \sqrt[3]{\dfrac{2\sqrt{-1}}{1 - \sqrt{-3} - \sqrt{-1}}} = ?$

Zweytes Kapitel.

Das Binom. (§. 136. — 154. der Alg.)

Setzt man Kürze halber den Ausdruck

$$\frac{n(n-1)(n-2) \ldots (n-r+2)(n-r+1)}{1 \cdot 2 \cdot 3 \ldots \ldots \ldots (r-1) \cdot r} = \binom{n}{r};$$

so hat man

$$(A \pm B)^n = A^n \pm \binom{n}{1} A^{n-1} B + \binom{n}{2} A^{n-2} B^2 \pm \binom{n}{3} A^{n-3} B^3 +$$

$$+ \binom{n}{4} A^{n-4} B^4 \pm \ldots \pm \binom{n}{r} A^{n-r} B^r \ldots$$

welche Entwickelung für jeden Werth des Exponenten n gültig ist (§. 137. und 139., 7).

Beyspiele.

1) $(a \pm b)^0 = 1.$

2) $(a \pm b)^1 = a \pm b.$

3) $(a \pm b)^2 = a^2 \pm 2ab + b^2.$

4) $(a \pm b)^3 = a^3 \pm 3a^2 b + 3ab^2 \pm b^3.$

5) $(a \pm b)^4 = a^4 \pm 4a^3 b + 6a^2 b^2 \pm 4ab^3 + b^4.$

6) $(a \pm b)^5 = a^5 \pm 5a^4b + 10a^3b^2 \pm 10a^2b^3 + 5ab^4 \pm b^5$.

7) $(a \pm b)^6 = a^6 \pm 6a^5b + 15a^4b^2 \pm 20a^3b^3 + 15a^2b^4$
$\pm 6ab^5 + b^6$.

8) $(a \pm b)^7 = a^7 \pm 7a^6b + 21a^5b^2 \pm 35a^4b^3 + 35a^3b^4 \pm 21a^2b^5$
$+7ab^6 \pm b^7$.

9) $(a \pm b)^8 = a^8 \pm 8a^7b + 28a^6b^2 \mp 56a^5b^3 + 70a^4b^4 \pm 56a^3b^5$
$+28a^2b^6 \pm 8ab^7 + b^8$.

10) $(a \pm b)^9 = a^9 \pm 9a^8b + 36a^7b^2 \pm 84a^6b^3 + 126a^5b^4$
$\pm 126a^4b^5 + 84a^3b^6 \pm 36a^2b^7 + 9ab^8 \pm b^9$.

11) $(a \pm b)^{10} = a^{10} \pm 10a^9b + 45a^8b^2 \pm 120a^7b^3 + 210a^6b^4$
$\pm 252a^5b^5 + 210a^4b^6 \pm 120a^3b^7 + 45a^2b^8 \pm 10ab^9 + b^{10}$.

12) $(a \pm b)^{11} = a^{11} \pm 11a^{10}b + 55a^9b^2 \pm 165a^8b^3 + 330a^7b^4$
$\pm 462a^6b^5 + 462a^5b^6 \pm 330a^4b^7 + 165a^3b^8 \pm 55a^2b^9$
$+11a^1b^{10} \pm b^{11}$.

13) $(a \pm b)^{12} = a^{12} \pm 12a^{11}b + 66a^{10}b^2 \pm 220a^9b^3 + 495a^8b^4$
$\pm 792a^7b^5 + 924a^6b^6 \pm 792a^5b^7 + 495a^4b^8 \pm 220a^3b^9$
$+66a^2b^{10} \pm 12ab^{11} + b^{12}$.

14) $(3 - 2x)^4 = 81 - 216x + 216x^2 - 96x^3 + 16x^4$.

15) $\left(4x^2 + \dfrac{m^3}{2}\right)^5 = 1024x^{10} + 640x^8m^3 + 160m^6x^6 + 20m^9x^4$
$+ \dfrac{5m^{12}x^2}{4} + \dfrac{m^{15}}{32}$.

16) $\left(\dfrac{a^2b}{am^2} - \dfrac{6m}{ab}\right)^7 = \dfrac{a^{14}b^7}{128m^{14}} - \dfrac{21a^{11}b^5}{32m^{11}} + \dfrac{189a^8b^3}{8m^8} - \dfrac{945a^5b}{2m^5}$
$+ \dfrac{5670a^2}{b.m^2} - \dfrac{40824m}{ab^3} + \dfrac{163296.m^4}{a^4b^5} - \dfrac{219936.m^7}{a^7b^7}$.

17) $\left(3 + \dfrac{2x}{3y}\right)^6 = 729 + \dfrac{972x}{y} + \dfrac{540x^2}{y^2} + \dfrac{160x^3}{y^3} + \dfrac{80x^4}{3y^4}$
$+ \dfrac{64x^5}{27y^5} + \dfrac{64x^6}{729y^6}$.

18) $\left(\dfrac{2m^2x}{n} - \dfrac{n}{2}\right)^9 = \dfrac{512m^{18}x^9}{n^9} - \dfrac{1152m^{16}x^8}{n^7} + \dfrac{1152m^{14}x^7}{n^5}$
$- \dfrac{672m^{12}x^6}{n^3} + \dfrac{252m^{10}x^5}{n} - 63m^8nx^4 + \dfrac{21m^6n^3x^3}{2}$
$- \dfrac{9m^4n^5x^2}{8} + \dfrac{9m^2n^7x}{128} - \dfrac{n^9}{512}$.

9) $(1 - 3x)^5 = ?$

10) $(2v^2 + 1)^6 = ?$

1) $\left(\dfrac{2ax}{b^2 y} + \dfrac{bxy}{4}\right)^7 = ?$

2) $(\sqrt{a} - \sqrt{b})^7 = ?$

3) $(\sqrt[3]{a} + \sqrt[3]{b})^9 = ?$

4) $(\sqrt[4]{a} - \sqrt[4]{b})^8 = ?$

5) $(\sqrt[6]{a} + \sqrt[6]{b})^7 = ?$

6) $(e^x \pm e^{-x})^8 = ?$

7) $\left(\dfrac{e^{x\sqrt{-1}} - e^{-x\sqrt{-1}}}{2\sqrt{-1}}\right)^2 + \left(\dfrac{e^{x\sqrt{-1}} + e^{-x\sqrt{-1}}}{2}\right)^2 = ?$

8) $\left(-\frac{1}{2} + \frac{1}{2}\sqrt{-3}\right)^3 = ?$

9) $\left(\dfrac{-1 - \sqrt{5} + \sqrt{-10 + 2\sqrt{5}}}{4}\right)^5 = ?$

30) $\left(\dfrac{\sqrt{x+1} + \sqrt{x-1}}{\sqrt{x+1} - \sqrt{x-1}}\right)^4 = ?$

Zu §. 142. und 144. der Alg.

31) $(a+b+c)^4 = a^4 + 4a^3b + 6a^2b^2 + 4ab^3 + b^4 + 4a^3c$
$+ 12a^2bc + 12ab^2c + 4b^3c + 6a^2c^2 + 12abc^2 + 6b^2c^2 + 4ac^3$
$+ 4bc^3 + c^4.$

32) $(a+b+c)^5 = a^5 + 5a^4b + 10a^3b^2 + 10a^2b^3 + 5ab^4$
$+ b^5 + 5a^4c + 20a^3bc + 30a^2b^2c + 20ab^3c + 5b^4c + 10a^3c^2$
$+ 30a^2bc^2 + 30ab^2c^2 + 10b^3c^2 + 10a^2c^3 + 20abc^3 + 10b^2c^3$
$+ 5ac^4 + 5bc^4 + c^5.$

33) $(a+b+c)^6 = a^6 + 6a^5b + 15a^4b^2 + 20a^3b^3 + 15a^2b^4$
$+ 6ab^5 + b^6 + 6a^5c + 30a^4bc + 60a^3b^2c + 60a^2b^3c + 30ab^4c$
$+ 6b^5c + 15a^4c^2 + 60a^3bc^2 + 90a^2b^2c^2 + 60ab^3c^2 + 15b^4c^2$
$+ 20a^3c^3 + 60a^2bc^3 + 60ab^2c^3 + 20b^3c^3 + 15a^2c^4 + 30abc^4$
$+ 15b^2b^4 + 6ac^5 + 6bc^5 + c^6.$

34) $(a+b+c+d)^8 = a^8 + 8a^7b + 28a^6b^2 + 56a^5b^3$
$+ 70a^4b^4 + 56a^3b^5 + 28a^2b^6 + 8ab^7 + b^8 + 8a^7c + 56a^6bc$
$+ 168a^5b^2c + 280a^4b^3c + 280a^3b^4c + 168a^2b^5c + 56ab^6c$
$+ 8b^7c + 8a^7d + 56a^6bd + 168a^5b^2d + 280a^4b^3d + 280a^3b^4d$

$+ 168\,a^2b^5d + 56\,ab^6d + 8\,b^7d + 28\,a^6c^2 + 168\,a^5bc^2 + 420\,a^4b^2c^2$

$+ 560\,a^3b^3b^2 + 420\,a^2b^4c^2 + 168\,ab^5c^2 + 28\,b^6c^2 + 56\,a^6cd$

$+ 336\,a^5bcd + 840\,a^4b^2cd + 1120\,a^3b^3cd + 840\,a^2b^4cd$

$+ 336\,ab^5cd + 56\,b^6cd + 28\,a^6d^2 + 168\,a^5bd^2 + 420\,a^4b^2d^2$

$+ 560\,a^3b^3d^2 + 420\,a^2b^4d^2 + 168\,ab^5d^2 + 28\,b^6d^2 + 56\,a^5c^3$

$+ 280\,a^4bc^3 + 560\,a^3b^2c^3 + 560\,a^2b^5c^3 + 280\,ab^4c^3 + 56\,b^5c^3$

$+ 168\,a^5c^2d + 840\,a^4bc^2d + 1680\,a^3b^2c^2d + 1680\,a^2b^3c^2d$

$+ 840\,ab^4c^2d + 168\,b^5c^2d + 168\,a^5cd^2 + 840\,a^4bcd^2 + 1680\,a^3b^2cd^2$

$+ 1680\,a^2b^3cd^2 + 840\,ab^4cd^2 + 168\,b^5cd^2 + 56\,a^5d^3 + 280\,a^4bd^3$

$+ 560\,a^3b^2d^3 + 560\,a^2b^3d^3 + 280\,ab^4d^3 + 56\,b^5d^3 + 70\,a^4c^4$

$+ 280\,a^3bc^4 + 420\,a^2b^2c^4 + 280\,ab^3c^4 + 70\,b^4c^4 + 280\,a^4c^3d$

$+ 1120\,a^3bc^3d + 1680\,a^2b^2c^3d + 1120\,ab^3c^3d + 280\,b^4c^3d$

$+ 420\,a^4c^2d^2 + 1680\,a^3bc^2d^2 + 2520\,a^2b^2c^2d^2 + 1680\,ab^3c^2d^2$

$+ 420\,b^4c^2d^2 + 280\,a^4cd^3 + 1120\,a^3bcd^3 + 1680\,a^2b^2cd^3$

$+ 1120\,ab^3cd^3 + 280\,b^4cd^3 + 70\,a^4d^4 + 280\,a^3bd^4 + 420\,a^2b^2d^4$

$+ 280\,ab^3d^4 + 70\,b^4d^4 + 56\,a^3c^5 + 168\,a^2bc^5 + 168\,ab^2c^5$

$+ 56\,b^3c^5 + 280\,a^3c^4d + 840\,a^2bc^4d + 840\,ab^2c^4d + 280\,b^3c^4d$

$+ 560\,a^3c^3d^2 + 1680\,a^2bc^3d^2 + 1680\,ab^2c^3d^2 + 560\,b^3c^3d^2$

$+ 560\,a^3c^2d^3 + 1680\,a^2bc^2d^3 + 1680\,ab^2c^2d^3 + 560\,b^3c^2d^3$

$+ 280\,a^3cd^4 + 840\,a^2bcd^4 + 840\,ab^2cd^4 + 280\,b^3cd^4 + 56\,a^3d^5$

$+ 168\,a^2bd^5 + 168\,ab^2d^5 + 56\,b^3d^5 + 28\,a^2c^6 + 56\,abc^6 + 28\,b^2c^6$

$+ 168\,a^2c^5d + 336\,abc^5d + 168\,b^2c^5d + 420\,a^2c^4d^2 + 840\,abc^4d^2$

$+ 420\,b^2c^4d^2 + 560\,a^2c^3d^3 + 1120\,abc^3d^3 + 560\,b^2c^3d^3 + 420\,a^2c^2d^4$

$+ 840\,abc^2d^4 + 420\,b^2c^2d^4 + 168\,a^2cd^5 + 336\,abcd^5 + 168\,b^2cd^5$

$+ 28\,a^2d^6 + 56\,abd^6 + 28\,b^2d^6 + 8\,ac^7 + 8\,bc^7 + 56\,ac^6d$

$+ 56\,bc^6d + 168\,ac^5d^2 + 168\,bc^5d^2 + 280\,ac^4d^3 + 280\,bc^4d^3$

$+ 280\,ac^3d^4 + 280\,bc^3d^4 + 168\,ac^2d^5 + 168\,bc^2d^5 + 56\,acd^6$

$+ 56\,bcd^6 + 8\,ad^7 + 8\,bd^7 + c^8 + 8\,c^7d + 28\,c^6d^2 + 56\,c^5d^3$

$+ 70\,c^4d^4 + 56\,c^3d^5 + 28\,c^2d^6 + 8\,cd^7 + d^8.$

Zu §. 145. der Alg.

35) $\left(1 - 4x + \tfrac{1}{2}x^2 + \tfrac{1}{4}x^3\right)^6 = 1 - 24x + 243x^2 - \dfrac{2677}{2}x^3$

$+ \dfrac{17175}{4}x^4 - \dfrac{31521}{4}x^5 + \dfrac{116471}{16}x^6 - \dfrac{7173}{4}x^7 - \dfrac{21891}{16}x^8$

$+ \dfrac{11395}{16}x^9 + \dfrac{2811}{32}x^{10} - \dfrac{1377}{16}x^{11} - \dfrac{661}{256}x^{12} + \dfrac{87}{16}x^{13}$

$+ \dfrac{15}{128}x^{14} - \dfrac{97}{512}x^{15} - \dfrac{9}{1024}x^{16} + \dfrac{3}{1024}x^{17} + \dfrac{1}{4096}x^{18}.$

5) $(2 - x + 3x^2)^{10} = 1024 - 5120x + 26880x^2 - 84480x^3$
$+ 255360x^4 - 584064x^5 + 1264800x^6 - 2238720x^7$
$+ 3739860x^8 + 5266100x^9 + 6995055x^{10} - 7899150x^{11}$
$+ 8414685x^{12} - 7555680x^{13} + 6403050x^{14} - 4435236x^{15}$
$+ 2908710x^{16} - 1443420x^{17} + 688905x^{18} - 196830x^{19}$
$+ 59049x^{20}$.

Das n^{te} Glied in der Entwickelung von $(a+b)^m$ wollen wir allgemein durch G_n bezeichnen.

37) Von $(a+b)^{18}$ ist $G_9 = 43758\, a^{10} b^8$.

38) » $(a-b)^{25}$ ist $G_{17} = 2042975\, a^9 b^{16}$.

39) » $(1+x)^{60}$ ist $G_{30} = 114449595062769120\, x^{29}$.

40) » $(2a - \tfrac{1}{2}x)^{40}$ ist $G_{25} = \dfrac{31426050825}{128}\, a^{16} x^{24}$.

41) » $\left(\dfrac{2a^2}{3m} - \dfrac{6561\, m^2}{128a}\right)^{56}$ ist $G_7 = 923546624\, \dfrac{a^{94}}{m^{38}}$.

42) » $\left(a^2 - \dfrac{x^2}{2}\right)^{100}$ ist $G_{13} = \dfrac{262605262776675}{1024}\, a^{176} x^{24}$.

43) » $\left(1 - \dfrac{x}{2}\right)^{60}$ ist $G_{56} = ?$

44) » $\left(2a^3 - \dfrac{x^2}{a^2}\right)^{79}$ ist $G_{67} = ?$

45) » $\left(\dfrac{2-x}{x} + \dfrac{x^2+3x-4}{2x}\right)^{25}$ ist $G_{20} = ?$

46) » $\left(\dfrac{2}{x} - \dfrac{x}{2}\right)^{39}$ ist $G_8 = ?$

47) » $\left(\dfrac{1024^{266} \cdot a^3}{x^{50}} + \dfrac{x}{4a}\right)^{537}$ ist $G_{536} = ?$

48) » $(2 - \sqrt{-3})^{20}$ ist $G_{14} = ?$

49) » $(\sqrt[4]{5} + \sqrt[4]{-2})^{24}$ ist $G_{18} = ?$

50) » $(\sqrt{3} - 2\sqrt{-1})^{25}$ ist $G_{19} = ?$

51) » $[\sqrt{7} - \sqrt{3} - \sqrt{2}]$ ist $G_{10} = ?$

52) » $[\sqrt{5+\sqrt{3}} - \sqrt{5-\sqrt{3}}]^{18}$ ist $G_{14} = ?$

53) Die Potenz $(3 - 2x + x^2 - 5x^3 - 5x^4)^2$ zu entwickeln.

54) » » $(1 - x - 3x^2 + 2x^3 - 3x^4)^5$ zu entwickeln.

55) » » $(1 + \tfrac{1}{2}x + \tfrac{1}{3}x^2 - \tfrac{1}{4}x^3)^4$ zu entwickeln.

56) » » $(2 - 3x^2 + 4x^4 - 5x^6)^5$ zu entwickeln.

57) » » $(3 + 2x^3 - \tfrac{1}{2}x^6 - \tfrac{1}{6}x^9)^6$ zu entwickeln.

58) Man suche G_7 von $(\frac{1}{2} - 2x - \frac{1}{3}x^2 + 3x^3)^7$.

59) Man bestimme G_{12} von $(5 + 3x - 4x^2 - 10x^3)^8$.

60) Man suche die Summe aller numerischen Koefficienten in der wickelung von $(x^2 - 6x + 3)^9$.

Zu §. 146.

61) $634093^2 = ?$

62) $403\cdot7652^2 = ?$

63) $0\cdot720908^2 = ?$

64) $(23\frac{2}{5})^2 = ?$

65) $830457^3 = ?$

66) $74\cdot5076^3 = ?$

67) $0\cdot08379^3 = ?$

68) $(329\frac{4}{5})^3 = ?$

69) Wie heißt die Ziffer der Einser in der Entwickelung von $(8307\cdot563)^3$!

70) Von der entwickelten Potenz $(9437\cdot536)^3$ die Ziffer der Hundert zu bestimmen.

Ausziehung der Quadrat= und Kubikwurzeln aus bestimmten Zahlen und mehrgliedrigen algebraischen Ausdrücken.

a) Ausziehung der Quadratwurzeln. (§. 148.—151. d. Alg.)

1) $\sqrt{A^2 \pm 2AB + B^2} = A \pm B$.

2) $\sqrt{\left(a^2 - \frac{2ab}{m} + \frac{b^2}{m^2}\right)} = a - \frac{b}{m}$.

3) $\sqrt{(9 - 12x + 4x^2)} = 3 - 2x$.

4) $\sqrt{(36 + 6x + \frac{1}{4}x^2)} = 6 + \frac{1}{2}x$.

5) $\sqrt{\left(\frac{a^4}{m^4} - 2am + \frac{m^6}{a^6}\right)} = \frac{a^2}{m^2} - \frac{m^3}{a}$.

6) $\sqrt{(4g^6 + 12g^3x^2 + 9x^4)} = 2g^3 + 3x^2$.

7) $\sqrt{\left(\frac{9x^4}{4} - 6x^2y^3z^2 + 4y^6z^4\right)} = \frac{3}{2}x^2 - 2y^3z^2$.

8) $\sqrt{(\frac{9}{16}a^4b^2 - \frac{3}{4}a^2bx^3 + \frac{1}{4}x^6)} = \frac{3}{4}a^2b - \frac{1}{2}x^3$.

9) $\sqrt{(a^{2n} + 2a^n x^p + x^{2p})} = a^n + x^p$.

10) $\sqrt{\left(\frac{x^2}{y^2} - 2 + \frac{y^2}{x^2}\right)} = \frac{x}{y} - \frac{y}{x}$.

11) $\sqrt{\left(4a^{2m} + 2a^{m+2}x^n + \tfrac{1}{4}a^4x^{2n}\right)} = 2a^m + \tfrac{1}{2}a^2x^n$.

12) $\sqrt{\left(\dfrac{a^2}{b^2} - \dfrac{4a}{3c} + \dfrac{4b^2}{9c^2}\right)} = \dfrac{a}{b} - \dfrac{2b}{3c}$

13) $\sqrt{\left[\dfrac{(a^2-m^2)^2}{4a^2m^2} + 4a - 4m + \dfrac{16a^2m^2}{a^2+2am+m^2}\right]} =$
$= \dfrac{a^2-m^2}{2am} + \dfrac{4am}{a+m}$.

14) $\sqrt{\left(a^2 + 2ab + b^2 + 2ac + 2bc + c^2\right)} = a + b + c$.

15) $\sqrt{\left(x^2 - 2xy + y^2 + 2xz - 2yz + z^2\right)} = x - y + z$.

16) $\sqrt{\left(a^4b^2 - 2a^2bm^2 + m^4 - 2a^2bn^3 + 2m^2n^3 + n^6\right)} =$
$= a^2b - m^2 - n^3$.

17) $\sqrt{\left(9 + 12x + 34x^2 + 20x^3 + 25x^4\right)} = 3 + 2x + 5x^2$.

18) $\sqrt{\left(4 - \tfrac{4}{3}x + \tfrac{109}{9}x^2 - 2x^3 + 9x^4\right)} = 2 - \tfrac{1}{3}x + 3x^2$.

19) $\sqrt{\left(x^6 - x^5 - \tfrac{11}{4}x^4 + \tfrac{27}{2}x^3 - \tfrac{15}{4}x^2 - 18x + 36\right)} =$
$= x^3 - \tfrac{1}{2}x^2 - \tfrac{3}{2}x + 6$.

20) $\sqrt{\left(49 + 70x - 17x^2 - 58x^3 + 45x^4 + 52x^5 - 20x^6\right.}$
$\overline{\left. - 16x^7 + 16x^8\right)} = 7 + 5x - 3x^2 - 2x^3 + 4x^4$.

21) $\sqrt{\left(a^{2m} - 2a^mb^nx^r + b^{2n}x^{2r} - \dfrac{2b^{2n}}{x^2} + \dfrac{2b^{3n}x^{r-2}}{a^m} + \dfrac{b^{4n}}{a^{2m}x^4}\right)}$
$= a^m - b^nx^r - \dfrac{b^{2n}}{a^mx^2}$.

22) $\sqrt{\left[\dfrac{4a^{2n}c^6}{b^{4n}d^{2p-2}} - \dfrac{12a^{2n-1}c}{b^nd^{p-1}} + \dfrac{9a^{2n-2}b^{2n}}{c^4} + \dfrac{2a^{n-3}c^3d^{p+1}}{3b^{2n-2}}\right.}$
$\overline{\left. - \dfrac{a^{n-4}b^{n+2}d^{2p}}{c^2} + \dfrac{b^4d^{4p}}{36a^6}\right]} = \dfrac{2a^nc^3}{b^{2n}d^{p-1}} - \dfrac{3a^{n-1}b^n}{c^2} + \dfrac{b^2d^{2p}}{6a^3}$.

23) $\sqrt{\left(\dfrac{a^2 - 2ab + b^2}{4m^2 + 12mn + 9n^2}\right)} = \dfrac{a-b}{2m+3n}$.

24) $\sqrt{\left[\dfrac{169(a^4 - 2a^2mx + m^2x^2)}{m^4 - 4m^2nx + 4n^2x^2}\right]} = \dfrac{13(a^2 - mx)}{m^2 - 2nx}$.

25) $\sqrt{\left(\dfrac{1 - 4x + 10x^2 - 12x^3 + 9x^4}{a^{2m} - 2a^mb^nx^2 + b^{2n}x^4}\right)} = \dfrac{1 - 2x + 3x^2}{a^m - b^nx^2}$.

26) $\sqrt{a^2 + x} = a + \dfrac{x}{2a} - \dfrac{x^2}{8a^3} + \dfrac{x^3}{16a^5} - \dfrac{5x^4}{128a^7} + \dfrac{7x^5}{256a^9} -$
$- \dfrac{21a^6}{1024a^{11}} + \cdots$

27) $\sqrt{a^2 - x} = a - \dfrac{x}{2a} - \dfrac{x^2}{8a^3} - \dfrac{x^3}{16a^5} - \dfrac{5x^4}{128a^7} - \dfrac{7x^5}{256a^9}$

$\quad - \dfrac{21a^6}{1024a^{11}} - \ldots$

28) $\sqrt{a^2 \pm x^2} = a \pm \dfrac{x^2}{2a} - \dfrac{x^4}{8a^3} \pm \dfrac{x^6}{16a^5} - \dfrac{5x^8}{128a^7} \pm \dfrac{7x^{10}}{256a^9} -.$

29) $\sqrt{\left(\dfrac{25a^2b^6}{4c^8} + \dfrac{35ab^3}{c} + 49c^6\right)} = ?$

30) $\sqrt{\left(x^8 - 17x^4 + \tfrac{289}{4}\right)} = ?$

31) $\sqrt{a + b \pm 2\sqrt{(ab)}} = ?$

32) $\sqrt{\left(\sqrt[2]{a^2} \pm 2\sqrt[3]{ab} + \sqrt[3]{b^2}\right)} = ?$

33) $\sqrt{(9x^2 - 6xy + 30az + 6xv + y^2 - 10yz - 2vy}$
$\quad + 25z^2 + 10zv + v^2) = ?$

34) $\sqrt{\left(\tfrac{9}{4}x^2 + \tfrac{4}{9}y^2 + 16z^2 - 2xy + 12xz - \tfrac{16}{3}yz\right)} = ?$

35) $\sqrt{\left[\tfrac{9}{4} + 6x - 17x^2 - 28x^3 + 49x^4\right]} = ?$

36) $\sqrt{(e^{2x} \pm 2 + e^{-2x})} = ?$

37) $\sqrt{\left[\dfrac{\tfrac{4}{9}a^2x^4 - \tfrac{4}{3}abx^3z + \tfrac{2}{3}a^2bx^2z^2 + b^2x^2z^2 - 4ab^2xz^3 + 4a^2b^2z^4}{12ax^2 - 12axy + 3ay^2}\right]} =$

38) $\sqrt{\left(\dfrac{a^3cd^2}{4b^4} - \dfrac{5a^2c^3d^4}{12b^2} + \dfrac{a^4d^2}{8b^3c}\right)} = ?$

39) $\sqrt{169} = 13.$

40) $\sqrt{625} = 25.$

41) $\sqrt{94249} = 307.$

42) $\sqrt{243049} = 493.$

43) $\sqrt{659344} = 812.$

44) $\sqrt{5358240000} = 73200.$

45) $\sqrt{1560001} = 1249.$

46) $\sqrt{10850436} = 3294.$

47) $\sqrt{27920656} = 5284.$

48) $\sqrt{43125489} = 6567.$

49) $\sqrt{72743841} = 8529.$

50) $\sqrt{932002952409} = 965403.$

51) $\sqrt{8152292406682116} = 90290046.$

52) $\sqrt{0.0576} = 0.24.$

53) $\sqrt{7.584516} = 2.754.$

54) $\sqrt{0.12033961} = 0.3469.$

55) $\sqrt{0.002209} = 0.047.$

56) $\sqrt{1420\,913025} = 37.695.$

57) $\sqrt{483035.84206084} = 695.0078.$

58) $\sqrt{0.0009765625} = 0.03125.$

59) $\sqrt{\frac{1}{25}} = \frac{1}{5}.$

60) $\sqrt{\frac{64}{169}} = \frac{8}{13}.$

61) $\sqrt{\frac{49}{144}} = \frac{7}{12}.$

62) $\sqrt{73\frac{14}{25}} = 8\frac{3}{5}.$

63) $\sqrt{70\frac{9}{64}} = 8\frac{3}{8}.$

64) $\sqrt{28} = 5.2915026 \ldots$

65) $\sqrt{13} = 3.6055512 \ldots$

66) $\sqrt{97} = 9.8488578 \ldots$

67) $\sqrt{59} = 7.6811457 \ldots$

68) $\sqrt{\frac{3}{4}} = 0.8660254 \ldots$

69) $\sqrt{7\frac{2}{3}} = 2.7688746 \ldots$

70) $\sqrt{\frac{13}{5}} = 1.6124515 \ldots$

71) $\sqrt{4\frac{4}{7}} = 2.1380899285 \ldots$

72) $\sqrt{\frac{1}{313}} = 0.0979013.$

73) $\sqrt{82} = 9 + \frac{1}{18} + \frac{1}{18} + \frac{1}{18} + \ldots$

74) $\sqrt{80} = 8 + \frac{1}{1} + \frac{1}{16} + \frac{1}{1} + \frac{1}{16} + \ldots$

75) $\sqrt{103} = 10 + \frac{1}{6} + \frac{1}{1} + \frac{1}{2} + \frac{1}{1} + \frac{1}{1} + \frac{1}{9} + \frac{1}{1} + \frac{1}{1} + \frac{1}{2} + \frac{1}{1} + \frac{1}{6} + \frac{1}{20} + \ldots$

76) $\sqrt{328} = 18 + \frac{1}{9} + \frac{1}{36} + \frac{1}{9} + \frac{1}{36} + \ldots$

77) $\sqrt{4223} = 64 + \frac{1}{1} + \frac{1}{63} + \frac{1}{1} + \frac{1}{128} + \ldots$

78) $\sqrt{7} = 2 + \frac{1}{2} + \frac{1}{2} + \frac{1}{2} + \frac{1}{4} + \cdots$

79) $\sqrt{59} = ?$

80) $\sqrt{13\frac{2}{3}} = ?$.

b) Ausziehung der Kubikwurzeln. (§. 152. — 154. der Alg.)

1) $\sqrt[3]{A^3 \pm 3 A^2 B + 3 A B^2 \pm B^3} = A \pm B.$

2) $\sqrt[3]{8 a^3 - 36 a^2 b + 54 a b^2 - 27 b^3} = 2 a - 3 b.$

3) $\sqrt{\left(\frac{8 a^6}{27} - 2 a^4 x^2 + \frac{9 a^2 x^4}{2} - \frac{27 x^6}{8} \right)} = \frac{2 a^2}{3} - \frac{3 x^2}{2}.$

4) $\sqrt[3]{(8 + 60 x + 150 x^2 + 125 x^3)} = 2 + 5 x.$

5) $\sqrt[3]{\left(a^3 + a x + \frac{x^2}{3a} + \frac{x^3}{27 a^3} \right)} = a + \frac{x}{3 a}.$

6) $\sqrt[3]{\left(\frac{a^6 x^3}{8 m^3} - \frac{9 a^3 n}{2} + \frac{54 m^3 n^2}{x^3} - \frac{216 m^6 n^3}{a^3 x^6} \right)} = \frac{a^2 x}{2 m} - \frac{6 m^2 n}{a x^2}.$

7) $\sqrt[3]{\left(\frac{x^9}{y^6} - \frac{3 x^4}{y} + \frac{3 y^4}{x} - \frac{y^9}{x^6} \right)} = \frac{x^3}{y^2} - \frac{y^3}{x^2}.$

8) $\sqrt[3]{(x^{3n} - 3 x^{2n} \cdot a^m + 3 x^n a^{2m} - a^{3m})} = x^n - a^m.$

9) $\sqrt[3]{\left(a^6 x^{3n} - 3 a^{n+4} x^{n+1} + \frac{3 a^{2n+2}}{x^{n-2}} - \frac{a^{3n}}{x^{3n-3}} \right)} = a^2 x^n - \frac{a^n}{x^{n-1}}.$

10) $\sqrt[3]{\left(\frac{a^{3n} x^{3m}}{b^{3n+3m}} + \frac{3 a^{n+1}}{b^{2m} x} + \frac{3 b^{3n-m}}{a^{n-2} x^{3m+2}} + \frac{b^{6n}}{a^{3n-3} x^{6m+3}} \right)} =$
$$= \frac{a^n x^m}{b^{m+n}} + \frac{b^{2n}}{a^{n-1} x^{2m+1}}.$$

11) $\sqrt[3]{(8 - 36 x + 114 x^2 - 207 x^3 + 285 x^4 - 225 x^5 + 125 x^6)} =$
$$= 2 - 3 x + 5 x^2.$$

12) $\sqrt[3]{\left[\frac{x^6}{y^3} - \frac{6 x^5}{y^2} + \frac{15 x^4}{y} - 20 x^3 + 15 x^2 y - 6 x y^2 + y^3 \right]} =$
$$= \frac{x^2}{y} - 2 x + y.$$

1) $\sqrt[3]{\left[\dfrac{a^6 x^3}{b^3 y^3} - \dfrac{3 a^2 b c^2}{y^2} + \dfrac{3 b^5 c^4}{a^2 x^3 y} - \dfrac{b^9 c^6}{a^6 x^6} - 3 a^4 c x^2 + \right.}$
$+ \dfrac{6 b^4 e^3 y}{x} - \dfrac{3 b^8 c^5 y^2}{a^4 x^4} + 3 a^2 b^3 c^2 xy^3 - \dfrac{3 b^7 c^4 y^4}{a^2 x^2} - \left. b^6 c^3 y^6 \right] =$
$= \dfrac{a^2 x}{b y} - \dfrac{b^3 c^2}{a^2 x^2} - b^2 c y^2.$

4) $\sqrt[3]{(27 x^6 - \dfrac{27}{2} x^5 + \dfrac{441}{4} x^4 - \dfrac{289}{8} x^3 + 147 x^2 - 24 x + 64)}$
$= 3 x^2 - \dfrac{1}{2} x + 4.$

5) $\sqrt[3]{(729 x^6 - 2916 x^5 + 4860 x^4 - 4320 x^3 + 2160 x^2 - }$
$- 576 x + 64) = 9 x^2 - 12 x + 4.$

6) $\sqrt[3]{\left[x^{6n} - 3 x^{5n} + 8 x^{3n} - 6 x^{2n} - 6 x^n + 8 - \dfrac{3}{x^{2n}} + \dfrac{1}{x^{3n}} \right]} =$
$= x^{2n} - x^n - 1 + \dfrac{1}{x^n}.$

7) $\sqrt[3]{\left[64 x^{12} + 96 x^{11} - 708 x^{10} - 940 x^9 + \dfrac{13455}{4} x^8 + \right.}$
$+ \dfrac{29763}{8} x^7 - \dfrac{564159}{64} x^6 - \dfrac{29763}{4} x^5 + 13455 x^4 +$
$+ 7520 x^3 - 11328 x^2 - 3072 x + 4096 \Big] =$
$= 16 - 4 x - \dfrac{63}{4} x^2 + 2 x^3 + 4 x^4.$

18) $\sqrt[3]{\left(\dfrac{1 + 6 x + 12 x^2 + 8 x^3}{1 - 3 x^2 + 3 x^4 - x^6} \right)} = \dfrac{1 + 2 x}{1 - x^2}.$

19) $\sqrt[3]{\left(\dfrac{27 - 54 x + 36 x^2 - 8 x^3}{1 + 3 x - 5 x^3 + 3 x^5 - x^6} \right)} = \dfrac{3 - 2 x}{1 + x - x^2}.$

20) $\sqrt[3]{\left(\dfrac{x^{6n} - 3 x^{4n} y^2 + 3 x^{2n} y^4 - y^6}{x^{3n} + 3 x^{2n+1} \cdot y + 3 x^{n+1} y^2 + x^3 y^3} \right)} = \dfrac{x^{2n} - y^2}{x^n + x y}.$

21) $\sqrt[3]{(a^3 + 3 a^2 n \sqrt{x} + 3 a n^2 x + n^3 x \sqrt{x})} = a + n \sqrt{x}.$

22) $\sqrt[3]{(a^3 x \sqrt{x} - 3 a^2 x^2 \sqrt{a} + 3 a^2 x^2 \sqrt{x} - a x^3 \sqrt{a})} = a \sqrt{x} - x \sqrt{a}.$

23) $\sqrt[3]{a^3 \pm x} = a \pm \dfrac{x}{3 a^2} - \dfrac{x^2}{9 a^5} \pm \dfrac{5 x^3}{81 a^8} - \dfrac{10 x^4}{243 a^{11}} \pm \dfrac{22 x^5}{729 a^{14}} - \cdots$

24) $\sqrt[3]{1 + x} = 1 + \dfrac{x}{3} - \dfrac{x^2}{9} + \dfrac{5 x^3}{81} - \dfrac{10 x^4}{243} + \dfrac{22 x^5}{729} - \cdots$

25) $\sqrt[3]{1 - x} = 1 - \dfrac{x}{3} - \dfrac{x^2}{9} - \dfrac{5 x^3}{81} - \dfrac{10 x^4}{243} - \dfrac{22 x^5}{729} - \cdots$

26) $\sqrt[3]{1 - x^2} = 1 - \dfrac{x^2}{3} - \dfrac{x^4}{9} - \dfrac{5\,x^6}{81} - \dfrac{10\,x^8}{243} - \dfrac{22\,x^{10}}{729} - \ldots$

$$= \sqrt[3]{1 + x} \; \sqrt[3]{1 - x}.$$

27) $\sqrt[3]{\left[\dfrac{64}{729} - \dfrac{32}{81}u^2 + \dfrac{20}{27}u^4 - \dfrac{20}{27}u^6 + \dfrac{5}{12}u^8 - \dfrac{1}{8}u^{10} + \dfrac{1}{64}u^{12}\right]} = ?$

28) $\sqrt[3]{\left[\dfrac{64a^6c^6}{b^{12}x^6} + \dfrac{48a^5c^7}{b^9\,x^4} + \dfrac{15a^4c^8}{b^6\,x^2} + \dfrac{5a^3c^9}{2\,b^3} + \dfrac{15a^2c^{10}x^2}{64}\right]} = ?$

29) $\sqrt[3]{[8a^3 - 36a^2x + 54ax^2 - 27x^3 + 12a^2z - 36axz + 27x^2z + 6az^2 - 9xz^2 + z^3]} = ?$

30) $\sqrt[3]{\Bigg[\dfrac{8a^3b^{3m}}{c^3} - 9 + \dfrac{27c^3}{8a^3b^{3m}} - \dfrac{27c^6}{64a^6b^{6m}} - \dfrac{8a^3b^{3m+2}}{c^3}}$

$+ \dfrac{6}{b^{m-2}} - \dfrac{9c^3}{8a^3b^{4m-2}} - \dfrac{20ab^{2m+1}}{c^2} + \dfrac{15c}{a^2b^{m-1}} - \dfrac{45c^4}{16a^5b^{4m-1}}$

$+ \dfrac{8a^3b^{m+4}}{3c^3} + \dfrac{40ab^{m+3}}{3c^2} + \dfrac{50b^{m+2}}{3ac} - \dfrac{1}{b^{2m-4}} - \dfrac{5c}{a^2b^{2m-3}}$

$- \dfrac{25b^2c^2}{4a^2b^{2m}} - \dfrac{8a^3b^6}{27c^3} - \dfrac{20ab^5}{9c^2} - \dfrac{50b^4}{9ac} - \dfrac{125b^8}{27a^3}\Bigg] = ?$

31) $\sqrt[3]{\left(\dfrac{2x^3z - 6x^2yz + 6xy^2z - 2y^3z}{8x^3 - 4x^2 + 2x - 1}\right)} = ?$

32) $\sqrt[3]{\left(\dfrac{a^3 + 6a^2b - 3a^2c + 12ab^2 - 12abc + 3ac^2 + 8b^3 - 12b^2c + 6bc^2 - c^3}{27 - 27e^{2x} + 9e^{4x} - e^{6x}}\right)} = ?$

33) $\sqrt[3]{\left(\dfrac{8a^3 - 60a^2x + 150ax^2 - 125x^3}{8 - 12x^{3p-1} + 6x^{6p-2} - x^{9p-3}}\right)} = ?$

34) $\sqrt[3]{27x^3 - 54a} = ?$

35) $\sqrt[3]{1 - x^2 + x^4} = ?$

36) $\sqrt[3]{512 - x\sqrt{-1}} = ?$

37) $\sqrt[3]{438976} = 76.$

38) $\sqrt[3]{338608873} = 697.$

39) $\sqrt[3]{2449456192} = 1348.$

40) $\sqrt[3]{15419656169} = 2489.$

41) $\sqrt[3]{262758880125} = 6405.$

42) $\sqrt[3]{592492345199} = 8399.$

43) $\sqrt[3]{725123750650140808} = 898402.$

44) $\sqrt[3]{24740676} = 291.387 \ldots$

45) $\sqrt[3]{15} = 2.4662120 \ldots$

46) $\sqrt[3]{73} = 4.179339 \ldots$

47) $\sqrt[3]{259} = 6.3743110 \ldots$

48) $\sqrt[3]{967} = 9.8887673 \ldots$

49) $\sqrt[3]{0.512} = 0.8.$

50) $\sqrt[3]{0.103823} = 0.47.$

51) $\sqrt[3]{0.082312875} = 0.435.$

52) $\sqrt[3]{0.00034006839 2} = 0.0698.$

53) $\sqrt[3]{0.000000049} = 0.007.$

54) $\sqrt[3]{0.000005832} = 0.018.$

55) $\sqrt[3]{\dfrac{79507}{328509}} = \dfrac{43}{69}.$

56) $\sqrt[3]{82\dfrac{2358}{4913}} = 4\dfrac{6}{17}.$

57) $\sqrt[3]{\dfrac{13}{4}} = 1.481248 \ldots$

58) $\sqrt[3]{\dfrac{29}{32}} = 0.9675941 \ldots$

59) $\sqrt[3]{\dfrac{1}{54}} = 0.2645668 \ldots$

60) $\sqrt[3]{\dfrac{3}{748}} = 0.15888146 \ldots$

61) $\sqrt[3]{47658422665216} = \,?$

62) $\sqrt[3]{3.944312} = \,?$

63) $\sqrt[3]{3.925618609375} = \,?$

64) $\sqrt[3]{0 \cdot 00095711845} = ?$

65) $\sqrt[3]{843} = ?$

66) $\sqrt[3]{\frac{155}{113}} = ?$

67) $\sqrt[3]{0 \cdot 48\dot{6}} = ?$

68) $\sqrt[3]{0 \cdot 54\dot{3}492\dot{9}} = ?$

69) $\sqrt[3]{13\frac{43}{64}} = ?$

70) $\sqrt[3]{38_7 - 5\frac{7}{8}} = ?$

Fünfter Abschnitt.

(§. 155. — 165. der Alg.)

A) Resolution und Reduktion benannter Zahlen.

(§. 161. der Alg.)

1) Es sollen 2 Ztr. 84 Pf. 23 Lth. 3½ Qt in Quintel auf-gelöst werden.

2) Es sollen 3 Pf. 7 Unz. 5 Drachm. 2 Skr. 13 Gran Apotheker-Gewicht in Skrupel aufgelöst werden.

3) Man soll 47 Klafter 5 Fuß 9 Zoll 11 Linien auf die Benen-nung Linien bringen.

4) Es sollen 357 Thlr. 19 gGr. 7 dl. sächsisches Geld in Pfennige verwandelt werden, unter der Voraussetzung, daß 1 Thlr. = 24 gGr., 1 gGr. = 12 dl.

5) Man soll 687 Mark 11 ßl. 7 dl. Hamburger Geld in Deniers auflösen.

Voraussetzung: 1 Mark = 16 ßl.; 1 ßl. = 12 dl.

6) Es sollen 389 C°, 213 C', 957 C'', 34 C''' in Kubiklinien aufgelöst werden.

7) Es sollen 43^h 48' 57'' in Sekunden (Zeit) verwandelt werden.

8) Es sollen 853 Dukaten 3 fl. 57 kr. 3¼ Pf. in Pfennige auf-gelöst werden.

9) Es sollen 798 □° 123 □' 83 □'' in Quadratzolle verwan-delt werden.

10) In allen vorhergehenden Beyspielen die gegebenen Zahlen auf die höchste Benennung zu reduciren.

11) 43 Tage 15^h 36' auf Tage zu reduciren und auch in Minu-ten aufzulösen.

12) 27 Mark 13 Lth. 3 Qt. 2 Pf. 1 Heller 112 Richtpf. Münz-gewicht auf Mark zu reduciren oder in Richtpfennige zu resolviren.

13) 3 Faß 7 Eimer 35 Maß 3 Seitel auf die Benennung Faß zu-rück zu führen.

14) 87 Pfund Sterling 17 ßl. 11 dl. auf Livres Sterling zu reduciren.

Vorausſetzung: 1 Lv. Sterl. = 20 ßl.; 1 ßl. = 12 dl.

15) 47859 Sekunden (Bogenmaß) auf Grade zu reduciren.

B) Addition benannter Zahlen. (§. 162. der Alg.)

1) A hat folgende Poſten zu bezahlen:

$$387 \text{ fl.} \quad 45 \text{ kr.} \quad 3 \text{ Pf.}$$
$$709 \text{ »} \quad 18 \text{ »} \quad 1 \text{ »}$$
$$172 \text{ »} \quad 23 \text{ »} \quad 2\tfrac{1}{2} \text{ »}$$
$$4083 \text{ »} \quad 57 \text{ »} \quad 3\tfrac{1}{4} \text{ »}$$
$$1798 \text{ »} \quad 31 \text{ »} \quad 1\tfrac{1}{3} \text{ »}$$

Wie viele Gulden iſt A ſchuldig?

2) A bezieht folgende Quantitäten Wein aus Bremen:

$$27 \text{ Ohm} \quad 3 \text{ Anker} \quad 3 \text{ Viertel} \quad 7 \text{ Quart}$$
$$13 \text{ »} \quad 2 \text{ »} \quad 4 \text{ »} \quad 8 \text{ »}$$
$$18 \text{ »} \quad 1 \text{ »} \quad — \text{ »} \quad 5 \text{ »}$$
$$42 \text{ »} \quad — \text{ »} \quad 2 \text{ »} \quad 3 \text{ »}$$
$$23 \text{ »} \quad 2 \text{ »} \quad 3 \text{ »} \quad — \text{ »}$$
$$25 \text{ »} \quad 1 \text{ »} \quad 2 \text{ »} \quad 6 \text{ »}$$

Wie viel Wein hat A im Ganzen bezogen?

Vorausſetzung: 1 Ohm = 4 Ank.; 1 Ank. = 5 Vrtl.;
1 Vrtl. = 9 Quart.

3) Ein Amſterdamer Kaufmann hat folgende Poſten auszuzahlen:

$$3289 \text{ fl.} \quad 17 \text{ Stvr.} \quad 13 \text{ Pf. holl. Cour.}$$
$$2813 \text{ »} \quad 19 \text{ »} \quad 15 \text{ »} \quad \text{»} \quad \text{»}$$
$$725 \text{ »} \quad 12 \text{ »} \quad 8 \text{ »} \quad \text{»} \quad \text{»}$$
$$283 \text{ »} \quad 9 \text{ »} \quad 12 \text{ »} \quad \text{»} \quad \text{»}$$
$$1728 \text{ »} \quad — \text{ »} \quad 3 \text{ »} \quad \text{»} \quad \text{»}$$
$$819 \text{ »} \quad 15 \text{ »} \quad — \text{ »} \quad \text{»} \quad \text{»}$$
$$97 \text{ »} \quad 14 \text{ »} \quad 13 \text{ »} \quad \text{»} \quad \text{»}$$

Wie viel Gulden holl. Cour. muß A auszahlen?

Vorausſetzung: 1 fl. holl. Cour. = 20 Stüver;
1 St. » = 16 Pf.

4) Der A erlitt folgende Verluste (§. 162. u. 164. der Alg.):

$283\frac{1}{2}$ Dukaten

$853\frac{1}{4}$ Species-Thaler

1749 fl. 48 kr. Reichswährung

1857 fl. 40 kr. Wien. W.

2183 fl. 12 kr. Conv. M.

$976\frac{1}{4}$ Kronenthaler

3819 Lire.

Wie groß ist der ganze Verlust des A in fl. Conv. M.?

Voraussetzung: 1 Duk. $= 4$ fl. 30 kr. C. M.

1 Sp. Thlr. $= 2$ fl. C. M.

1 fl. R. W. $= 50$ kr. C. M.

1 Kronenthaler $= 2$ fl. 12 kr. C. M.

1 Lira $= 20$ kr. C. M.

C) Subtraktion benannter Zahlen. (§. 163. der Alg.)

1) A erbte $3457\frac{1}{2}$ Duk., muß hiervon aber 1836 fl. 54 kr. C. M. als Legate auszahlen; wie viel beträgt der Rest in Dukaten?

2) Aus einem Fasse, welches 32 Eimer 36 Maß 3 Seitel Wein enthält, werden 17 Eimer 38 Maß $1\frac{1}{2}$ Seitel abgezogen; wie viele Maße bleiben noch im Fasse?

3) Cajus ward gefragt, wann er geboren worden sey, worauf er zur Antwort gab: Ich bin heute, den 24. Oktober 1832 um 7 Uhr Abends gerade 57 Jahre 11 Monate 25 Tage 9 Stunden alt. In welchem Jahre, in welchem Monate, an welchem Tage und in welcher Stunde wurde Cajus also geboren?

4) Titus hält Rechnung über seinen Vermögensstand und findet, daß er 63728 Thlr. 54 kr. baar besitzt, ferner eine Forderung von 20853 fl. 36 kr. W. W. an A, dann eine Forderung von $7683\frac{4}{5}$ Kronenthaler an B, endlich eine Forderung von 1978 fl. 42 kr. R. W. an C. Dagegen schuldet Titus 3149 Pf. Sterl. 16 ßl. 9 dl. an D, 6483·5 Francs an E, 4769 Mark 13 ßl. Hamb. Bko. an F, und 16857 Piaster 33 Paras Türkisch an G.

Wie viel Gulden C. M. besitzt Titus wohl noch nach Auszahlung seiner Schulden?

Voraussetzungen: 1 Kronenthaler = 2 fl. 13 kr.

1 fl. R. W. = 50 kr. C. M.

1 Pf. Sterl. = 10 fl. 9 kr. C. M.

1 Francs = 23·63 kr. C. M.

1 Mk. Hamb. Bko. = 43½ kr. C. M.

1 Piaster = 40 Paras = 16⅛ kr. C. M.

5) Sempronius reiste im Jahre 1793 den 22. Februar Vormittags um 5 Uhr 12 Minuten 10 Sekunden nach China ab, und kam erst im Jahre 1832 den 13. Oktober Abends um 7 Uhr 38 Min. 30 Sek. wieder zurück. Wie lange war Sempronius abwesend?

6) Ein Gefäß, mit irgend einer Flüssigkeit gefüllt, wog 9 Pf. 2 Drachmen 7 Gran, ohne Flüssigkeit aber wog es 1 Pf. 5 Unzen 4 Drachmen 2 Skrupel 18 Gran. Wie schwer war demnach die Flüssigkeit allein?

D) Multiplikation benannter Zahlen. (§. 164. der Alg.)

1) Aus einer Röhre fließen in einer Minute 3 Maß 3 Seitel 1 Pfiff Flüssigkeit aus; wie viel Flüssigkeit wird man in 2 Stunden 37 Minuten 48 Sekunden erhalten?

2) Die Quadratklafter eines Baugrundes wurde mit 12 fl. 30 kr. Conv. M. bezahlt; wie hoch kam der ganze Baugrund, wenn dieser 54 □° 27 □′ 96 □″ enthielt?

3) Turibius antwortete auf die Frage, wie alt er, sein Bruder und seine Aeltern seyen, Folgendes: Wenn Sie das Alter des ruhmvollen Kaisers Joseph II. mit drey multipliciren, so enthält das Produkt eine Anzahl Tage, Monate und Jahre; die erste Anzahl bezeichnet mein Alter, die zweyte das Alter meines Bruders, und die letzte die Summe der Alter meiner Aeltern, denn mein Vater ist schon 80 Jahre alt. Da nun Kaiser Joseph den 20. Februar 1790 starb, und am 13. März 1741 geboren wurde, so können Sie sich Ihre Fragen selbst beantworten.

4) Wenn in Amsterdam das Pfund Muskatnüsse mit 14 fl. 15 Stüver bezahlt wird, wie hoch kommen 197 Pfund?

5) Wie viel Gulden C. M. betragen 439 Livres 17 Schill. 9 dl. Sterl., wenn nach dem Wechselkurse das Livre mit 10 fl. 9 kr. 2½ dl. Conv. M. bezahlt wird?

6) A kauft 4 Ztr. 87 Pf. 21 Lth. 3·5 Qt. von irgend einer

Waare, das Pfund à 1 fl. 18 kr. 3 dl. C. M., und verkauft das Pfund wieder um 3 fl. 30 kr. Wien. W. Wie viel Gulden C. M. hat A bey diesem Handel gewonnen?

7) Eine silberne Vase wägt 1 Mark 13 Loth $2\frac{5}{8}$ Qt.; was ist diese Vase werth, wenn die Mark dieses Silbers mit 21 fl. 28 kr. $3\frac{1}{2}$ dl. C. M. bezahlt wird?

8) Ein aus 12löthigem Silber verfertigter Service wägt 87 Mark 11 Loth $2\frac{3}{4}$ Qt.; was ist dieser Service werth, wenn die Mark fein 23 fl. 36 kr. C. M. kostet, und 70 Procent für die Façon gerechnet werden?

9) Ein gewisses Kapital gibt jährlich 237 fl. 48 kr. 3 dl. Interesse; wie viel Zins trägt jenes Kapital in 4 Jahren 7 Monaten 16 Tagen?

10) Wenn 100 fl. Kapital täglich 1 kr. Zins tragen, wie viel Procent trägt das Kapital in einem Jahre, zu 360 Tagen gerechnet?

11) Wenn 1 Ztr. von einer gewissen Waare 189 fl. 48 kr. $3\frac{5}{8}$ dl. kostet; wie hoch kommen 73 Pf. 18 Loth $3\frac{7}{8}$ Qt. von dieser Waare?

12) Es verkauft jemand 287 Dukaten, den vollwichtigen Dukaten à 4 fl. $37\frac{3}{4}$ kr. C. M. Wenn nun jene 287 Dukaten nur 286 Dukaten 43 Gran wiegen, wie viel Gulden C. M. hat der Verkäufer zu fordern?

E) Division benannter Zahlen. (§. 165. der Alg.)

1) Wie hoch kommt das Pfund Kaffeh zu stehen, wenn 25 Pf. mit 47 fl. 36 kr. 3 dl. W. W. bezahlt werden?

2) Was kostet die Maß Wein, wenn 3 Eimer 27 Maß 3 Seitel desselben Weines mit 305 fl. 21 kr. W. W. bezahlt werden?

3) Was ist 1 Pfund Sterl. werth, wenn 206 Pf. 16 Sl. $9\frac{1}{2}$ dl. mit 2042 fl. 32 kr. $1\frac{3}{4}$ dl. bezahlt werden?

4) Wenn 63 Ztr. 47 Pf. 19 Lth. $3\frac{5}{8}$ Qt. von irgend einer Waare mit 7963 fl. 18 kr. 2 dl. bezahlt wurden, wie hoch kommt der Zentner?

5) Ein Kapital von 3798 fl. 34 kr. trug in einem Jahre 170 fl. 56 kr. $\frac{1}{2}$ dl. Interesse; wie hoch war der Zinsfuß, oder zu wie viel Procent war das Kapital angelegt?

6) Das Interesse eines gewissen Kapitals hat in 9 Jahren 7 Monaten 24 Tagen 6387 fl. 48 kr. 3 dl. betragen; wie groß wird das Interesse für 1 Jahr seyn?

7) Wenn auf 3 Mon. 17 Tage von einem Kapitale 573 fl. 12 kr. $2\frac{1}{2}$ dl. Interessen kommen, wie groß ist das Interesse für 1 Tag? wie

groß ist es für 1 Jahr?   Wie groß ist das entsprechende Kapital, wenn der Zinsfuß 5 Procent beträgt?

8) Das Brutto-Gewicht eines silbernen Gefäßes betrug 2 Mark 9 Loth $3\frac{1}{2}$ Qt., und man erhielt dafür 518 fl. 12 fr. 0·7 dl.; wie hoch ist die Mark Brutto gerechnet worden?

9) Wie hoch kommt 1 Duk., wenn $688\frac{1}{4}$ Duk. mit 3150 fl. 27 fr. $3\frac{1}{2}$ dl. bezahlt werden?

10) Wenn 83 Pf. 19 Loth $2\frac{1}{2}$ Qt. von irgend einer Waare mit 29 fl. 53 fr. $1\frac{5}{7}$ dl. bezahlt werden, wie hoch kommt 1 Ztr.?

11) Wenn $987\frac{1}{2}$ Leipziger Pfund mit 637 Thlr. 13 gGr. $3\frac{1}{2}$ dl. bezahlt werden, wie hoch kommt der Leipziger Ztr.?

Voraussetzung: 1 Thlr. = 24 gGr.; 1 gGr. = 12 dl.;

1 Ztr. in Leipzig = 110 Pf.

12) Ein Kaufmann A bezog von einer Waare 7 Ztr. 59 Pf. 18 Loth $2\frac{1}{2}$ Qt., die er mit 487 fl. 37 fr. bezahlte. Wenn nun A das Pfund von dieser Waare um 43 fr. 2 dl. verkaufte; so fragt es sich, wie viel hat A pr. Pfund gewonnen? wie viel hat er im Ganzen bey dieser Waare gewonnen? Wie viel Procente trug das verwendete Kapital?

Sechster Abschnitt.

Anwendung der Proportionen auf die Auflösung verschiedener Aufgaben.

I. Aufgaben über die einfache Regel-Detri.
(§. 188. — 192. der Algebra.)

1) Aus $a : b = c : x$ erhält man $x = \dfrac{bc}{a}$.

2) Aus $x : b = c : d$ folgt $x = \dfrac{bc}{d}$.

3) Aus $a : b = x : d$ folgt $x = \dfrac{ad}{b}$.

4) Aus $a : x = c : d$ folgt $x = \dfrac{ad}{c}$.

5) Was kosten 56 Pf., wenn 16 Pf. mit 42 fl. bezahlt werden? — Antw. 147 fl.

6) Was kosten $13\frac{1}{2}$ Ellen, wenn $4\frac{1}{2}$ Ellen mit 25 fl. 36 kr. bezahlt werden? — Antw. 76 fl. 48 kr.

7) Was kosten 8 Pf. 12 Lth., wenn $3\frac{1}{2}$ Lth. 2 fl. 25 kr. kosten? — Antw. 178 fl. 40 kr.

8) Was kosten 3 Ztr. 85 Pf. 27 Lth. 2 Qt., wenn 5 Pf. 20 Lth. auf 75 fl. zu stehen kommen? Antw. 5144 fl. 47 kr.

9) Was kostet 1 Quent., wenn 2 Ztr. 42 Pf. 24 Lth. 3·2 Qt. mit 1294 fl. 48 kr. bezahlt werden? — Antw. 2·5 kr.

10) Für 233 fl. 51 kr. erhält man 1 Ztr. 46 Pf. 5 Lth. von irgend einer Waare; wie viel bekömmt man hiervon um 3 kr. — Antw. 1 Lth.

11) Wie viel Gulden C. M. machen 2348 fl 11 Stüb. 13 Pf. holl. Cour., wenn 100 Thlr. holl. Cour. $138\frac{1}{2}$ Thlr. C. M. machen? — Antw. 1953·088 fl. C. M.

12) Wie viel Thlr. C. M. betragen 3725 Rubel 75 Kopeken,

wenn 100 Rubel 102·483 Thlr. C. M. betragen? — Antw. 38ı8 Thlr. 23·48 fr. C. M.

13) Wie viel Gulden C. M. betragen 318 Mark 12 Schill. Banko, wenn der Kurs auf Hamburg auf 145 steht, das heißt· wenn 100 Thlr. Hamb. Banko 145 Thlr. C. M. betragen? — Antw. 154 Thlr. 5·6 fr. C. M. = 231 fl. 5·6 fr. C. M.

14) Ein Wiener Kaufmann schuldet einem Kaufmann in Mailand die Summe von 3728 Lire. Wenn nun 100 Lire = 29 fl. C. M., wie viel fl. C. M. hat der Wiener Kaufmann zu zahlen? — Antw. 1081 fl. 7·2 fr. C. M.

15) Ein Wiener Kaufmann A hat von B in Washington 783 Dollar 8 Dimes zu fordern. Wie viel fl. C. M. beträgt jene Schuld, wenn 100 Dollar = 205·61 fl. C. M. — Antw. 1611 fl. 34·3 fr. C. M.

16) Wie viel Tage brauchen 10 Arbeiter zur Verrichtung einer bestimmten Arbeit, wenn 6 Arbeiter 15 Tage nöthig haben? — Antw. 9 Tage.

17) Jemand geht nach X in 6 Tagen, indem er täglich 5 Meilen macht; in wie viel Tagen kömmt er wieder zurück, wenn er täglich 6 Meilen macht? — Antw. In 5 Tagen.

18) Ein Weber verfertigt in einer bestimmten Zeit 100 Ellen $\frac{7}{4}$ breiten Zeug; wie viel Ellen $\frac{10}{4}$ breiten Zeug kann er in derselben Zeit verfertigen? — Antw. 70 Ellen.

19) In einer Festung sind Lebensmittel für 600 Mann auf 8 Monate. Wenn nun der Vorrath 12 Monate dauern soll, wie viel Mann können die Festung besetzen? — Antw. 400 Mann.

20) Ein Zimmer ist 40 Fuß lang und 30 Fuß breit. Nun will jemand ein anderes Zimmer bauen, dessen Boden mit dem des ersten gleichen Flächeninhalt hat, welches aber nur 36 Fuß lang seyn soll; wie breit muß das Zimmer werden? — Antw. 33 Fuß 4 Zoll

21) A besitzt einen Garten, der 648 Fuß lang und 162 Fuß breit ist. Wenn nun B einen eben so großen Garten anlegen will, der aber ein vollkommenes Quadrat ist, wie groß muß er eine Seite desselben machen? — Antw. 324 Fuß.

22) Ein Wiener Kaufmann hat in London 980 Pf. Sterl. 17 sl. 6 dr. zu fordern. Wenn er nun in Wien an einen Wechsler das Pf. Sterl. um 9 fl. 23 kr. 2½ dr. C. M. verkauft, wie viel fl. C. M. wird er wohl einnehmen? — Antw. 9214 fl. 5·58 kr. C. M.

23) In Hamburg rechnet man auf die Kölln. Mark fein Silber

27 Mark 10 ßl. Banko. Wie viel Gulden C. M. ſind demnach 20000 Mark werth? — Antw. 14479 fl. 38·3 kr. C. M.

24) Ein Eſſigſieder gibt einem Branntweinbrenner 10 Eimer Eſſig gegen 3 Eimer Branntwein. Nun hat erſterer dem letztern 50 Eimer 24 Maß Eſſig geſendet; wie viel Branntwein hat er zu fordern? — Antw. 15 Eimer 7⅕ Maß.

25) Wie viel Gulden Intereſſen bringt ein Kapital von 4728·6 fl., wenn es zu 6½ pr. Ct. durch 4 Jahre anliegt? — Antw. 1229 fl. 26 kr.

26) Wie lange muß ein Kapital von 9980 fl. zu 5 pr. Ct. ausſtehen, damit es 1857 fl. 23½ kr. Intereſſen bringt? — Antw. 3 Jahre 8 Monate 20 Tage.

27) Ein Kapital trug in 4 Jahr. 9 Mon. 1931 fl. 21 kr. Intereſſen, indem es zu 4½ pr. Ct. ausſtand; wie groß war das Kapital? — Antw. 8560 fl.

28) A hatte dem B eine Summe Geldes zu 2½ pr. Ct. geliehen, und nach 4½ Jahren zahlte B Kapital ſammt Intereſſen mit 872 fl. 12 kr. zurück, wie groß war das Kapital? — Antw. 784 fl.

29) A hatte dem B ein Kapital von 6392 fl. auf 4 Jahre geliehen; nach Verlauf dieſer Friſt zahlt B Kapital ſammt Intereſſen mit 7862 fl. 9·6 kr. zurück. Zu wie viel pr. Ct. mußte er jenes Kapital verintereſſiren? — Antw. 5¼ pr. Ct.

30) Ein Mann A legt durch einen Schritt 2⅕ Fuß Weg zurück und macht in 2 Sekunden 3 Schritt. Ein Knabe B dagegen geht in einem Schritte nur 1½ Fuß Weg, und macht in 3 Sekunden 2 Schritte. Wenn nun beyde einen Weg von 6 öſterreichiſchen Meilen machen ſollen, wie viel Schritte muß A und B machen, und wie viel Zeit hat jeder dazu nöthig? — Antw. A macht 60000 Schritte in 11ʰ· 6′ 40″ und B macht 84285⅔ Schritte in 34ʰ· 17′·8·6″.

31) In einer Feſtung, welche von 1200 Mann beſetzt iſt, erhält jeder Mann alle 3 Tage einen Laib Brot. Wie viel Brote braucht die ganze Beſatzung in 4 Monaten oder in 120 Tagen? — Antw. 48000.

32) Wenn man 4 Pulsſchläge auf 3 Sekunden rechnet, wie weit iſt eine Gewitterwolke entfernt, wenn man in der Zwiſchenzeit des Blitzes und des darauf folgenden Donners 25 Pulsſchläge zählen kann, und der Schall in einer Sekunde ſich durch 1078 rheinl. Fuß fortpflanzt? — Antw. 20212·5 Fuße.

33) Die goldenen Treſſen werden aus vergoldeten Silberfäden

7 *

51) Wie viel Gulden C. M. betragen 3854 Mark 13 ßl. 8 dr. Hamb. Bko., wenn 200 Mk. Bko. mit 145 fl. 54 kr. 3 dr. C. M. bezahlt werden?

52) Ein Fuhrmann führt um einen gewissen Frachtlohn $24\frac{7}{12}$ Meilen weit eine Last von 43 Ztr, 87 Pf.; wie weit kann er um denselben Frachtlohn eine Last von 26 Ztr. 72 Pf. führen?

53) Ein Wirth hat ein Faß Wein von 12 Eimer 28 Maß, und verkauft die Maß davon um 40 kr. Wenn er nun die Maß um 36 kr. verkaufen will, ohne etwas zu verlieren, wie viel Wasser muß er jener Quantität Wein beymischen?

54) Wenn 146 fl. 35 kr. C. M. 200 Mk. Bko. in Hamburg betragen, wie viel Mk. Bko. müssen nun für 2457 fl. 48 kr. $2\frac{1}{2}$ dr. C.M. bezahlt werden?

55) A und B erbten eine gewisse Summe Geldes. A legte seinen Antheil zu $5\frac{1}{2}$ an und erhielt nach 2 Jahren, 4 Monaten 3780 fl. 36 kr. Interesse; B aber benützte seinen Antheil nur zu $4\frac{1}{2}$%, und erhielt dennoch in 2 Jahren, 4 Monaten eben so viel Zins. Wie viel betrug demnach die ganze Erbschaft?

56) A hat 3 Ztr. 79 Pf. 18 Lth. von einer gewissen Waare um 487 fl. 54 kr. 3 dr. gekauft; und verkauft dieselbe wieder mit $8\frac{1}{2}$% Gewinn; wie viel hat also A pr. Pf. gewonnen?

57) Ein Kaufmann erhielt um 2739 fl. 46 kr. $2\frac{1}{2}$ dr. C. M von einer gewissen Waare 18 Ztr. 59 Pf. $17\frac{1}{2}$ Lth. Brutto. Wie hoch kam ihm also der Ztr. Netto zu stehen, wenn die Tara 8 Pf. pr. Ztr. beträgt, und wie theuer muß er das Pf. in W. W. verkaufen, wenn ihm sein verwendetes Kapital $12\frac{1}{2}$% tragen soll?

58) A kaufte ein Haus um 24600 fl. C. M. unter der Bedingung, 3500 fl. baar auszuzahlen, 4800 fl. nach 3 Monaten, 6000 nach 6 Monaten und den Rest ein Jahr später, als das vorige Ratum. Gleich den andern Tag verkaufte A das Haus wieder gegen baare Bezahlung, und gewann $7\frac{1}{2}$% an dem baaren Einkaufswerth des Hauses. Wie hoch ist der baare Werth, um welchen A das Haus gekauft, wenn $6\frac{1}{2}$% Eskompte gerechnet werden, und wie theuer hat er es verkauft?

59) Von dem höchsten Punkte einer ungeheuren senkrechten Felsenwand fällt ein Stein in 7·45 Sekunden herab; wie hoch ist jener Felsen, wenn ein frey gelassener Körper in der ersten Sekunde 15·597

rheinl. Fuß tief fällt, und die Räume frey fallender Körper sich wie die Quadrate der Fallzeiten verhalten?

60) Ein Arbeiter verfertiget in einer gewissen Zeit 87 Ellen $\frac{7}{4}$ breiten Zeug; wie viel Ellen $\frac{4}{7}$ breiten Zeug werden 12 Arbeiter in derselben Zeit unter sonst ganz gleichen Umständen verfertigen können?

Folgende Aufgaben berechne man nach der wälschen Praktik. (§. 193. der Alg.)

1) Was kosten 834 Häringe, das Stück à 20 kr. gerechnet?

2) Was kosten à Ztr. 47 Pf. Reiß, das Pf. à 20 kr.?

3) Was kosten 3465 Pomeranzen, das Stück à 15 kr.?

4) Wie viel Thaler kosten 3 Ztr. 48 Pf. Unschlittkerzen, das Pf. à 45 kr. gerechnet?

5) Wie hoch kommen 348 Buch Papier, das Buch à 42 kr.?

6) A kauft 47 Eimer, 36 Maß Branntwein, die Maß à 45 kr.; wie viel hat er zu zahlen?

7) Wie hoch kommen $8\frac{11}{16}$ Ztr. Zucker, den Ztr. à 147 fl. 48 kr. gerechnet?

8) Wenn 1 Pf. Kaffeh mit 2 fl. 45 kr. bezahlt wird, wie hoch kommen 4 Ztr. 87 Pf. 24 Lth. zu stehen?

9) Wie hoch kommen $1\frac{4}{7}$ Ellen, wenn die Elle 1 fl. 24 kr. kostet?

10) Was kosten $\frac{15}{16}$ Ellen, die Elle à 3 Mark 12 Schilling Hamb. Banko?

11) Was kosten 725 Pf. 30 Lth. $2\frac{1}{4}$ Qt. den Ztr. à $24\frac{3}{4}$ Pf. Sterl. gerechnet?

12) Was kosten 465 Ellen, die Elle à 17 Schilling Sterl.?

13) Der Ztr. Öhl kostet 29 fl. 42 kr., was kosten 75 Pf.?

14) Der Ztr. Mandeln wird bezahlt mit 43 fl. 54 kr.; wie hoch kommen 325 Pf.?

15) In Amsterdam werden 100 Pf. Rosinen mit $23\frac{1}{2}$ fl. bezahlt, wie hoch kommen 349 Pf. 20 Lth.?

16) In Leipzig kostet das Pf. Karmin 96 Rthlr. 15 gr.; wie hoch kommen 5 Pf. 31 Lth. $3\frac{1}{2}$ Qt.?

17) In Danzig wird das Schiffpfund (à 14 Stein) Potasche mit 54 fl. 15 gr. bezahlt, wie hoch kommen 9 Schiffpf. $6\frac{1}{4}$ Stein?

18) Ein Wiener Kaufmann erhält aus Augsburg 2 Ztr. 57 Pf. 20 Lth. Kochenille, das Pf. à 10 fl. 45 kr. C. M., wie viel hat er zu zahlen?

19) Wenn in London das Pf. Kaffeh 10¼ Pence. Sterl. k wie hoch kommen 348 Pf. 12 Unzen?

20) Ein Wiener Kaufmann erhält aus Hamburg 991 Pf. Eiderdunen, das Pf. à 12 Mark 13 ßl. Banko, wie viel hat er zu zahlen?

21) Das Pf. Indigo kostet 6 fl. 48 kr. 3 dr. C. M., wie hoch kommen 97 Pf. 29 Lth. 2¼⅛ Quent.?

22) In Frankfurt a. M. kostet das Pf. Bergblau 2 fl. 28 kr. R. W., wie viel ist für 3 Ztr. 69 Pf. 23 Lth. in C. M. zu zahlen?

23) Wenn in Petersburg der Albertsthaler mit 1 Rubel 42¼ Kop. bezahlt wird, wie viel Rubel hat man für 692 solcher Thaler zu zahlen?

24) A erhält aus Amsterdam 354 Pf. 27 Lth. Thee Songlo, das Pf. à 2 fl. 17¼ Stüv. Cour., wie viel Gulden Amst. Cour. hat B zu zahlen?

II. Aufgaben über die zusammengesetzte Regel=Detri, wozu auch die Kettenregel gehört. (§. 194. — 197. der Alg.)

1) Wenn 36 Arbeiter in 24 Tagen, indem sie täglich 12 Stunden arbeiten, einen Graben ausheben, der 288 Klafter lang, 3 Klafter breit und 2 Klafter tief ist; in wie viel Tagen werden 20 Arbeiter bey täglichen 10 Arbeitsstunden einen Graben ausheben, der 400 Klafter lang, 2 Klafter breit und 2 Klafter 3 Fuß tief ist? — Antw. in 60 Tagen.

2) Ein Landwirth kann in 4 Tagen mit 3 Pflügen 18 Joch Land umpflügen, wenn er täglich 8 Stunden dazu verwendet; wie viel Joch kann er mit 12 Pflügen in 18 Tagen bey täglichen 10 Arbeitsstunden bearbeiten? — Antw. 405 Joch.

3) Wenn 3 Weber in 4 Wochen, wenn sie wöchentlich 6 Tage, und täglich 10 Stunden arbeiten, 144 Ellen ⅞ breiten Zeug verfertigen; wie viel Weber sind erforderlich, wenn in 6 Wochen 630 Ellen ¾ breiter Zeug verfertigt werden sollen, und wenn wöchentlich nur 5 Tage, und täglich nur 9 Stunden gearbeitet werden? — Antw. 15 Weber.

4) Wenn 4 Schnitter in 6 Tagen, indem sie täglich 15 Stunden arbeiten, mit 9 Joch fertig werden; wie viel Schnitter sind erforderlich, um mit 12 Joch in 8 Tagen bey täglichen 10 Arbeitsstunden fertig zu werden? — Antw. 6 Schnitter.

5) Wenn aus 18 Gebinden zu 60 Faden Länge 1 Elle Leinwand, die ⅞ breit ist, gewebt wird; wie viel Ellen ⅞ breiter Leinwand können

aus 1200 Gebinden zu 84 Faden Länge gewebt werden? — Antw. $108\frac{5}{9}$ Ellen.

6) Bey der Anlage eines Kanales hoben 20 Arbeiter in 15 Tagen, indem sie täglich 8 Stunden arbeiteten, 45 Kubikklafter Erde aus; wie viel Kubikklafter werden 25 Arbeiter, wenn sie täglich 10 Stunden arbeiten, in 40 Tagen ausheben, wenn wir annehmen, daß die Kraft der ersten Arbeiter zu der der letzten sich verhalte wie 9 zu 11, und daß sich die Schwierigkeit bey der Bearbeitung des ersten Bodens zu der Schwierigkeit bey dem andern Boden verhalte wie 11 zu 8? — Antw. 315 Kubikklafter 22·5 Kubikschuh.

7) Wenn in Paris eine gewisse Menge Getreides 26 Livres 3 Sous kostet, so erhält man für 6 Sous 18 Unzen Brot; wie schwer wird das Brot seyn, wenn dieselbe Quantität Getreides 16 Livres kostet? — Antw. 29·41875 Unzen.

8) Wenn der Sester Getreide 22 Livres 10 Sous kostet, so verkaufen die Bäcker 4 Pf. Brot um 11 Sous. Nun steigt das Getreide im Preise und zwar zu einem solchen Preise, daß die Bäcker 4 Pf. Brot um 16 Sous verkaufen, wodurch sie bey 4 Pf. Brot 6 dr. weniger gewinnen, als sie verhältnißmäßig nach dem ersten Preise gewannen; wie theuer ward also das Getreide verkauft? — Antw. 33·75 Livres = 33 Livres 15 Sous.

9) In X kostete der Sack Getreide 22 fl. 30 kr. und man erhielt 4 Pf. Brot um 33 kr. Nun steigt das Getreide auf 33 fl. 45 kr. und die Regierung befahl das Pf. Brot um 12 kr. zu verkaufen; so ist die Frage, wie viel verlieren oder gewinnen die Bäcker bey jedem Pf. Brot im Verhältniß zu den alten Preisen? — Antw. Sie verlieren $\frac{1}{3}$ Kreuzer beym Pfunde.

10) In einer Fabrik wurden 748 Arbeiter verwendet, die in zwey Partien abgetheilt waren; die erste Partie arbeitete täglich 9 Stunden, und verfertigte in 15 Tagen 4500 Ellen von irgend einem Zeuge. Die zweyte Partie arbeitete täglich nur 6 Stunden, und verfertigte in 27 Tagen 6840 Ellen von demselben Zeuge; wie viel Arbeiter waren bey der ersten, und wie viel bey der zweyten Partie? — Antw. Bey der ersten Partie waren 330, und bey der zweyten 418 Arbeiter.

11) Zwey Abtheilungen Schreiber werden in einer Bibliothek zum Abschreiben verschiedener Manuscripte verwendet. Die erste Abtheilung besteht aus 24 Schreibern, welche bey täglichen 8 Arbeits-

stunden in 90 Tagen 8 Exemplare eines Werkes in 6 Bänden , wovon jeder Band 480 Seiten, jede Seite 54 Zeilen und jede Zeile 56 Buchstaben enthielt, fertig brachten. Die zweyte Abtheilung bestand aus 30 Schreibern, welche täglich 6 Stunden bey der Nacht arbeiteten. In wie viel Nächten werden diese nun 9 Exemplare von einem Werke in 4 Bänden abschreiben, wenn jeder Band 800 Seiten, jede Seite 84 Zeilen, und jede Zeile 80 Buchstaben enthält? Die Geschwindigkeit der ersten Schreiber verhält sich zu der der andern wie 4 zu 5; auf dem Papier der ersten Schreiber kann man 7 Zeilen schreiben, bis man auf dem der andern 6 Zeilen schreibt, bey Tage kann man 6 Zeilen schreiben, bis man bey Nacht 5 Zeilen schreibt, und das Manuscript der zweyten Abtheilung ist schwieriger zu lesen, als das der ersten, und zwar verhalten sich diese Schwierigkeiten wie 7 zu 8. — Antw. 341 Nächte und 2 Stunden.

12) Fräulein Y stickte auf Organtin ein Bild, welches die Form eines Rechteckes hatte, dessen Breite 240 Fäden und dessen Höhe 300 Fäden betrug, und ward in 20 Tagen damit fertig, indem sie täglich 6 Stunden arbeitete, und in jeder Minute 100 Stiche machte. Nun will sie auf demselben Stoffe ein Gemälde sticken, ebenfalls in der Form eines Rechteckes, dessen Breite aber 280 Fäden, und dessen Höhe 390 Fäden beträgt; in wie viel Tagen wird sie selbes vollenden, wenn sie täglich nur 5 Stunden arbeitet, und in 5 Sekunden 3 Stiche macht? — Antw. In $101\frac{1}{2}$ Tagen.

13) Wie viel Stüber holländisch Courant wird 1 fl. C. M. in Amsterdam werth seyn, wenn 147 fl. 30 kr. C. M. in Hamb. 200 Mark betragen, wenn ferner 200 Mark Hamb. Bko. 175 fl. Bko. in Amsterdam, und 100 fl. Amst. Bko. 104 fl. Amst. Cour. gelten? — Antw. 24·678 Stüb. beynahe.

14) Wie viel Gulden C. M. betragen 2400 Krusaden à 400 Rees, wenn 1 Krusade in Hamburg $19\frac{1}{2}$ ßl. Bko. gilt, und 200 Mark Bko. mit $146\frac{5}{7}$ fl. C. M. bezahlt werden? — Antw. 2132.461 fl. C. M.

15) Wie viel Gulden C. M. betragen 3600 Franken, wenn 100 Franken in Hamburg 53 Mark $3\frac{1}{5}$ ßl. Bko. betragen, wenn ferner 200 Mark Bko. mit $175\frac{1}{2}$ fl. R. W. bezahlt werden, und 6 fl. R. W. = 5 fl. C. M.? — Antw. 1400 fl. 40·7 kr. C. M.

16) Ein Wiener Kaufmann erhält aus London 148 Londoner Ellen Seidenzeug, welche der Londoner Kaufmann zu 20 Pfund 12 fl. Sterl. notirt hat. Wie hoch kömmt nun die Wiener Elle in Gulden W. W.,

wenn der Kurs 249⅝ steht, wenn eine englische Elle = 1·4664 Wiener-Ellen, und wenn 1 Pf. Sterl. mit 10½ fl. C. M. bezahlt wird? — Antw. 2·4 fl. W. W. beynahe.

17) Ein Wiener bezieht aus London über Triest 12 Ztr. 56 Pf. netto englisch Gewicht feinen Zucker, den englischen Ztr. netto à 4 Pf. 15 Sl. Sterl. Die Kommission in London beträgt 2½ pr. Ct., die Seefracht und Assekuranz bis Triest beträgt 4¼ pr. Ct., die Speditionskosten und Platzunkosten in Triest 6 pr. Ct. Der Transport von Triest bis Wien ist 5 fl. C. M. pr. Ztr. brutto, und die Konsumo-Mauth 15 fl. 30 kr. C. M. pr. Ztr. Wenn nun der englische Ztr. = 90·6 Wiener Pf., das Pf. Sterl. = 10 fl. 9 kr. C. M., und die Emballage $\frac{1}{28}$ des Netto-Gewichts beträgt; so entstehen die Fragen, wie viel Gulden C. M. hat der Wiener dem Londoner zu zahlen? und wie hoch kommt dem Wiener das Wiener Pf., und wie theuer muß er das Wiener Pf. verkaufen, wenn er 12 pr. Ct. gewinnen will? — Antw. Der Wiener hat dem Londoner für die Waare sammt Unkosten bis Triest 647·065 fl. C. M. zu zahlen, ihm kommt das Wien. Pf. 48·7 kr. C. M., und er muß demnach das Pf. beynahe um 54·5 kr. C. M. verkaufen, um 12 pr. Ct. zu gewinnen.

18) Ein Wiener bezieht aus Kopenhagen 245½ Pf. dän. Gew. Eiderdunen à 3 Rthlr. 32 Schill. das Pf.; der Kopenhagner Kaufmann macht sich sogleich für den Betrag durch Wechsel zahlhaft, welche er für Rechnung des Wieners auf ein Amsterdamer Haus ausstellt. Der Wechselkurs von Kopenhagen auf Amsterdam ist 116⅝ Rthlr. für 100 Thlr. holl. Cour. notirt. Der Wiener bezahlt den Amsterdamer für das Geld, welches der Amsterdamer zur Bezahlung der Wechsel des Kopenhagners auslegt, durch Amsterdamer Wechsel, die er in Wien um 137½ Rthlr. Cour. für 100 Thlr. Amsterd. Bko. kauft; 100 holl. Thlr. Bko. = 104 Thlr. holl. Cour. Wenn nun die Kommissionsgebühr 2 pr. Ct., der Ausfuhrzoll aus Kopenhagen 4½ pr. Ct., und die Fracht und Mauth bis Wien 30 kr. pr. Pf. beträgt; was kostet das Wiener Pfund Eiderdunen in C. M., wenn der Kopenhagner Ztr. von 100 Pf. = 89·13 Wiener Pf. ist? — Antw. 7 fl. 17 kr. beynahe.

19) Ein Wiener Kaufmann bezieht aus Triest 3 Ztr. 84 Pf. brutto Wiener Gewicht Parmesan-Käse, den Ztr. netto à 75 fl. 36 kr. C. M. Die Tara beträgt 8 in 100, die Transportkosten 5 fl. 40 kr. C. M. pr. Ztr. brutto. Der Triester bezieht den Betrag für seine

Waare durch einen Wechsel, den er auf ein Handlungshaus in Venedig für die Rechnung des Wieners ausstellt. Der Wechselkurs von Triest auf Venedig ist 193$\frac{1}{4}$ fl. Wiener Cour. für 100 Duk. Bko. und von Venedig auf Wien 100 Duk. Bko. für 194$\frac{1}{7}$ fl. C. M. Wie viel hat der Wiener Kaufmann zu zahlen? — Antw. 289·53 fl.

20) Ein Wiener Kaufmann A hat an B in Neapel 2400 fl. C. M. zu zahlen, und remittirt diese Valuta nach Venedig, wohin der Kurs von Wien 193$\frac{1}{2}$ fl. C. M. für 100 Duk. Bko. steht, der Kurs von Venedig nach Neapel aber ist 100 Duk. Bko. für 121 Duk. del Regno. Wie viel wird die Rimesse in Neapel betragen? — Antw. 1500 Duk. di Regno 7$\frac{3}{4}$ Carlini.

21) Berlin läßt in Wien 1000 Dukaten à 4 fl. 33 kr. C. M. einkaufen und den Betrag à 105$\frac{1}{4}$ Thlr. preuß. Cour. für 100 Thlr. W. Cour. auf sich trassiren. Wien berechnet 1$\frac{1}{2}$ pr. Ct., Berlin aber $\frac{1}{2}$ pr. Ct. Spesen. Wie hoch werden die 1000 Dukaten in Berlin kommen? — Antw 3256 674 Thlr. preuß. Cour.

22) Ein Wiener A erbt von einem Verwandten in Paris 36000 Franken, welche A vom Wiener Kaufmann B einziehen läßt. B wendet sich an C in Paris, welcher den Betrag, nach Abzug von 1$\frac{1}{2}$ pr. Ct. Spesen in einem Wechsel auf D in Hamburg 25·5 fl. Bko. für 3 Franken remittirt. Diesen Wechsel verkauft B à 147$\frac{1}{2}$ fl. C. M. für 200 Mark. Bko. Wie viel Dukaten wird nun A erhalten, wenn das Agio für die Dukaten 2$\frac{1}{2}$ pr. Ct. beträgt, und wenn B 4$\frac{1}{4}$ pr. Ct. Kommissionsgebühr rechnet? — Antw. 2867 Duk. 52 kr.

23) A in Wien hat dem B in London 2400 Pf. Sterl. zu zahlen. Diese Zahlung kann A auf folgende Arten leisten:

a) Er läßt auf sich trassiren; der Kurs ist von London auf Wien 1 Pf. Sterl. für 9 fl. 24 kr. C. M., und die Spesen betragen 1$\frac{1}{2}$ pr. Ct.

b) Er kauft einen Wechsel auf London; der Kurs ist 9 fl. 27 kr. C. M. für 1 Pf. Sterl. Die Spesen betragen $\frac{1}{2}$ pr. Ct.

c) Er remittirt einen Wechsel auf Hamburg, wohin der Kurs 144$\frac{4}{5}$ Rthlr. für 100 Thlr. Bko. Zwischen London und Hamburg ist der Kurs 34$\frac{3}{4}$ fl. vl. Bko. (8 fl. vläm. Bko. = 3 Mark Bko.) für 1 Pf. Sterl. In Wien betragen die Spesen $\frac{1}{4}$ pr. Ct. und in Hamburg rechnet der Freund 2$\frac{1}{2}$ pr. Ct. Auf welchem Wege hat A in Wien am wenigsten zu zahlen? — Antw. Auf dem ersten Wege

22898·4 fl. C. M., auf den zweyten 22859·1 fl. und auf dem dritten 23073·5 fl., folglich ist der zweyte der vortheilhafteste.

24) A in Wien sendet seinem Freunde B in Hamburg 3000 Mark Bko. zum einkassiren und 500 Pf. Sterl. zum Verkauf und zwar zu 34⅞ fl. vläm. Bko. für 1 Pf. Sterl. Diesen Betrag bittet er nach Abzug von 2 pr. Ct. Provision und Sensarie nach Venedig für seine (des A) Rechnung zu remittiren. Wenn nun der Kurs von Hamburg auf Venedig 85½ Groot vläm. Bko. für 1 Duk. Bko. steht, und der Venediger 1 pr. Ct. Spesen rechnet, wie viel Duk. Bko. kann A auf Venedig trassiren? — Antw. 3429·742 Duk. Bko.

25) Als der Metzen Korn 3 fl. 54 kr. W. W. kostete, wurde der Laib Brot mit 15 kr. bezahlt; nun stieg aber das Getreide im Preise um 23½ und die Bäcker mußten auf obrigkeitlichen Befehl den Laib Brot von demselben Gewichte um 18 kr. verkaufen, und so verloren sie 2·56 Procent gegen den frühern Preis. Wie theuer war also das Korn, und wie hoch hätte das Brot verkauft werden müssen, um den Bäckern denselben Gewinn, wie früher, zu lassen?

26) Ein Ingenieur erhielt den Auftrag, zwey Kanäle graben zu lassen, und der erste A sollte 300° lang, 15′ breit und 5′ tief werden, der andere B aber 375° lang, 3° breit und 7′ tief. Der Ingenieur ließ nun beyde Kanäle von 88 Arbeitern zugleich anfangen, und so wurde der Kanal A in 4 Wochen fertig, weil wöchentlich 6 Tage, und täglich 10 Stunden gearbeitet wurde; der Kanal B aber ward erst in 6 Wochen vollendet, weil wöchentlich nur 5 Tage, aber täglich 14 Stunden gearbeitet wurde. Beym Kanal A kam jede Klafter (Länge) auf 4 fl. 48 kr. W. W. zu stehen, beym Kanal B aber jede Klafter auf 7 fl. 40·8 kr. W. W. Wie viel Arbeiter waren demnach beym Kanale A, wie viele beym Kanale B beschäftiget? Wie viel täglichen Arbeitslohn erhielt jeder Arbeiter bey der ersten Abtheilung, und wie viel bey der zweyten? Wie hoch kommen die beyden Kanäle zu stehen, wenn der inspizirende Ingenieur 5½ vom ganzen Arbeitslohn als Remuneration erhielt, das Verführen des ausgehobenen Erdreiches 1260 fl. C. M. kostete, und für die Abnützung der zum Graben verwendeten Geräthschaften 340 fl. C. M. gezahlt wurden?

27) Von zwey Brüdern A und B hatte jeder eine Spinnfabrik gekauft. In der Fabrik des A wurde monatlich 25 Tage und täglich 12 Stunden gesponnen, und so gewann A in einem Jahre rein 1830 fl. C. M. In der Fabrik des B wurde monatlich nur durch

24 Tage, aber täglich 14 Stunden gearbeitet, und so hat B nur 10 von seinem Kapitale bezogen, während A 12 % gewonnen hat, obgleich in der Fabrik des B 25 Spinnmaschinen waren, während in der des A deren nur 20 sich befanden. Wie theuer hat jeder der beyden Brüder die Fabrik gekauft, unter der Voraussetzung, daß alle Spinnmaschinen gleich groß und gleich gut waren?

28) Ein Weber verfertigte aus 3 Pf. Garn 14 Ellen Leinwand, welche $1\frac{1}{8}$ Ellen breit war; nun erhält er aber von jemand 20 Pf. Garn, um daraus 100 Ellen Leinwand zu weben. Wie breit kann der Weber die Leinwand machen, wenn die Feinheit des erhaltenen Garnes sich zur Feinheit des erstern Garnes verhält wie 4 zu 3? Vom etwa gefundenen Bruche soll jedoch der zweyte Theilbruch genommen werden.

29) Als 12 Metzen Korn 37 fl. C. M. kosteten, erhielt man 23 Loth Brot um 3 kr. C. M.; nun erhält man aber 5 Metzen Korn um 15 fl. 25 kr. W. W.; wie viel Loth Brot muß man um 1 kr. C. M. erhalten?

30) Wenn zu einem Tischzeuge, welches $21\frac{1}{4}$ Ellen lang und $1\frac{1}{5}$ Elle breit ist, $12\frac{3}{8}$ Pf. Garn nöthig waren; wie viel Ellen Tischzeug können nun aus 70 Pf. Garn verfertigt werden, wenn derselbe 2 Ellen breit werden soll?

31) Wie groß muß ein Kapital seyn, welches in 3 Jahren 5 Monaten 17 Tagen zu $4\frac{1}{4}$ % eben so viel Interesse gibt als 4856 fl. 42 kr. in 2 Jahren 10 Monaten 23 Tagen zu $5\frac{1}{2}$ %?

32) Wie hoch kommt in Gulden C. M. der Wiener Ztr. von irgend einer, aus London zu beziehenden Waare zu stehen, wenn der Londoner Ztr. 4 Liv. 9 Sl. Sterl. kostet, wenn ferner die Kommissionsgebühren in London 3 %, die Assekuranz wegen Verschiffung bis Triest $4\frac{1}{5}$ % Seefracht und Platzunkosten in Triest $7\frac{3}{4}$ % betragen? Die Fracht von Triest bis Wien beträgt 5 fl. 12 kr. C. M. pr. Ztr. netto, und die Konsumo-Mauth 12 fl. pr. Ztr. Ferner ist nach dem Wechselkurs von Wien auf London 1 Pf. Sterl. = 10 fl. 4 kr. C. M., und der engl. Ztr. = 90·6 Wien. Pf.

33) Ein Wiener Kaufmann bezieht aus Petersburg $7\frac{5}{8}$ Pud von irgend einer Waare, das Pud à $165\frac{3}{4}$ Rubel. Die Kommission in Petersburg beträgt 3 %, die Fracht und Mauth bis Wien beträgt pr. Ztr. Wien. Gew. $2\frac{4}{5}$ % des Einkaufspreises. Ferner ist 1 Pud = 29·21 Wien. Pf. und 100 Rubel werden mit 153 fl. $50\frac{3}{4}$ kr. C. M.

zahlt. Wie hoch kommt dem Kaufmanne der Wiener Ztr. in Gulden C. M., und wie theuer muß der das Wien. Pf. verkaufen, um
$2\frac{1}{2}$ % zu gewinnen?

34) A in Wien läßt durch einen Kommissionär in London eine
gewisse Waare einkaufen, deren Nettogewicht 5 Ztr. 63 Pf. engl. Gew.
beträgt. Die Waare kostet in London 53 Livr. 13 ßl. Sterl.; nach
dem Kurse ist 1 Livr. Sterl. = 10 fl. 6 kr. C. M.; Spesen und
Kommission in London betragen $3\frac{1}{2}$ %, die Assekuranz bis Triest $4\frac{7}{8}$ %;
1 Lond. Pf. = 0·79 Wien. Pf.; die Transportkosten bis Wien be-
tragen 10 fl. 42 kr. C. M. pr. Ztr., und die Mauth und Zoll betragen 5 fl. 36 kr. pr. Ztr. Wie hoch kommt der Wiener Ztr. in Gulden C. M.?

35) In Marseille kostet ein Myriagramm Provencer-Öhl
83 Francs 75 Cent.; Assurance sammt Assurance-Courtage beträgt
$\frac{1}{2}$ %; Kommission, Sensarie, Emballage, Ausgangszoll und sonstige
Spesen aber 5 %; nach dem Kurse von Wien auf Paris sind 300 Fr.
= 116 fl. C. M.; endlich ist 1 Kilogramm = 1·785 W. Pf. Wie
viel Gulden C. M. wird also der Wien. Ztr. kosten?

36) In London kostet 1 engl. Pf. Netto Muskatnüsse 4 ßl.
3 dr. Sterl.; die Assurance bis Triest $4\frac{1}{2}$ %, Kommission, Sensarie und
andere Spesen in London 3 %. Ein Wiener Kaufmann läßt nun 1 Ztr.
34 Pf. engl. Gew. Muskatnüsse in London einkaufen, und zahlt den
Londoner Kaufmann dadurch, daß er einen in London zahlbaren Wechsel kauft und einsendet. Wenn nun der Wechselkurs zwischen Wien
und London mit 1 Liv. Sterl. = 9 fl. 42 kr. notirt ist, und die Sensarie nebst andern Auslagen $1\frac{1}{2}$ % beträgt, wie hoch kommt dem Wiener die obige Waare in Gulden C. M., und was kostet 1 Pf. dieser
Waare?

37) Aus dem russischen Pfunde werden 19·6 Rubel geprägt,
welche $83\frac{1}{3}$ Solotnik fein sind. Das Pfund ist = 96 Solotnik =
8512 holl. As. Wie viel Silberrubel werden nun auf eine köln. Mark
fein Silber gehen? — Welchen Feingehalt hat dieser Rubel und wie
viel ist er in Conventionsgelde werth?

38) Wenn 3655·78 Rubel in Silber = 5879 fl. $42\frac{1}{2}$ kr. C. M.
gerechnet wurde, welchen Kurs hat man angenommen?

39) Ein Pariser gibt einem Wiener Handlungshause den Auftrag, ihm 25000 Franken zu remittiren und dagegen den Betrag auf
Hamburg zu trassiren. Wien remittirt nach Paris zu 116·5 und traf-

firt auf Hamburg zu 145. Der Wiener Kommissionär rechnet sowohl bey der Rimesse als bey der Tratte ½ % Kommission und 1 pr. mille Sensarie. Welchen Betrag wird also der Wiener auf Hamburg trassiren müssen?

40) Ein Wiener hat an A in Lissabon die Summe von 3854 Krusaden zu zahlen, und könnte den Betrag auf folgenden Wegen zahlen:

a) Der Wiener remittirt nach Hamburg 144·8 Thlr. für 100 Thlr. Hamb. Bko., und von da nach Lissabon 41½ dr. vlm. für 400 Rees.

b) Der Wiener läßt von A auf sich über Paris trassiren. Der Kurs von Lissabon auf Paris ist 494½ Rees für 3 Franken, und von Paris auf Wien 257¼.

c) Der Wiener remittirt über Amsterdam den Betrag. Der Kurs von Wien auf Amsterdam ist 137⅞ Rchsthlr. Conv. Cour. für 100 Thlr. holl. Cour., und von Amsterdam nach Lissabon 45½ kr. vlm. für 400 Rees oder 1 Krusade. — Welcher Weg ist demnach für den Wiener der vortheilhafteste?

III. Aufgaben über die Theilregel.
(§. 203. — 206. der Alg.)

1) A, B, C und D treten in Kompagnie, und zwar A mit einer Einlage von 2400 fl., B 3000 fl., C 2100 und D 3600 fl. Sie gewannen jährlich 925 fl.; wie viel erhält also jeder verhältnißmäßig seiner Einlage? — Antw. A 200 fl., B 250 fl., C 175 fl. und D 300 fl.

2) Es mußten 6 Dorfschaften einem feindlichen General 2400 fl. Brandschatzung zahlen, welche nach der Steuerquote der einzelnen Gemeinden repartirt wurden. Wenn nun die Gemeinde A 18 fl. 15 kr., B 15 fl. 48 kr., C 20 fl. 27 kr., D 12 fl., E 23 fl. 36 kr. und F 9 fl. 54 kr. vierteljährige Steuer zahlen mußte, wie viel hatte jede dieser Gemeinden zu dieser Requisition beyzutragen? — Antw. A 438 fl., B 379 fl. 12 kr., C 490 fl. 48 kr., D 288 fl., E 566 fl. 24 kr. und F 237 fl. 36 kr.

3) A vermachte seinen 3 Geschwistern 8100 Thlr. mit der Bestimmung, daß sich ihre Antheile verhalten sollen wie die Brüche ½, ⅓ und ¼. Wie viel erhält jedes? — Antw. A 3600, B 3000 und C 1500.

4) Drey Personen legten 1900 fl. zusammen, und zwar legte A 400 fl. ein, B 600 fl. und C 900 fl. Wenn nun A 120 fl. gewonnen hat, wie viel gewann jeder der beyden andern, und wie groß war

der ganze Gewinn? — Antw. B gewann 180 fl. und C 270 fl., also alle drey zusammen 570 fl.

5) Drey Freunde unternahmen ein Geschäft, und fanden am Ende des Jahres, daß ihr Kapital $6\frac{1}{2}$ pr. Ct. getragen habe, weil der Überschuß gerade 650 fl. betrug. Die Einlagen verhielten sich wie die Zahlen $\frac{5}{2} : 2 : \frac{7}{4}$. Wie groß war die ganze Einlage, wie groß waren die einzelnen Beyträge, und wie viel gewann jährlich jeder der Interessenten? — Antw. Die ganze Einlage war 10000 fl. A hatte 4000 fl., B 3200 fl. und C 2800 fl. beygetragen, und demnach erhielt A 260 fl., B 208 fl. und C 182 fl. vom ganzen Gewinn.

6) Zwey Freunde legten 45648 fl. zusammen, um ein Geschäft gemeinschaftlich zu führen. Nach einer bestimmten Zeit trennten sie sich wieder, und jeder hatte die Hälfte seiner Einlage gewonnen. Der erste erhielt für seinen Antheil 43686 fl. Wie viel hat jeder eingelegt? — Antw. Der erste 29124 fl. und der zweyte 16524 fl.

7) A bezog aus einer Fabrik 400 Ellen Tuch, die Elle à 9 fl. 30 kr. und zahlbar nach 2 Monaten. A behielt hiervon $\frac{1}{7}$, und gab dem B $\frac{1}{7}$, dem C $\frac{1}{5}$, dem D $\frac{3}{10}$, und den Rest des Tuches seinem Bruder E. Weil nun diese 5 Personen jenen Betrag sogleich auszahlen, so läßt der Fabriksbesitzer 1 pr. Ct. nach. Wie viel hat jeder zu zahlen? — Antw. A 752 fl. 24 kr., B 940 fl. 30 kr., C 470 fl. 15 kr., D 1128 fl. 36 kr. und E 470 fl. 15 kr.

8) Acht Generale, 10 Obersten und 16 Majors kommen mit einem Traiteur überein, für Verköstung ihrer Bedienten monatlich 1128 fl. zu zahlen. Jeder General hatte 4 Bediente, jeder Oberste 3 und jeder Major 2, welche sämmtlich durch 38 Tage verköstet wurden. Wie viel hatte jeder Officier zu zahlen? — Antw. Jeder General hatte 60 fl. 48 kr., jeder Oberste 45 fl. 36 kr. und jeder Major 30 fl. 24 kr. zu zahlen?

9) Ein Vater hinterließ nebst seiner Frau, 3 Söhne und 2 Töchter, und ein Vermögen von 52989 Thalern. Im Testamente hatte er festgesetzt, daß jeder Sohn 3 Mal so viel bekomme als eine Tochter, und die Mutter doppelt so viel als ein Sohn. Wie viel erhielt jedes? — Antw. Eine Tochter 3117 Thlr.; jeder Sohn 9351 und die Mutter 18702 Thaler.

10) Ein Kaufmann A kassirt folgende Gelder ein:
4768 Thlr. Pr. Cour. à 1 fl. 25 kr. C. M.
3280 Pf. 12 Schill. Sterl. à 9 fl. 24 kr. 2·85 Pf. pr. Pf. Sterl.

20400 Mark Blo. à 43½ kr. pr. Mark.

12800 Franken, à 23¾ kr. pr. Fr.

7900 Spec. Thal. à 2 fl.

Der Kaufmann B kassirte folgende Summen ein:

4800 fl. polnisch à 14½ kr. pr. fl.

6800 Duk. holländisch à 4 fl. 30 kr.

48000 Rees, 1 Milleree's à 1 fl. 44¾ kr.

90000 Türk. Piaster à 31½ kr.

8800 Dollars Amer. à 2 fl. 3⅜ kr.

Diese Summen legen beyde zusammen und kaufen damit ein Gut, welches im ersten Jahre 2½ pr. Ct., im zweyten Jahre 4 pr. Ct., im dritten Jahre 6 pr. Ct. und im vierten Jahre 8 pr. Ct. trägt. Nach jedem Jahre kaufen sie von den Interessen 5 procentige Staatspapiere, wovon sie jedoch die Interessen erst am Ende des vierten Jahres erheben. Sie hatten kaum am Ende des vierten Jahres von den Interessen Staatspapiere gekauft, so zeigte sich ihnen eine vortheilhafte Spekulation, weßhalb sie sich sogleich entschlossen, ihr ganzes Vermögen in baares Geld zu verwandeln. Das Gut verkauften sie gegen 10 pr. Ct. über dem Einkaufspreis und die Staatspapiere waren um 1½ pr. Ct. gestiegen. Nun nahmen beyde ihr Vermögen und verwendeten es zu einem neuen Geschäfte, welches 5 Jahre währte, und wobey sich ein Gewinn von 60000 fl. zeigte. Wie reich war A und B im Anfange? Wie theuer haben sie das Gut gekauft? Wie reich war jeder, als sie das Gut und die Staatspapiere verkauft hatten? Wie rentirte sich das Gut in den vier auf einander folgenden Jahren? Welches war im Durchschnitt der reine Ertrag des Guts? Wie theuer haben sie es verkauft? Wie reich ist jeder der Interessenten am Ende des fünfjährigen Geschäftes? Wie viel Procente trug dieses Geschäft? Endlich wie viel Procente hat das ursprüngliche Kapital betragen? —

Antw. A hatte 73181·2638, B aber 97188.4 fl. C. M. anfänglich; das Gut kostete also 170370 fl. C. M. beynahe. Nach dem Verkauf des Gutes und der Staatspapiere hatte A 96513·5 fl. B 128174·7 fl.; das für das Gut ausgelegte Capital trug während der 4 Jahre der Besitzung im Durchschnitt 5⅛ pr. Ct., das Gut trug also im Durchschnitt jährlich 8731·46 fl., das Gut verkauften sie um 187407 fl. Nach dem fünfjährigen Geschäfte besaß A 122286·5 fl., B 162402·5 fl., denn dieses letzte Geschäft trug jährlich 5·34 pr. Ct., und demnach hat das ursprüngliche Kapital während 9 Jahren im Durchschnitt 7·46 pr. Ct. beynahe getragen.

11) Vier Kaufleute unternahmen gemeinschaftlich ein Geschäft mit einer gewissen Summe Geldes, und waren so glücklich in 5 Jahren ihre Einlage verdreyfacht zu erhalten. Sie nahmen daher ihre Einlage zurück, und machten mit dem Gewinne, der 13000 fl. betrug, ein neues Geschäft, wobey sie 65 fl. weniger gewannen, als ihre ursprüngliche Einlage betrug. Nun theilten sie sich in den ganzen Gewinn, und zwar erhielt A $\frac{4}{13}$, B 598 fl. weniger als A, C $\frac{5}{7}$ Mal so viel als B, und D den Rest. Welches war die ursprüngliche Einlage eines jeden, und wie viel erhielt jeder vom gesammten Gewinne? — Antw. A legte 2000 fl. ein, B 1800 fl., C 1500 fl. und D 1200 fl.; und da der gesammte Gewinn 19435 fl. betrug, so gebührte hiervon dem A 5980 fl., dem B 5382 fl., dem C 4485 fl. und dem D 3588 fl.

12) Vier Kaufleute unternahmen ein Geschäft mit folgenden Einlagen. A gab 17500 fl., B 15000 fl., C 16450 fl. und D 12750 fl. Die Leitung des Geschäftes übergaben sie einem Kommis E, der 7420 fl. Kaution erlegt hatte, die ebenfalls im Geschäfte mit verwendet wurden. Der Kommis erhielt 4 pr. Ct. vom ganzen Gewinne als Remuneration. Das Geschäft dauerte 4 Jahre, und bey Abschluß der Rechnung zeigte sich, daß sie gemeinschaftlich 750 fl. pr. Monat gewonnen haben. Wie viel hat nun jeder der Interessenten verhältnißmäßig seiner Einlage zu fordern, und wie hat sich das ganze Kapital rentirt? — Antw. A erhielt 26250 fl., B 22500 fl., C 24675 fl., D 19125 fl. und der Kommis 11130 fl. + 1440 fl. (als Remuneration) = 12570 fl., und das eingelegte Kapital trug demnach jährlich 12½ pr. Ct.

13) Drey Weber A, B, C erhielten von einem Kaufmann 1312 fl. Arbeitslohn. A hatte 12 Gesellen 10 Wochen wöchentlich 5 Tage arbeiten lassen; B aber 8 Gesellen 11 Wochen wöchentlich 6 Tage, und C endlich 40 Gesellen 3 Wochen, wöchentlich 7 Tage. Jeder dieser drey Weber legte seinen Antheil an jener Summe durch 5 Jahre an, und so erhielt am Ende dieses Zeitraumes der A 500 fl., B aber 492 fl. 48 kr., D endlich 728 fl. Wie viel erhielt jeder Webermeister vom Kaufmanne, und wie viel Procente hat jedem sein Kapital getragen?

14) Vier Brüder A, B, C, D kauften sich mehrere Lotterieloose und gewannen eine bedeutende Summe. B hatte um den vierten Theil mehr gesetzt als A; C halb so viel als A und B zusammen, und

8 *

D den vierten Theil von der Summe seiner drey Brüder. Mit dem ganzen Gewinne kauften sie nun gemeinschaftlich eine Fabrik, welche sie nach einem Jahre wieder um 111780 fl. verkauften, und so hatten sie in diesem Jahre im Ganzen 15 Procent von der Einkaufssumme gewonnen. Jetzt trennen sich die Brüder, und D erhält für seinen Antheil 22356 fl. Wie reich war jeder dieser Brüder bey der Trennung? Wie viel hat jeder in der Lotterie gewonnen und wie viel hat jeder ursprünglich gesetzt?.

15) Drey Kaufleute A, B, C legten eine gewisse Summe Geldes zusammen, um damit ein Dampfschiff anzukaufen, welches sie alle zwey Monate nach Alexandrien gehen ließen und nach 7 Jahren hatten sie so viel gewonnen, daß jeder Gesellschafter das Fünffache seiner Einlage zurück erhielt. Mit diesen neuen Summen unternahm nun jeder für sich ein Geschäft, und als sie 16 Jahre später wieder zufällig zusammen kamen, und ihre Bücher verglichen, zeigte sich, daß jeder ein Vermögen von 13860 Dukaten besaß. Sie rechneten nun, und fanden, daß B bey dem letzten Geschäfte jährlich $7\frac{1}{5}$ % gewonnen habe, A um $\frac{11}{15}$ % mehr, C aber um $\frac{4}{5}$ % weniger. Wie viel hatte jeder Gesellschafter ursprünglich eingelegt? wie hat sich die Einlage bey dem ersten Geschäfte rentirt? Wie viel Procent hat das ursprüngliche Kapital während der 23 Jahre im Durchschnitte getragen?

16) Es ließ jemand 63 Ztr. Schießpulver (welches aus Salpeter, Schwefel und Kohle zusammengesetzt ist) verfertigen, mit dem Auftrage, auf 16 Theile Salpeter 2 Theile Schwefel zu nehmen. Wenn nun jene 63 Ztr. Schießpulver 9 Ztr. Kohlen enthalten, wie viel Salpeter und wie viel Schwefel wird diese Quantität enthalten, und wie viel Theile Kohlen kommen auf 16 Theile Salpeter?

Siebenter Abschnitt.

I. Aufgaben über die bestimmten Gleichungen.

A) Einfache Gleichungen. (§. 211.—220. der Alg.)

a) Mit einer unbekannten Größe.

1) Gleichung $x \pm a = b$.

    Auflösung. $x = b \mp a$.

2) Gl. $ax = b$.

    Aufl. $x = \dfrac{b}{a}$.

3) Gl. $\dfrac{x}{a} = b$.

    Aufl. $x = ab$.

4) Gl. $\dfrac{ax}{m} - b = c - \dfrac{ax}{n}$.

    Aufl. $x = \dfrac{mn(b+c)}{a(m+n)}$.

5) Gl. $\dfrac{x}{a} + \dfrac{x}{b} - c = d + \dfrac{ax}{c}$.

    Aufl. $x = \dfrac{abc(c+d)}{bc + ac - a^2 b}$.

6) Gl. $\dfrac{a-x}{m} + cx - \dfrac{a}{2} = \dfrac{2a+x}{4m} - \dfrac{ac}{6}$.

    Aufl. $x = \dfrac{2a(3m - cm - 3)}{3(4cm - 5)}$.

7) Gl. $\dfrac{a}{x} - \dfrac{2m}{3} + 4 = \dfrac{3m}{2} - \dfrac{6}{x}$.

    Aufl. $x = \dfrac{6(a+6)}{13m - 24}$.

8) Gl. $\dfrac{24}{5} + \dfrac{12}{7x} - \dfrac{3x}{10} = \dfrac{15}{x} - \dfrac{3x+2}{10}$.

    Aufl. $x = 2\dfrac{23}{35}$.

9) Gl. $\frac{2x}{3} + \frac{3x}{5} - 4 = x + 12.$

Aufl. $x = 60.$

10) Gl. $-3\frac{4}{5} + \frac{2x}{3} + \frac{x}{2} = \frac{3x}{4} + \frac{13}{15}.$

Aufl. $x = 11\frac{1}{5}.$

11) Gl. $3\cdot 8x - \frac{2x}{5} + 4 = 43 - \frac{12x}{25}.$

Aufl. $x = 11\frac{134}{431}.$

12) Gl. $\frac{3x}{5} - \frac{7x}{10} - \frac{x}{2} + \frac{3x}{4} - \frac{3x}{8} + 15 = 0.$

Aufl. $x = 66\frac{2}{3}.$

13) Gl. $\frac{x+5}{3} - \frac{x}{2} + 4 = \frac{x-2}{7} - 2 + \frac{x}{6}.$

Aufl. $x = 167.$

14) Gl. $\frac{10-7x}{x-1} = \frac{5}{x+1} - 7.$

Aufl. $x = 4.$

15) Gl. $\frac{2a+x}{x} - 3 = \frac{8}{x}.$

Aufl. $x = a - 4.$

16) Gl. $\frac{ax}{m} - \frac{bx}{n} + c - 1 = ac - \frac{bx}{m} + \frac{ax}{n}.$

Aufl. $x = \frac{mn(ac-c+1)}{(a+b)(n-m)}.$

17) Gl. $a + m\sqrt[n]{x} = c.$

Aufl. $x = \left(\frac{c-a}{m}\right)^n.$

18) Gl. $a + b\sqrt[n]{a+x^2} = A.$

Aufl. $x = \sqrt{\left(\frac{A-a}{b}\right)^n - a}.$

19) Gl. $ax^n = b.$

Aufl. $x = \sqrt[n]{\frac{b}{a}}.$

20) Gl. $a\sqrt[n]{ax+\beta} = b\sqrt[n]{\gamma x + \delta}.$

Aufl. $x = \frac{b^n\delta - a^n\beta}{a^n\alpha - b^n\gamma}.$

21) Gl. $2\sqrt{3 + \sqrt{x}} = 3\sqrt{3 - \sqrt{x}}$.

Aufl. $x = \left(\frac{15}{13}\right)^2 = \frac{225}{169} = 1\frac{56}{169}$.

23) Gl. $2\sqrt[4]{\frac{a-n}{a^2x+\beta}} = \sqrt[8]{\frac{a-n}{a^2x+\beta}}$.

Aufl. $x = \frac{(a-n) - 4096\beta}{4096\,a^2}$.

23) Gl. $\frac{3x}{5}\sqrt{4x^2 + 9} + \frac{6x^2}{5} = \frac{1}{1}x$.

Aufl. $x = \frac{11}{40}$.

24) Gl. $\frac{(6+x)(5-x)}{2} + 3x = \frac{15x}{4} - \frac{x^2}{2}$.

Aufl. $x = 12$.

25) Zwey Studenten haben zusammen 33 Bücher. Der Eine von ihnen hätte drey Mal so viel als der Andere, wenn er 7 Bücher mehr hätte, als er hat. Wie viel Bücher hat jeder von ihnen? — Antw. Der Eine hat 10, der Andere 23 Bücher.

26) Ein Lehrer fragte seinen Schüler, wie alt er sey. In 7 Jahren, antwortete dieser, bin ich drey Mal so alt, als ich vor 5 Jahren war. Wie alt war der Schüler? — Antw. 11 Jahre.

27) Cajus fragte den Sempronius, wie viel Geld er habe. Dieser antwortete: Wenn ich so viele Groschen hätte, als ich Kreuzer habe, so würde mir gerade das Doppelte meines Geldes zu einem Gulden fehlen. Wie viel Geld hatte Sempronius? — Antw. 12 kr.

28) Wie viel Eyer hast du in deinem Korbe, fragte jemand ein Bauernmädchen. Dieses erwiederte schnell: Zwey Drittel davon betragen 5 mehr, als die Hälfte macht. Wie viel Eyer waren im Korbe? — Antw. 30 Eyer.

29) Ein Edelmann antwortete auf die Frage, wie viel Pferde er im Stalle hätte: Wenn ich 3 weniger hätte, so würde die Hälfte um 2 mehr betragen, als ein Viertel der Pferde, die ich wirklich besitze. Wie viel Pferde hatte der Edelmann? — Antw. 14 Pferde.

30) Es fragte jemand einen Lehrer, wie viel Schüler er habe. Die Hälfte meiner Schüler, erwiederte der Lehrer, beträgt 10 mehr, als der sechste und achte Theil derselben. Wie viel Schüler hatte er? Antw. 48.

3ı) **A** wurde von B um sein Alter gefragt, und gab folgenden Bescheid. In 8 Jahren bin ich noch eın Mal so alt, wie mein Sohn. Wenu du nun von der Hälfte meines Alters 5 Jahre abziehst, diese Differenz durch meines Sohnes Alter dividirst, und dazu das Alter von uns beyden addirst, so findest du eine Zahl, welche um $3\frac{1}{15}$ kleiner ist, als die Hälfte meines dreyfachen Alters. Wie alt bin ich, und wie alt ist mein Sohn? — Antw. Der Vater 40 und der Sohn 16 Jahre.

3ᴤ) Eine Frau brachte Äpfel und Birnen zu Markte, zusammen 100 Stück. Da sie 7 Birnen um 4 Groschen und 11 Äpfel um 6 kr. verkaufen mußte, so brachte sie nur 2 fl. nach Hause. Wie viel Äpfel und wie viel Birnen hatte das Weib? — Antw. 56 Birnen u. 44 Äpfel.

33) In einer Gesellschaft fragte ein Amerikaner, welcher Fürst der beste und weiseste in Europa sey? Ein junger Mensch antwortete schnell: Wenn du die Buchstaben des Alphabets mit Indices bezeichnest, so bilden die Zeiger der Buchstaben im verlangten Namen folgende Zahlen: Die zweyte ist um Eins kleiner, als das Dreyfache der Ersten; die dritte ist nur der sechste Theil der Ersten; die vierte ist um Eins größer, als das Doppelte der Ersten; und die fünfte ist um Eins größer, als das Vierfache der Ersten; die Summe der Zeiger aber ist gerade 6ᴤ. Wie heißt der Fürst? — Antw. FRANZ.

34) **A** wurde gefragt, wie alt er sey: Er antwortete: Meine Frau und ich haben zusammen 58 Jahre, und vor ᴤ6 Jahren war ich noch ein Mal so alt als meine Frau. Wie alt waren beyde? — Antw. Der Mann 30, die Frau 28 Jahre.

35) Ein sterbender Vater vermachte mittelst Testament seiner Frau $\frac{1}{4}$ des ganzen Vermögens, und jedem seiner beyden Söhne $\frac{1}{5}$ des Vermögens, und den Rest, der gerade 700 fl. betrug, den Armen. Wie groß war das hinterlassene Vermögen? — Antw. 8400 fl.

36) Ein Kapitalist nahm jährlich 4500 fl. Interessen ein. Der dritte Theil des Kapitals lag zu 5 pCt. an, $\frac{1}{5}$ des Vermögens zu $4\frac{1}{2}$ pCt., und der Rest zu 6 pCt. Wie groß war das ganze Vermögen, und wie groß waren die einzelnen Kapitalien? — Antw. Das ganze Kapital betrug 90000 fl; das erste Kapital 30000 fl., das zweyte 40000 fl. und das dritte 20000 fl.

3ᴻ) Wie viel 8löthiges Silber muß man zu $7\frac{1}{2}$ Mark 13löthigem setzen, damit die Mischung 9löthig werde? — Antw. 30 Mark.

38) Ein Vater ist jetzt 45 Jahre alt, und sein Sohn 1ᴤ; in wie

viel Jahren wird der Vater nun noch einmal so alt seyn, als sein Sohn? — Antw. In 21 Jahren.

39) Es soll eine Zahl gefunden werden, welche mit 7 multiplicirt ein Produkt gibt, welches eben so viel über 27, als die Zahl unter 27 ist. Welche Zahl ist es? — Antw. $6\frac{3}{4}$.

40) Man soll 48 fl. unter 9 Personen so vertheilen, daß der folgende immer $\frac{1}{2}$ fl. mehr bekommt, als der vorhergehende. Wie viel bekam ein jeder? — Antw. Der erste $3\frac{1}{3}$ fl., der zweyte $3\frac{5}{6}$ fl., der dritte $4\frac{1}{3}$ fl., der vierte $4\frac{5}{6}$ fl., der fünfte $5\frac{1}{3}$ fl., der sechste $5\frac{5}{6}$ fl., der siebente $6\frac{1}{3}$ fl., der achte $6\frac{5}{6}$ fl., und der neunte $7\frac{1}{3}$ fl.

41) Wie viel Geld hast du in der Tasche, fragte A seinen Freund. Dieser antwortete: Mein Bruder und ich haben gerade 48 fl. zusammen, und zwar beträgt der $\frac{1}{7}$ Theil meines Geldes eben so viel, als der $\frac{1}{5}$ Theil vom Gelde meines Bruders. Wie viel Geld hat jeder Bruder? — Antw. Der eine 28 fl., und der andere 20 fl.

42) Ein Vater hinterließ seiner Frau, seinem Sohne und seiner Tochter ein Vermögen von 5400 Thalern, und hatte in seinem Testamente festgesetzt, daß sich der Antheil der Tochter zum Antheile der Mutter wie 4 zu 5 verhalten sollte, der Sohn aber sollte so viel erhalten, als die Mutter und Tochter zusammen. Wie viel erhielt jedes? Antw. Die Tochter erhielt 1200 Thaler, die Mutter 1500 Thaler und der Sohn 2700 Thaler.

43) A fragte seinen Freund B, wie viel Geld er jährlich von seinem Vater erhalte, und B erwiederte: Den dritten Theil meines Jahrgeldes muß ich auf Kost und Quartier verwenden, den achten Theil für Kleidung und Wäsche, und $\frac{5}{12}$ für Bücher, Meister u. dgl.; berechnest du nun meine Auslagen, so wirst du finden, daß mir nur 100 fl. für Unterhaltungen übrig bleiben. Wie viel jährliche Einkünfte hatte also B? — Antw. 800 fl.

44) A hatte ein Haus um eine gewisse Summe Geldes gekauft, und da ihm ein Liebhaber 14460 Thaler dafür bot, gab er das Haus wieder weg, weil er fand, daß er so $20\frac{1}{2}$ pr. Ct. gewinnen würde. Wie theuer hat er das Haus gekauft? — Antw. Um 12000 Thaler.

45) Drey Unterofficiere A, B und C erhielten von ihrem Obersten eine gewisse Summe Geldes zum Geschenke, weil sie sich in der Schlacht vorzüglich ausgezeichnet hatten, und zwar sollte A 10 fl. mehr als die Hälfte erhalten, B 15 fl. mehr als die Hälfte des noch übrigen Geldes, und C den Rest, der 125 fl. weniger betrug, als die

Hälfte der ganzen Summe. Wie groß war die vertheilte Summe, und wie viel erhielt jeder davon? — Antw. Die ganze Summe betrug 420 fl., wovon A 220 fl., B 115 fl., und C 85 fl. erhielt.

46) Drey Studenten A, B und C erhielten 100 Dukaten zum Geschenke; A nahm sich sogleich einen Theil, B nahm halb so viel als A, und den Rest erhielt C. Da nun A am meisten hatte, und sehr gutmüthig war, gab er jedem der beyden andern so viel, als er schon hatte, wodurch B am meisten erhielt. Nun wollte sich auch B freygebig zeigen, und gab jedem halb so viel, als er schon hatte, und so behielt er immer noch $\frac{1}{2}$ Mal so viel, als die beyden andern zusammen. Wie viel hatte jeder im Anfange, und wie viel am Ende? — Antw. Im Anfange hatte A 60 Stück, B 30 und C 10 Stück Dukaten, aber am Ende hatte A 30, B 40 und C 30 Stück Dukaten.

47) In einer Gesellschaft waren 48 Personen, worunter 4 Männer mehr waren, als Weiber, und wären 6 Kinder weniger da gewesen; so würden gerade halb so viel Kinder gegenwärtig gewesen seyn, als Männer und Frauen. Wie viel Männer, Frauen und Kinder befanden sich in der Gesellschaft? — Antw. 16 Männer, 12 Frauen und 20 Kinder.

48) Ein Greis hielt goldene Hochzeit, bey welcher er unter seine 6 Enkel 750 Dukaten nach der Stufenfolge ihres Alters so vertheilte, daß der nächst Ältere immer 30 Dukaten mehr erhielt, als der zunächst Jüngere. Wie viel wird jeder Enkel erhalten haben? — Antw. A erhielt 50, B 80, C 110, D 140, E 170, F 200 Dukaten.

49) Ein General, der 21000 Mann kommandirte, erhielt die Ordre, vier Festungen damit zu besetzen, wobey die Bestimmung der Größe der einzelnen Besatzungen seiner eignen Einsicht überlassen wurde. Er detaschirte nun in die Festung B noch einmal so viel Mann weniger 300, als in die Festung A; nach der Festung B 100 Mann mehr, als in die beyden ersten, und in die Festung D 150 Mann mehr als die Hälfte der drey ersten Besatzungen betrug. Wie stark war wohl jede Besatzung? — Antw. In der Festung A 2400, in B 4500, in C 7000 und in D 7100 Mann.

50) Wie alt bist du, mein Lieber? fragte jemand einen hoffnungsvollen Knaben. Dieser versetzte: wenn du die Hälfte meines Alters durch den dritten Theil meines Alters in 6 Jahren dividirst, und den Quotienten um mein halbes Alter vermehrst, so findest du eine Zahl,

welche um $3\frac{1}{2}$ größer ist, als die Hälfte meines Alters vor fünf Jahren. Wie alt bin ich nun? — Antw. 12 Jahre.

51) Ein Ökonom fragte seinen Freund, ob er viel Vieh im Stalle habe. Dieser sagte: Meine Pferde und Ochsen machen zusammen gerade 100 Stück, wofür ich vor einigen Monaten, wo ich noch 4 Ochsen mehr im Stalle hatte, 12000 fl. baar erhalten hätte, weil mir der Kauflustige für jedes Pferd 100 Thaler und für jeden Ochsen 100 Gulden geboten hatte. Wie viel Pferde und wie viel Ochsen habe ich nun wohl im Stalle? — Antw. 32 Pferde und 68 Ochsen.

52). Ein General, der die Avantgarde anführte, erhielt zu seiner Disposition ein bedeutendes Korps der Armee, welches aus folgenden Waffengattungen bestand: Die Artilleristen machten gerade den hundertsten Theil des ganzen Korps aus, und die Jäger zählten 36 Mann mehr, als die dreyfache Anzahl der Artilleristen betrug. Wäre ferner die Kavallerie 280 Mann stärker gewesen, so würde sie viermal so stark gewesen seyn, als das Jägerkorps, und es würden 8 Mann Infanterie auf einen Kavalleristen gekommen seyn, wenn es 12 Infanteristen mehr gewesen wären. Wie stark war die ganze Avantgarde, und wie stark jede Waffengattung? — Antw. 10000 Mann war das ganze Korps stark, und bestand aus 100 Artilleristen, 336 Jägern, 1064 Reitern und 8500 Infanteristen.

53) A kaufte ein Haus um S Thaler unter der Bedingung, diese Kaufsumme in folgenden fünf Raten zu zahlen: Die Summe s nach a Monaten, die Summe s_1 nach b Monaten, die Summe s_2 nach c Monaten, die Summe s_3 nach d Monaten, und den Rest s_4 nach e Monaten. Wenn er nun seine Schuld

$$S = s + s_1 + s_2 + s_3 + s_4$$

auf einmal entrichten will, in wie viel Monaten kann dieß geschehen, ohne daß einer der Interessenten dabey zu Schaden kömmt? — Antw. Nach $\frac{as + bs_1 + cs_2 + ds_3 + es_4}{s + s_1 + s_2 + s_3 + s_4}$ Monaten.

54) Es kaufte jemand einen Garten um 3200 fl. unter der Bedingung, 400 fl. nach 1 Monat, 600 fl. nach 2 Monaten, 1000 fl. nach 4 Monaten, und 1200 fl. nach 6 Monaten zu zahlen. Wenn er nun die ganze Summe auf einmal zahlen will, nach wie viel Monaten kann er dieß ohne Nachtheil thun? — Antw. Nach 4 Monaten.

55) A hatte von B für 3600 fl. Waare unter der Bedingung gekauft, jene Summe erst nach 6 Monaten 20 Tagen bezahlen zu dür-

fen. Weil aber B in Verlegenheit kam, so zahlte ihm A nach 3 Monaten 800 fl., und nach 6 Monaten 1200 fl. Nach wie viel Monaten war nun A schuldig, den Rest des Kaufschillings zu zahlen? — Antw. Nach 9 Monaten.

56) A hat an B eine gewisse Summe Geldes in folgenden Raten zu zahlen: 4000 fl. nach 5 Monaten, 3 Monat später 6000 fl. und den Rest wieder 2 Monate später. Da nun A wegen Geldmangel den ersten Termin nicht einhalten konnte, so kam er mit ihm überein, die ganze Summe nach 8 Monaten und 12 Tagen auf einmal zu zahlen, weil dabey keiner der Interessenten einen Schaden hatte. Welche Summe mußte nun A an B zahlen, und wie groß wäre das letzte Ratum gewesen? — Antw. A hat an B überhaupt 20000 fl. zu zahlen, und würde er diese Summe in den obigen Terminen abbezahlt haben, so hätte das letzte Ratum 10000 fl. betragen.

57) Jemand hat an A 3500 fl. zu zahlen, nämlich: 800 fl. nach 3 Monaten, 1200 fl. nach 5 Monaten, und 1500 fl. nach 7 Monaten. Nun wünscht aber A sein Kapital in zwey Terminen, und zwar in zwey gleichen Raten zu beziehen, mit der Bedingung, daß beyde Termine nur um einen Monat von einander entfernt seyn sollen. Der Schuldner acceptirt diesen Vorschlag, und nun frägt es sich, nach welcher Zeit das erste Ratum fällig ist? — Antw. Nach $3\frac{1}{2}$ Monaten.

58) Die Summe s soll unter drey Personen A, B und C nach Verhältniß ihrer Beyträge vertheilt werden, jedoch soll B m Procente und C n Procente mehr als A aus besondern Rücksichten erhalten. Wenn nun der Beytrag des ersten = a, der des zweyten = b, und der des dritten = c gesetzt wird, wie viel hat jeder nach den angegebenen Bestimmungen zu fordern?

Antw. A $\dfrac{100\,a\,s}{100\,(a+b+c)+bm+cn}$,

B $\dfrac{b\,(100+m)}{100\,(a+b+c)+bm+cn}$,

und C $\dfrac{c\,(100+n)}{100\,(a+b+c)+bm+cn}$.

59) A hatte in seinem Testamente also verordnet: B soll mein ganzes Vermögen erben unter der Bedingung, an C ein Legat von 12000 fl, an D ein Legat von 18000 fl., wenn er keine Kinder hat, und an E ein Legat von 20000 fl., wenn er bey meinem Ableben schon großjährig ist. Nun starb A zu einer Zeit, wo D schon einen Sohn

hatte, und E noch minderjährig war. Es fand sich ferner gegen alle Erwartung nur ein Vermögen von 63820 fl. 30 kr. vor, und der Haupt- erbe protestirte gegen die Exekution des Testamentes, indem er seine Klage auf die Lex falcidia gründete, nach welcher ihm der vierte Theil der ganzen Verlassenschaft gebührte. Das Gericht sprach nun folgen- des Urtheil: Die Gerichtskosten und eine kleine Schuld, die sich später vorfand, in Summe 2692 fl. 30 kr., sind von sämmtlichen Erben ge- meinschaftlich zu tragen, dann nimmt B die quartam falcidiam in Anspruch, und zahlt den Rest, d. i. die übrigen ¾ der Verlassenschaft an die Legatarien verhältnißmäßig den im Testamente festgesetzten Le- gaten mit der Modifikation hinaus, daß D 3 Procent mehr erhält, als C, weil er schon einen Sohn hat, E aber 2 Procent mehr, als C, weil er noch minderjährig ist. Wie viel mußte nun B an C, D und E hinaus zahlen? — Antw. An C 10800 fl., an D 16686 fl., an E 18360 fl., und demnach blieben dem Haupterben B 15282 fl.

60) Vier Kaufleute A, B, C und D traten in Kompagnie, und legten eine gewisse Summe Geldes zusammen; B legte die Hälfte mehr ein, als A, C um 1000 fl. weniger, als A und B zusammen, und D 500 fl. über die Hälfte der Summe, welche A, B und C zusammen eingelegt hatten. Nach einer bestimmten Zeit wurde der auf 8930 fl. sich belaufende Gewinnst vertheilt, und B und C erhielten hiervon 4674 fl. zusammen. Wie groß waren die einzelnen Einlagen, und wie groß die verhältnißmäßigen Gewinnste? — Antw. A legte 6400 fl., B 9600 fl., C 15000 fl. und D 16000 fl. ein, und vom Gewinnste er- hielt A 1216 fl., B 1824 fl., C 2850 fl. und D 3040 fl.

61) Ein reicher Mann hatte in seinem Testamente folgende An- ordnung getroffen: Mein Bruder A erhält den dritten Theil der gan- zen Verlassenschaft, meine Schwester B den vierten Theil des Restes, mein Neffe C den fünften Theil des Übrigen, und vom Reste mein Freund D den sechsten Theil. Das Übrige der ganzen Verlassenschaft aber soll an die fünf Lehranstalten meiner Vaterstadt so vertheilt wer- den, daß E 1000 fl., F 240 fl. mehr als E, und so jede folgende um eben so viel mehr als die nächst vorhergehende erhalte, und weil so am Ende noch 440 fl. übrig bleiben, so sollen diese dem Armen-Institute übermacht werden. Wie groß war die ganze Verlassenschaft, und wie groß waren die einzelnen Erbtheile? — Antw. Die ganze Verlassen- schaft betrug 23520 fl., wovon A 7840 fl., B 3920 fl., C 2352 fl., D 1568 fl.; die Lehranstalt E 1000 fl., F 1240 fl., G 1480 fl.,

II 1720 fl., I 1960 fl., und den Rest von 440 fl. das Armen-Institut erhielt.

62) Es hat jemand mit drey Personen gewettet, und zwar mit der ersten um $\frac{1}{2}$, mit der zweyten um $\frac{1}{5}$, und mit der dritten um $\frac{1}{7}$ des Geldes, welches er bey sich trug. Nachdem er die erste und dritte Wette verloren, die zweyte aber gewonnen hatte, sagte er, er habe gerade 55 Kreuzer verloren. Wie viel Geld hatte er bey sich? — Antw. 2 fl. 30 kr.

63) Ein junger Maler sparte sich eine kleine Summe Geldes zusammen, und machte sich damit auf den Weg, um eine Kunstreise zu machen. Dem Kutscher mußte er bis nach N 12 Thaler zahlen, und vom Reste seiner Baarschaft verzehrte er 3 Thaler über den sechsten Theil. Da er sich nun in N die Hälfte seines übrigen Geldes und noch 5 Thaler darüber verdient hatte, fand er, daß ihm dennoch 7 Thaler fehlten, um so viel Geld zu haben, als er vom Hause mitgenommen hatte. Wie viel Geld hatte der Maler beym Antritt seiner Reise? Antw. 30 Thaler.

64) Es hatte jemand in seinem Testamente verordnet: A soll 100 fl. erhalten und die Hälfte vom Reste; B nehme dann 200 fl. und den dritten Theil des Restes, und das übrige gehöret dem C, welcher auf diese Art 5000 fl. weniger erhielt, als A und B zusammen. Wie groß war die ganze Erbschaft, und wie viel erhielt jeder? — Antw. Die ganze Verlassenschaft betrug 14000 fl., wovon A 7050 fl., B 2450 fl. und C 4500 fl. erhielt.

65) Es hatte jemand ein beträchtliches Kapital zu $5\frac{1}{2}$ pr. Ct. angelegt. Nach 3 Jahren wurde der vierte Theil des Kapitals zurückbezahlt, und der Rest blieb $2\frac{1}{2}$ Jahre stehen. Nach Verlauf dieser Zeit wurden $\frac{2}{5}$ des rückständigen Kapitals abgezahlt, und der Rest hiervon 4 Jahre später. Während dieser ganzen Zeit hatte der Kapitalist $33672\frac{1}{2}$ fl. Interessen bezogen. Wie groß war das anfängliche Kapital? Antw. 100000 fl.

66) Ein Wirth hatte 3 Fässer, nach deren Inhalt ein Visirmeister fragte. Der Wirth antwortete: Fülle ich das erste Faß aus dem zweyten an, so bleibt in diesem $\frac{1}{5}$ des Inhalts zurück; fülle ich das zweyte aus dem dritten an, so bleibt im dritten $\frac{2}{7}$ seines Inhalts zurück. Wollte ich aber die beyden ersten Fässer aus dem dritten anfüllen, so würden mir noch 40 Maß fehlen. Wie viel Maß hält nun jedes Faß? — Antw. Das erste 80, das zweyte 100, und das dritte 140 Maß.

67) Es hatte jemand seinen Kindern ein gewisses Vermögen hinterlassen, und in seinem Testamente festgesetzt, daß das älteste Kind. oo fl. und den sechsten Theil des Restes bekommen soll; hierauf das weyte 400 fl. und noch den sechsten Theil des Restes, dann das dritte ·oo fl. und noch den sechsten Theil des Restes, und so jedes folgende Kind immer 200 fl. mehr als das unmittelbar vorhergehende, und noch en sechsten Theil von dem, was dann noch übrig bleibt. Am Ende eigte sich, daß alle Kinder gleich viel erhalten haben. Wie groß var das hinterlassene Vermögen, und wie viele Kinder waren da? — Antw. 5000 fl. war das Vermögen, und die Anzahl der Kinder 5.

68) Es fragte jemand einen Gelehrten, wie viel Besoldung er ährlich erhalte, und dieser antwortete: Ich verwende jetzt den zehnten Theil meines Gehaltes auf Bücher, und das übrige auf meine ordentlichen Ausgaben. Wenn ich aber einst 200 fl. Zulage erhalten werde, o will ich den achten Theil auf Bücher verwenden, weil mir zur Bestreitung meiner ordentlichen Ausgaben dann gerade so viel mehr als jetzt übrig bleiben wird, wie viel mich dann die Bücher kosten werden. Wie groß war der Gehalt des Gelehrten? — Antw. 1000 fl.

69) Ein reicher Edelmann hatte das Glück, eine sehr große Summe Geldes durch einen Zufall zu gewinnen, und wollte seine Dienerschaft durch ein Geschenk erfreuen. Er entschloß sich, den hundertsten Theil seines Gewinnes unter sie gleich zu vertheilen. Hätte er nun jeder Person 600 fl. gegeben, so wären ihm 400 fl. übrig geblieben; hätte er aber jeder Person 700 fl. zugetheilt, so hätte er noch 200 fl. darauf zahlen müssen. Wie viel hat der Edelmann gewonnen? Wie viel vertheilte er unter seine Dienerschaft? Wie viele Diener hatte er? Wie viel hat jede Person erhalten? — Antw. Er gewann 400000 fl., wovon demnach die Dienerschaft 4000 fl. erhielt. Die Dienerschaft bestand aus 6 Personen, und jede Person erhielt 666 fl. 40 kr.

70) Es wird eine dreyzifferige dekadische Zahl von der Eigenschaft gesucht, daß die Ziffer der Zehner um 1 größer sey, als die Ziffer der Einheiten doppelt genommen; die Ziffer der Hunderte aber sey der fünfte Theil der um 2 vermehrten Summe der beyden ersten Ziffern; kehrt man endlich die Ordnung der Ziffern um, so sey die so erhaltene Zahl um 99 größer als die gesuchte Zahl. Welche ist diese Zahl? — Antw. 394.

71) Man suche eine zweyzifferige Zahl von der Beschaffenheit, daß die Summe ihrer Ziffern gleich 12 sey, und daß die umgekehrte

Zahl durch die verlangte dividirt, 1 zum Quotienten und 18 zum Reste gebe. Wie heißt diese Zahl? — Antw. 57.

72) Man soll einen ächten Bruch auffinden, wo die Differenz zwischen Nenner und Zähler gleich 10 ist, und zugleich die Eigenschaft Statt findet, daß, wenn man den Zähler um 1 vermindert, den Nenner aber um 1 vermehrt, der gesuchte Bruch gleich $\frac{3}{4}$ werde. Wie heißt dieser Bruch? — Antw. $\frac{37}{47}$.

73) A sagte zum B: Ich habe eine gewisse Summe Geldes in meiner Tasche, welche so beschaffen ist, daß, wenn ich sie viermal nach einander verdoppele, und dir jedesmal von der erhaltenen Summe 6 fl. gebe, mir am Ende 39 fl. bleiben. Wie viel Geld habe ich nun? Hierauf sagte B: Ich will das bald wissen, aber berechne auch du, wie viel Geld ich in der Tasche habe, wenn ich dir angebe, daß, wenn ich mein Geld ebenfalls viermal nach einander verdoppele, und dir von der jedesmal erhaltenen Summe 12 fl. gebe, mir am Ende zwar nichts bleibt, daß ich aber dir dennoch mein Geld für das deine nicht geben möchte, denn ich habe mehr bey mir, wie du. Wie viel Geld hatte nun jeder? — Antw. A 8 fl. und B 11 fl. 15 kr.

74) A wollte gerne ein Haus kaufen, welches er für 43500 fl. erhalten konnte. Zwar hatte er kein Geld, aber 300 Eimer guten alten Wein, den er verkaufen wollte. Der Weinhändler B bot ihm für den Eimer Wein so viel, daß A noch 600 fl. mehr als den zehnten Theil des für den ganzen Wein gelösten Geldes hätte darauf zahlen müssen, um das Haus kaufen zu können. A sagte deßhalb zum B, daß er seinen Wein nicht anders hergebe, als wenn er so viel bekommen würde, daß er damit das Haus bezahlen könne, und ihm überdieß noch der 30ste Theil des für den Wein gelösten Geldes übrig bliebe, um damit die nöthigen Änderungen im Hause vornehmen zu können. Endlich kamen sie dahin überein, daß B noch die Hälfte der Differenz zwischen dem verlangten und angebotenen Preise mehr gab. Wie viel verlangte A für den Eimer Wein? Wie viel hatte B anfangs geboten? Wie theuer hat B den Wein erhalten? Wie viel hatte A über oder unter den Werth des Hauses erhalten? — Antw. A verlangte 150 fl. für jeden Eimer, B bot anfangs 130 fl., und zahlte am Ende 140 fl. für den Eimer, folglich mußte A noch 1500 fl. darauf zahlen, um das Haus kaufen zu können.

75) Ein Fabrikant hatte einem Kaufmanne versprochen, zu einer bestimmten Zeit eine gewisse Quantität einer Waare für 1200 fl. und

eine sehr schöne Uhr zu liefern. Nach Verlauf jener Zeit lieferte der Fabrikant ⅞ der versprochenen Waare und erhielt dafür die Uhr und 600 fl. Wie theuer wurde die Uhr gerechnet? — Antw. Um 300 fl.

76) A kam in eine Gesellschaft, wo man um ein hohes Geld spielte, und da er kein Geld bey sich hatte, aber doch sein Glück versuchen wollte; so bat er seinen Freund B um eine gewisse Summe Geldes, welche ihm B nur unter der Bedingung lieh, daß er nicht mehr als vier Partien spielen dürfe. In der ersten Partie gewann er 48 fl. über das Dreyfache seines geliehenen Geldes. In der zweyten Partie verlor er die Hälfte seiner ganzen Kasse; in der dritten Partie gewann er wieder die Hälfte seines übrigen Geldes, und in der vierten Partie verlor er abermals ⅔ des Geldes, welches er vor der Partie hatte. Nun zählte er sein Geld, und fand, daß er gerade so viel hatte, als er zu leihen genommen hatte. Wie viel hatte A vom B erhalten? — Antw. 36 fl.

77) Ein Lieutenant hatte mit einer kleinen Mannschaft ein kleines Fort zu vertheidigen, mußte jedoch kapituliren, wobey er sein Wort gab, in 20 Tagen abzuziehen, wenn er bis dahin keinen Entsatz erhalten würde. Früher erhielt jeder Mann der Besatzung täglich 8 Loth Brot, 6 Loth Mehl, 5 Loth Speck und 1 Seitel Wein, und im Augenblicke der Kapitulation war der Vorrath an Lebensmitteln noch so groß, daß er mit dem Brote nach 45 Tage, mit dem Mehle 40 Tage, mit dem Specke 30 Tage und mit dem Weine 60 Tage, denn er hatte noch 12 Eimer davon, hätte ausreichen können. Da er nun dem Feinde nichts zurück lassen wollte, machte er die Eintheilung so, daß am 20. Tage nach der Kapitulation der ganze Vorrath aufgezehrt war. Der Lieutenant als Kommandant nahm sich nur 30 Maß Wein für seine Person, und den Rest des Weines sowohl als alle übrigen Lebensmittel theilte er mit der Besatzung zu gleichen Theilen. Wie viel erhielt demnach jeder Mann täglich von jeder Gattung der oben angeführten Lebensmittel? Wie stark war die Besatzung? Wie groß war der ganze Vorrath an den obigen Viktualien? — Antw. Jeder Mann der Besatzung erhielt nun täglich 18 Loth Brot, 12 Loth Mehl, 7½ Loth Speck und 3 Seitel Wein. Die Besatzung war mit Einschluß des Kommandanten 30 Mann stark, und der Vorrath an Brot betrug 337½ Pf., an Mehl 225 Pf. und an Speck 140⅝ Pf.

78) Drey Personen A, B und C hatten 2200 fl. zusammengelegt, um damit ein Geschäft zu unternehmen, und zwar hatte B die

Hälfte mehr eingelegt als A , und da sie nach einiger Zeit den Gewinst im Verhältnisse ihrer Einlagen vertheilten, erhielt C $\frac{4}{5}$ mal soviel als A und B zusammen. Der Gewinn hatte die Einlage des A um 65 pr. Ct. überstiegen. Wie viel hat jeder eingelegt? Wie viel betrug der ganze Gewinn, und wie viel erhielt hiervon jeder der Interessenten? — Antw. A hatte 400 fl., B 600 fl., C 1200 fl. eingelegt; der ganze Gewinn betrug 660 fl, wovon A 120 fl., B 180 fl. und C 360 fl. erhielt.

79) Es hatte jemand ein gewisses Kapital auf 3 Posten ausstehen. Der erste Posten stand zu 4 pr. Ct. auf 5 Jahre, der zweyte Posten, welcher 100 fl. über $\frac{1}{3}$ des ersten betrug, lag zu 5 pr. Ct. durch 6 Jahre, und der dritte Posten, welcher, wenn er nur um 180 fl. größer gewesen wäre, $\frac{4}{7}$ der beyden ersten zusammen betragen hätte, stand zu 4$\frac{1}{2}$ pr. Ct. auf 8 Jahre aus. Diese drey Posten kassirte er nun sammt den ganzen rückständigen Interessen auf einmal ein, und erhielt 4650 fl. Wie groß waren also die einzelnen Schuldforderungen? — Antw. Die erste 1200 fl., die zweyte 900 und die dritte 1500 fl.

80) A fragte den B, wie alt er sey, und dieser antwortete: wenn du mein Alter im vorigen Jahre auf den Kubus erhebst, und durch das Alter meines Bruders, der um 8 Jahre älter ist als ich, dividirst; so ist der Quotient um mein eilffaches Alter kleiner als das um 50$\frac{1}{2}$ vermehrte Quadrat meines Alters. Wie alt bin ich und wie alt ist mein Bruder? — Antw. B war 10 Jahre und A 18 Jahre alt.

81) Ein Wirth hatte einen Kellner für ein gewisses Jahrgeld in Dienste genommen. Nun hatte der Kellner aus einem Fasse, welches gerade 12 Eimer hielt, fünfmal nach einander, jedes Mal 6 Maß abgezapft und den Abgang immer mit Wasser erseßt. Da ihn der Wirth beym leßten Male ertappte, und der Kellner die Größe seines Diebstahls eingestand, so sagte der Wirth: da du heute gerade 4 Monate im Dienste bey mir bist und die Maß von diesem Wein mir 1 fl. 48 kr. kostet, so bist du gerade für deinen Dienst bezahlt, und somit bist du entlassen. Wie viel Wein hat der Kellner entwendet, und wie viel Lohn hat er jährlich erhalten? — Antw. 29.2593 Maß und der bedungene Jahreslohn betrug 158 fl.

Anmerkung. Wenn in gleichen Zeiten nicht gleiche Räume von einem bewegten Körper durchlaufen werden, so heißt die Bewegung ungleichförmig; im entgegengesetzten Falle gleichförmig. Die Geschwindigkeit irgend eines Körpers in irgend einem Augenblicke einer ungleichförmigen Bewegung wird ausgedrückt durch die Anzahl Fuße, welche er zurücklegen würde, wenn er eine Sekunde hindurch mit der in jenem Augenblicke erlangten Geschwindigkeit sich gleichförmig fortbewegen würde.

Die ungleichförmige Bewegung heißt **gleichförmig beschleunigt** oder **gleichförmig verzögert**, wenn die Geschwindigkeiten wachsen oder abnehmen wie die Zeiten wachsen.

Die allgemeinen Gesetze für die Bewegung sind folgende.

A) Bewegt sich ein Körper gleichförmig, und hat er die Geschwindigkeit C, d. h. legt er in der Zeiteinheit z. B. C Fuße zurück, so legt er in T Zeiteinheiten den Weg S = C T zurück. Eben so ist für einen andern Körper, der die Geschwindigkeit c hat, s = c t, mithin

$$S : s = CT : ct; \text{ hieraus folgt}$$
$$S : s = C : c \text{ für } T = t,$$
$$S : s = T : t \text{ für } C = c, \text{ und}$$
$$C : c = t : T \text{ für } S = s.$$

Bey der gleichförmigen Bewegung verhalten sich demnach:

1) Die durchlaufenen Räume wie die Geschwindigkeiten multiplicirt mit den Zeiten;

2) wie die Geschwindigkeiten, wenn die Zeiten gleich sind;

3) wie die Zeiten, wenn die Körper einerley Geschwindigkeit haben;

4) wenn die durchlaufenen Räume gleich sind, so sind die Geschwindigkeiten den Zeiten umgekehrt proportionirt.

B) Wirkt eine an Stärke sich gleich bleibende Kraft, wie z. B. die Erdschwere, ununterbrochen auf einen Körper während der ganzen Dauer seiner Bewegung; so ist diese Bewegung offenbar eine ungleichförmige, weil sich die Geschwindigkeit des Körpers in jedem Augenblicke ändert. Wir wollen hier bloß die gleichförmig beschleunigte Bewegung betrachten (denn für die gleichförmig verzögerte Bewegung dürfen wir dann die Resultate nur umkehren), und zwar die Gesetze des freyen Falles aufsuchen.

1) Man denke sich die Zeiteinheit, z. B. eine Sekunde, in n gleiche Theile getheilt, wobey n unendlich groß seyn soll, und stelle sich vor, daß die Schwere auf den fallenden Körper in jedem solchen unendlich kleinen Zeittheilchen von neuem mit derselben Energie, also gleichsam stoßweise wirkt, so daß der Körper in jedem Zeittheilchen seine Geschwindigkeit um den Weg γ vermehrt; so legt er in dem

1sten Zeittheilchen den Weg	. . . . . .				$= \gamma$ zurück,	
2ten »	wegen des Zuwachses γ vermöge der Schwere,					
					den Weg $\gamma + \gamma = 2\gamma$,	
3ten »	»	»	»	»	» $2\gamma + \gamma = 3\gamma$,	
4ten »	»	»	»	»	» $3\gamma + \gamma = 4\gamma$,	
. . . . .						
nten »	»	»	»	»	$= n\gamma$	

9 *

$(n + 1)$ten Zeittheilchen wegen des Zuwachses γ vermöge der Schwere, den Weg $= (n+1)\gamma$

2 nten » » » » $=2n\gamma$

3 nten » » » » $=3n\gamma$

t nten » » » » $=tn\gamma$

Bezeichnet nun s den Fallraum für die Zeit t; so ist

$$s = \gamma + 2\gamma + 3\gamma + 4\gamma + \ldots + ng + \ldots + (tn-2)\gamma + (tn-1)\gamma + tn\gamma,$$

oder

$$s = tn\gamma + (tn-1)\gamma + (tn-2)\gamma + \ldots + 3\gamma + 2\gamma + \gamma,$$

also durch Addition

$$2s = (tn + 1)\gamma + (tn + 1)\gamma + (tn + 1)\gamma + \ldots$$
$$\ldots + (tn + 1)\gamma + (tn + 1)\gamma + (tn + 1)\gamma,$$

wenn man die jedesmal über einander stehenden Glieder zusammen nimmt.

Da nun diese Reihe tn Glieder hat, so erhält man $2s = tn(tn + 1)\gamma$, also

$$s = \frac{tn}{2}(tn + 1).\gamma.$$

Eben so ist für die Zeit T der Fallraum

$$S = \frac{Tn}{2}(Tn + 1)\gamma,$$

und daher

$$s : S = \frac{tn}{2}(tn + 1).\gamma : \frac{Tn}{2}(Tn + 1)\gamma,$$

oder

$$s : S = t(tn + 1) : T(Tn + 1)$$
$$= t\left(t + \frac{1}{n}\right) : T\left(T + \frac{1}{n}\right),$$

und weil für $n = \infty$ der Bruch $\frac{1}{n} = 0$ ist,

$$s : S = t^2 : T^2$$

d. h. die ganzen durchfallenen Räume verhalten sich wie die Quadrate der entsprechenden Zeiten.

Für $t = 1''$ sey $s = g$; so erhält man

$$g : S = 1 : T^2, \text{ also}$$

$$S = gT^2, \text{ und } T = \sqrt{\frac{S}{g}}.$$

2) Bedeutet s_n den Fallraum in n Sekunden, mithin s_{n-1} den Raum, welchen ein Körper in $(n-1)$ Sekunden durchfällt, so ist

$$s_n - s_{n-1} = g n^2 - g(n-1)^2 = (2n-1)g = c_n$$

der Raum, welchen der fallende Körper in der nten Sekunde durchlauft, oder die Geschwindigkeit desselben in der nten Sekunde.

Setzen wir nun nach und nach $n = 1, 2, 3\ldots$; so erhalten wir
$c_1 = g$, $c_2 = 3g$, $c_3 = 5g$, $c_4 = 7g$, $c_5 = 9g$ u. f. w. also
$c_1 : c_2 : c_3 : c_4 : c_5 : \ldots = 1 : 3 : 5 : 7 : 9 : \ldots$
d. h. die Räume der einzelnen Zeiten wachsen wie die ungeraden Zahlen.

3) Wir haben oben (Nr. 1) den Weg, der im t nten Zeittheilchen, oder in der tten Sekunde zurückgelegt wird, $= n \cdot t\,\gamma$ gefunden; würde nnn die Schwere plötzlich aufhören, den Körper zu affiziren, so müßte der Körper mit der bereits erlangten Geschwindigkeit (der Endgeschwindigkeit nach t Sekunden) gleichförmig fortgehen, also in jedem nten Theilchen der nächsten Sekunde den Weg $n\,t\,\gamma$, mithin in n Zeittheilchen oder in einer Sekunde den Weg $c = n \cdot n t \gamma = n^2 t \gamma$ zurücklegen. Eben so findet man die Endgeschwindigkeit nach T Sekunden gleich $C = n^2 T \gamma$, und daher hat man

$$C : c = n^2 T \gamma : n^2 t \gamma = T : t$$

d. h. die Endgeschwindigkeiten verhalten sich wie die Zeiten, oder sie wachsen wie die natürlichen Zahlen $1, 2, 3, 4 \ldots$

Weil für $T = 1$ die Geschwindigkeit $C = 3g - g = 2g$ wird, so ist

$$2g : c = 1 : t, \text{ also } c = 2gt \text{ und } t = \frac{c}{2g}.$$

4) Nach (Nr. 1) ist der Fallraum von t Sekunden $s = gt^2$ gefunden worden und nach (Nr. 3) nach t Sekunden die Endgeschwindigkeit $c = 2gt$; bewegt sich nun ein Körper gleichförmig mit der Geschwindigkeit $c = 2gt$ durch t Sekunden hindurch, so ist der durchlaufene Raum $s' = 2gt \cdot t = 2gt^2$, also $s' = 2s$, d. h. wenn ein freyfallender Körper mit der Geschwindigkeit, welche er nach einer bestimmten Zeit erlangt hat, sich gleichförmig fortbewegen würde, so würde er in einer der Fallzeit gleichen Zeit einen doppelt so großen Raum zurücklegen, als der ganze Fallraum ausmacht.

Für Wien ist $g = 15 \cdot 5159$; aber für Orte, welche eine andere geographische Lage haben, ist der Werth von g auch ein anderer.

82) Wie tief fällt ein freyfallender Körper in der 12ten Sekunde, wie tief fällt er in 12 Sekunden überhaupt, und welche Geschwindigkeit hat er am Ende der 12ten Sekunde erlangt?

83) Wie lange und wie tief muß ein Körper fallen, um eine Geschwindigkeit von 120 Fuß zu erreichen?

84) Wie hoch und wie lange wird ein Körper steigen, der mit einer Geschwindigkeit von 84 Fuß vertikal in die Höhe geworfen wird?

Diese Frage ist identisch mit folgenden: Wie tief muß ein Körper fallen, um eine Geschwindigkeit von 84 Fuß zu erlangen?

85) Eine in vertikaler Richtung abgeschossene Kugel erreichte eine Höhe von 240 Fuß; mit welcher Geschwindigkeit wurde sie abgefeuert, und wie lange ist sie gestiegen?

86) Von der höchsten Spitze eines Thurmes, der 72 Wiener Klafter hoch ist, wird eine Kugel dem freyen Falle überlassen, und zwey Sekunden später eine zweyte eben so große und schwere Kugel nachgeworfen, und beyde Kugeln erreichen zu gleicher Zeit den Boden. Wie lange fielen beyde Kugeln, und mit welcher Geschwindigkeit wurde die zweyte Kugel nachgeworfen?

87) An einem Wasserbehälter befinden sich drey Röhren A, B, C; A und B führen das Wasser zu, und aus C fließt es ab. A füllt den Behälter in a Stunden, B in b Stunden, und C leert ihn in c Stunden. Wenn nun alle drey Röhren zugleich geöffnet werden, in welcher Zeit füllt sich der leere Behälter, oder leert sich der volle?

88) A unternahm ein Geschäft, zu welchem er seinen Freund B und seinen Bruder C einige Zeit später als Gesellschafter nahm. B hatte 1200 fl. mehr eingelegt als A, und C 600 fl. weniger als A. Nachdem das Geschäft seit seinem Beginnen 6 Jahre gewährt hatte, zeigte sich ein reiner Gewinn von 7200 fl., und die eingelegten Kapitalien hatten auf diese Art $11\frac{1}{9}$ jährlich getragen. Bey der Theilung erhielt A 400 fl. mehr als B, und C 400 fl. weniger als B. Wie viel hatte jeder der Gesellschafter eingelegt, wie lange war B und wie lange C in Kompagnie mit A?

89) Karl, ein vortrefflicher Rechner, sagte seinem Freunde am 6 Jan. 1833. Heute ist meines Vaters Geburtstag, und ich habe für ihn hier eine Rechnung gemacht, welche mir das sonderbare Resultat gibt, daß in diesem Jahre das Alter meines Großvaters, das meiner Großmutter, meines Vaters, meiner Mutter, mein eigenes Alter, das meines Bruders und das meiner Schwester lauter absolute Primzahlen sind. Vater und Mutter zählen zusammen gerade 100 Jahre, und die Anzahl Jahre aller Familienglieder mit und ohne Großältern ist wieder einePrimzahl, welche letztere der größte einfacheDivisor ist von einer Zahl, welche die Differenz zwischen dem Nenner und Zähler eines Näherungsbruches von einemKettenbruche darstellt, bey welchem dieNenner der auf einander folgenden Glieder die absoluten Primzahlen 1, 2, 3, 5... in ihrer natürlichen Ordnung sind, der andere Faktor jener Differenz

ist die so vielste Potenz von 2, als der Index jenes reduzirten Werthes anzeigt. Sonderbar genug, die Zahlen, welche das Alter meiner Schwester, meines Bruders und mein eigenes Alter ausdrücken, sind die Nenner dreyer auf einander folgender Glieder jenes Kettenbruches, und zwar entspricht mein Alter dem oben genannten reduzirten Werthe als Nenner in der Kette, und das Alter meiner Schwester ist der Zeiger dieses reduzirten Werthes. Mein Vater, der um 6 Jahre älter ist, als meine Mutter, wurde ein Jahr später geboren, als mein Großvater geheirathet hatte, und merkwürdig hiebey ist, daß das Alter meines Großvaters der größte einfache Faktor von der Zahl ist, welche das Geburtsjahr meines Vaters angibt, und daß die Zahl, welche das Geburtsjahr meiner Mutter bezeichnet, das jetzige Alter meiner Mutter und das Alter meiner Großmutter, welches diese als Braut hatte, als die beyden größten einfachen Faktoren enthält.

Wie alt war jedes Mitglied dieser Familie Primzahl im Jahre 1833, und wann wurde jedes derselben geboren?

90) A und B erbten eine gewisse Summe Geldes, und jeder unternahm für sich ein Geschäft mit seinem Antheile. Dem A trug sein Kapital $5\frac{5}{8}$, dem B aber $6\frac{2}{9}$. Beyde kassirten ihr Kapital sammt Interessen am 14. Dezember 1832 ein, und erhielten zusammen gerade so viel, als die Summe aller jener Jahreszahlen des 19. Jahrhunderts, welche absolute Primzahlen sind, anzeigt. Der Antheil des A an der Erbschaft betrug so viel, als die Summe der ungeraden Jahreszahlen im 19. Jahrhundert, deren kleinster Faktor 31 ist, und der Antheil des B so viel, als die ungeraden Jahreszahlen desselben Jahrhunderts, deren kleinster Faktor 17 ist. Wie viel hat jeder von ihnen geerbt? Wie viel hat jeder am Ende an Kapital und Interessen erhalten? Wie lange waren die Kapitalien angelegt? An welchem Tage und in welchem Jahre haben sie ihre Kapitalien angelegt?

b) Auflösung der Gleichungen mit mehrern Unbekannten. (§. 213 — 219 der Alg.)

1) Gl. $\begin{cases} x + y = s \\ x - y = d \end{cases}$.

Aufl. $x = \dfrac{s+d}{2} = \dfrac{s}{2} + \dfrac{d}{2}, \; y = \dfrac{s-d}{2} = \dfrac{s}{2} - \dfrac{d}{2}$.

2) Gl. $\begin{cases} a x + b y = c \\ \alpha x + \beta y = \gamma \end{cases}$.

Aufl. $x = \dfrac{b\gamma - c\beta}{ab - a\beta} = \dfrac{c\beta - b\gamma}{a\beta - ab}$, $y = \dfrac{c\alpha - a\gamma}{ab - a\beta} = \dfrac{a\gamma - c\alpha}{a\beta - ab}$.

3) Gl. $\begin{cases} \dfrac{a}{x} + \dfrac{b}{y} = \dfrac{c}{xy} \\ \dfrac{\alpha}{x} + \dfrac{\beta}{y} = \dfrac{\gamma}{xy} \end{cases}$.

Aufl. $x = \dfrac{c\alpha - a\gamma}{ab - a\beta}$, $y = \dfrac{c\beta - b\gamma}{a\beta - ab}$.

4) Gl. $\begin{cases} 3x + 5y = 21 \\ 7x + 4y = 26 \end{cases}$.

Aufl. $x = 2$, $y = 3$.

5) Gl. $\begin{cases} 3x + 7y = 2 \\ 6x + 9y = 24 \end{cases}$.

Aufl. $x = 10$, $y = -4$.

6) Gl. $\begin{cases} 7x + 3y = 78 \\ 7x - 6y = 33 \end{cases}$.

Aufl. $x = 9$, $y = 5$.

7) Gl. $\begin{cases} 5x - \frac{7}{3}y = 52 \\ 6y - \frac{1}{3}x = 92 \end{cases}$.

Aufl. $x = 12$, y 16.

8) Gl. $\begin{cases} \frac{x}{3} + y = 4 \\ 3x - 2y = \frac{11}{3} \end{cases}$.

Aufl. $x = 2\frac{1}{3}$, $y = 1\frac{3}{4}$.

9) Gl. $\begin{cases} \frac{3}{4}x - \frac{5}{8}y = \frac{47}{80} \\ 3\frac{4}{5}x + 2\frac{7}{10}y = 5\frac{132}{400} \end{cases}$.

Aufl. $x = \frac{4}{5}$, $y = \frac{3}{8}$.

10) Gl. $\begin{cases} \dfrac{ax}{m} + \dfrac{by}{n} = c - \dfrac{1}{a} \\ \dfrac{mx}{a} - \dfrac{ny}{b} = d + \dfrac{b}{m} \end{cases}$.

Aufl. $x = \dfrac{m n^2 (ac - 1) + ab^2 (dm + b)}{a^2 n^2 + b^2 m^2}$,

$y = \dfrac{b n [m^3 (ac - 1) - a^3 (dm + b)]}{a m (b^2 m^2 + a^2 n^2)}$.

11) Gl. $\begin{cases} b\,c\,x + 2\,b = c\,y \\ b^2 y \pm \dfrac{2\,b^3}{c} = c^3 x - \dfrac{a}{b\,c}\,(c^3 - b^3) \end{cases}$.

Aufl. $x = \dfrac{a}{b\,c}$, $y = \dfrac{a + 2\,b}{c}$.

12) Gl. $\begin{cases} \dfrac{3\,m\,x}{2\,n} - \dfrac{5\,y}{2\,m} + n = \dfrac{3\,x}{2\,m} + 4\,m - \dfrac{5\,m\,y}{2\,n} \\ m^2 x - m^2 n + (a+m+n)\,n\,y = \dfrac{a\,m\,n^2}{m+n} + n^2 x + 2\,m\,n^2 \end{cases}$.

Aufl. $x = \dfrac{m\,n}{m - n}$, $y = \dfrac{m\,n}{m + n}$.

13) Gl. $\begin{cases} \dfrac{a}{m + p\,x} = \dfrac{b}{n - p\,y} \\ \dfrac{a\,x}{m\,y} - c = b - \dfrac{x}{y} \end{cases}$.

Aufl. $x = \dfrac{p\,m\,(b + c)\,[b\,m\,(b + c) + a\,(a + m)]}{(a + m)^2\,(a\,n - b\,m)}$,

$y = \dfrac{p\,[b\,m\,(b + c) + a\,(a + m)]}{(a + m)\,(a\,n - b\,m)}$.

14) Gl. $\begin{cases} \dfrac{x - y}{\sqrt{x+y}} - \tfrac{1}{4}\sqrt{x+y} = \dfrac{3\,(x - 5)}{2\sqrt{x+y}} + \tfrac{1}{8}\sqrt{x+y} \\ \dfrac{3\sqrt{x}}{\sqrt{y}} + \dfrac{x\sqrt{x+y}\,\sqrt{y}}{\sqrt{x\,y}} - \dfrac{y}{\sqrt{x}} = \sqrt{\dfrac{x}{y}} + \\ \qquad\qquad\qquad + \dfrac{x}{\sqrt{y}} + \sqrt{\dfrac{y}{x}} \end{cases}$.

Aufl. $x = 2$, $y = 4$.

15) Gl. $\begin{cases} a_1 x + a_2 y + a_3 z = a_4 \\ b_1 x + b_2 y + b_3 z = b_4 \\ c_1 x + c_2 y + c_3 z = c_4 \end{cases}$.

Aufl. $x = \dfrac{a_4(b_2 c_3 - b_3 c_2) + b_4(a_3 c_2 - a_2 c_3) + c_4(a_2 b_3 - a_3 b_2)}{a_1(b_2 c_3 - b_3 c_2) + b_1(a_3 c_2 - a_2 c_3) + c_1(a_2 b_3 - a_3 b_2)}$

$y = \dfrac{a_4(b_3 c_1 - b_1 c_3) + b_4(a_1 c_3 - a_3 c_1) + c_4(a_3 b_1 - a_1 b_3)}{a_1(b_2 c_3 - b_3 c_2) + b_1(a_3 c_2 - a_2 c_3) + c_1(a_2 b_3 - a_3 b_2)}$

$z = \dfrac{a_4(b_1 c_2 - b_2 c_1) + b_4(a_2 c_1 - a_1 c_2) + c_4(a_1 b_2 - a_2 b_1)}{a_1(b_2 c_3 - b_3 c_2) + b_1(a_3 c_2 - a_2 c_3) + c_1(a_2 b_3 - a_3 b_2)}$

16) Gl. $\begin{cases} a_1 x + a_2 y + a_3 z = a_4 \\ b_1 x + b_2 y + b_3 z = b_4 \\ c_1 x + c_2 y \qquad\;\; = c_4 \end{cases}$.

Aufl. $x = \dfrac{c_2(a_3 b_4 - a_4 b_3) + c_4(a_2 b_3 - a_3 b_2)}{c_2(a_3 b_1 - a_1 b_3) + c_1(a_2 b_3 - a_3 b_2)}$

$y = \dfrac{c_1(a_4 b_3 - a_4 b_1) + c_4(a_3 b_1 - a_1 b_3)}{c_2(a_3 b_1 - a_1 b_3) + c_1(a_2 b_3 - a_3 b_2)}$

$z = \dfrac{a_4(b_1 c_2 - b_2 c_1) + b_4(a_2 c_1 - a_1 c_2) + c_4(a_1 b_2 - a_2 b_1)}{c_2(a_3 b_1 - a_1 b_3) + c_1(a_2 b_3 - a_3 b_2)}$

17) Gl. $\begin{cases} a_1 x + a_2 y + a_3 z = a_4 \\ b_1 x + b_2 y \quad\ = b_4 \\ c_1 x + c_3 z = c_4 \end{cases}$.

Aufl. $x = \dfrac{a_4 b_2 c_3 - a_2 b_4 c_3 - a_3 b_2 c_4}{a_1 b_2 c_3 - a_2 b_1 c_3 - a_3 b_2 c_1}$

$y = \dfrac{c_3(a_1 b_4 - a_4 b_1) + a_3(b_1 c_4 - b_4 c_1)}{a_1 b_2 c_3 - a_2 b_1 c_3 - a_3 b_2 c_1}$

$z = \dfrac{c_1(a_2 b_4 - a_4 b_2) + c_4(a_1 b_2 - a_2 b_1)}{a_1 b_2 c_3 - a_2 b_1 c_3 - a_3 b_2 c_1}$

18) Gl. $\begin{cases} a_1 x + a_2 y = a_3 \\ b_1 x + b_2 z = b_3 \\ c_1 y + c_2 z = c_3 \end{cases}$.

Aufl. $x = \dfrac{a_3 b_2 c_1 - a_2 b_2 c_3 + a_2 b_3 c_2}{a_2 b_1 c_2 + a_1 b_2 c_1}$

$y = \dfrac{a_3 b_1 c_2 - a_1 b_3 c_2 + a_1 b_2 c_3}{a_2 b_1 c_2 + a_1 b_2 c_1}$

$z = \dfrac{a_2 b_1 c_3 - a_3 b_1 c_2 + a_1 b_3 c_1}{a_2 b_1 c_2 + a_1 b_2 c_1}$

19) Gl. $\begin{cases} \frac{1}{x} + \frac{1}{y} = a \\ \frac{1}{x} + \frac{1}{z} = b \\ \frac{1}{y} + \frac{1}{z} = c \end{cases}$.

Aufl. $x = \dfrac{2}{a + b - c}$, $y = \dfrac{2}{a - b + c}$, $z = \dfrac{2}{b + c - a}$.

20) Gl. $\begin{cases} \frac{3}{x} + \frac{4}{y} - \frac{6}{z} = 3 \\ \frac{1}{x} - \frac{3}{y} + \frac{2}{z} = \frac{1}{6} \\ \frac{2}{x} + \frac{3}{2y} + \frac{1}{4z} = 2\frac{5}{6} \end{cases}$.

Aufl. $x = 1$, $y = 2$, $z = 3$.

21) Gl. $\begin{cases} 3x + 2y + 5z = 38 \\ 5x - 3y + 10z = 59 \\ 20x + 11y - 15z = 7 \end{cases}$.

Aufl. $x = 3$, $y = 2$, $z = 5$.

22) Gl. $\begin{cases} \dfrac{x}{5} + \dfrac{y}{4} + \dfrac{z}{3} = 6 \\[2mm] \dfrac{3x}{4} - \dfrac{5y}{8} + \dfrac{11z}{12} = 8 \\[2mm] \dfrac{7x}{10} + \dfrac{9y}{16} - \dfrac{13z}{20} = 7\tfrac{2}{5} \end{cases}$.

Aufl. $x = 10$, $y = 8$, $z = 6$.

23) Gl. $\begin{cases} \dfrac{3x}{8} + \dfrac{7y}{15} = 46 \\[2mm] 2x - \dfrac{3z}{5} = 72 \\[2mm] \dfrac{y}{2} - \dfrac{3z}{8} = 15 \end{cases}$.

Aufl. $x = 48$, $y = 60$, $z = 40$.

24) Gl. $\begin{cases} \dfrac{5x + 7y}{x + y} = 6 \\[2mm] \dfrac{3(z - x)}{x - y + z} = 1 \\[2mm] \dfrac{2x + 3y - z}{\frac{1}{2}x + 3} = 4 \end{cases}$.

Aufl. $x = 8$, $y = 8$, $z = 12$.

25) Gl. $\begin{cases} \dfrac{x}{y} - \dfrac{y}{x} = \dfrac{x + y}{xy} \\[2mm] \dfrac{x^2}{z}(x - 2) - 2(x + z) = z^2 \\[2mm] 2z - x = \tfrac{1}{4}y \end{cases}$.

Aufl. $x = 5$, $y = 4$, $z = 3$.

26) Gl.
$$\begin{cases} 2x - 2y + z = 24 \\ \dfrac{3(x+z)}{5yz} - \dfrac{1}{15z} + \dfrac{4z-y}{15xy} = \dfrac{x+z}{5xz} + \dfrac{x}{3yz} + \dfrac{1}{15y} \\ \dfrac{6(x^3 - y^3)}{xy(x-z)} + \dfrac{2(x+y)}{y} - \dfrac{x}{2y} - \dfrac{x}{2(x-z)} = \dfrac{x+y}{2x} \\ \qquad\qquad - \dfrac{2y}{x} + \dfrac{y}{2x}\left(\dfrac{x+y}{x-z}\right) \end{cases}$$

Aufl. $x = 17$, $y = 15$, $z = 20$.

27) Gl.
$$\begin{cases} w + x + y + z = 7 \\ w - x + 2y - z = 6 \\ 3w + 3x - 2y + z = 5 \\ -6w + 5x + 3y - z = 4 \end{cases}$$

Aufl. $w = 2$, $x = \frac{1}{2}$, $y = 3$, $z = \frac{1}{2}$.

28) Gl.
$$\begin{cases} v + w + x + y = 8 \\ v + w + x + z = 2 \\ v + w + y + z = 1 \\ v + x + y + z = 9 \\ w + x + y + z = 4 \end{cases}$$

Aufl. $v = 2$, $w = -3$, $x = 5$, $y = 4$, $z = -2$.

29) Gl.
$$\begin{cases} \dfrac{w}{10} + \dfrac{x}{4} - \dfrac{y}{3} = 12 \\ \dfrac{w}{4} + \dfrac{y}{9} - \dfrac{z}{6} = 18 \\ \dfrac{w}{50} - \dfrac{x}{4} + \dfrac{z}{12} = 1 \\ \dfrac{x}{5} + \dfrac{y}{3} + \dfrac{z}{16} = 10 \end{cases}$$

Aufl. $w = 100$, $x = 20$, $y = 9$, $z = 48$.

30) Gl.
$$\begin{cases} t + u + v + w + x + y + z = 56 \\ 6u - 3x + z = 14 \\ 3u - 5v + 6w + y + z = 22 \\ 7t + 3x = 36 \\ 5t + 10u - 3x + 3z = 71 \\ t - u + v - w + x - y + z = 14 \\ 2u + 3v + 4w + x + y - 2z = 42 \end{cases}$$

Aufl. $t = 3$, $u = 2$, $v = 10$, $w = 6$, $x = 5$, $y = 13$, $z = 17$.

31) Gl. $\begin{cases} \dfrac{xy}{5x+4y} = 6 \\[2mm] \dfrac{xz}{3x+2z} = 8 \\[2mm] \dfrac{yz}{3y+5z} = 6 \end{cases}$.

Aufl. $x = 48$, $y = 60$, $z = 36$.

32) Gl. $\begin{cases} \dfrac{1}{w} + \dfrac{1}{x} + \dfrac{1}{y} + \dfrac{1}{z} = 4\tfrac{7}{10} \\[2mm] \dfrac{2}{w} + \dfrac{3}{x} + \dfrac{3}{y} + \dfrac{5}{z} = 15 \\[2mm] \dfrac{5}{w} - \dfrac{2}{x} + \dfrac{10}{z} = 18\tfrac{1}{6} \\[2mm] \dfrac{15}{2x} + \dfrac{9}{4y} - \dfrac{10}{3z} = 4 \end{cases}$.

Aufl. $w = \tfrac{2}{3}$, $x = 1\tfrac{1}{2}$, $y = \tfrac{1}{4}$, $z = \tfrac{1}{6}$.

33) Gl. $\begin{cases} w + v : u = 3 : 4 \\[1mm] \dfrac{2x+3z}{u+v} = 3\tfrac{3}{4} \\[1mm] x^2 : y^2 = 576 : 1 \\[1mm] (2w+z) - \dfrac{v(v+2w)}{z} : \left(1 + \dfrac{v}{w}\right)^2 = 3w^2 : z \\[1mm] (z+y):[z(z-1) - y(y+1)] = 8 : 147 \\[1mm] 4\left(1 - \dfrac{y}{x}\right) : \left(\dfrac{1-4w}{w} + \dfrac{4y+1}{x}\right) = \dfrac{7x+10}{2x} \\[1mm] \qquad\qquad : \left(\dfrac{1-7w}{2w} - \dfrac{4}{x}\right) \end{cases}$.

Aufl. $u = 16$, $v = 8$, $w = 4$, $x = 15$, $y = \tfrac{5}{2}$, $z = 20$.

34) Gl. $\begin{cases} 1)\ (\sqrt{w} + \sqrt{y}) : \sqrt{\left(\dfrac{x}{10}\right)^2 + \tfrac{1}{2}\sqrt{wy}} = 2 : 1 \\[1mm] 2)\ 2\sqrt{x} : (1 + \sqrt{x}) = x : (2w - 3) \\[1mm] 3)\ x + y + z = 5w \\[1mm] 4)\ x - y = w \end{cases}$.

35) Gl.
$$\begin{cases} 1) & \frac{x}{2} + \frac{y}{2} + \frac{z}{2} = 5 \\ 2) & \frac{w}{3} + \frac{x}{3} + \frac{y}{3} = 2 \\ 3) & 5\,w + 5\,x + 5\,z = 15 \\ 4) & \frac{4}{5}\,w + \frac{4}{5}\,y + \frac{4}{5}\,z = 16 \end{cases}.$$

Aufgaben, deren Auflösung auf Gleichungen mit mehreren Unbekannten führen.

1) Man soll zwey Zahlen suchen, deren Summe 72, und deren Unterschied 28 ist. Welche Zahlen sind es? — Antw. 50 und 22.

2) Zwey Maulesel tragen zusammen eine gewisse Last. Der Führer antwortete einem Neugierigen auf seine Frage, wie groß die ganze Last sey? Folgendes: Die Last des ersten verhält sich zur Last des zweyten wie 5 : 4; hätte aber der erste so viel Pfunde über einen Zentner als der zweyte darunter hat; so müßte das arme Thier noch einmal so viel tragen, als das andere dann zu tragen hätte. Wie viel Pfunde trug jeder Esel? — Antw. Der erste 100 Pf, der zweyte 80.

3) Wie alt sind Sie, lieber Jüngling? fragte ein Fremder, und erhielt zur Antwort: Vor 10 Jahren war mein Vater sechs Mal so alt als ich war, und in 10 Jahren wird er gerade noch einmal so seyn, als ich seyn werde. Wie alt bin ich nun, und wie alt ist mein Vater? — Antw. Der Jüngling 15 Jahre und der Vater 40.

4) Wie viel Flüssigkeit ist in diesen beyden Gefäßen? fragte A den B, worauf dieser antwortete: Fülle ich aus dem ersten Gefäße 12 Maß in das zweyte, so enthalten beyde gleich viel; dividire ich aber den siebenfachen Inhalt des ersten durch den Inhalt des zweyten; so finde ich gerade 9 zum Quotienten. Wie viel Maß sind also in jedem Gefäße? — Antw. Im ersten 108 Maß, und im zweyten 84.

5) A vermachte seinen beyden Neffen seine ganze Baarschaft, welche nur 700 Thaler betrug, mit folgender Bestimmung: Die Antheile sollen sich verhalten wie die Quadrate der Zahlen 4 und 3, und zwar soll der ältere den größern Theil erhalten. Wie viel hat jeder von ihnen erhalten? — Antw. Der Ältere 448, und der jüngere 252 Thaler.

6) A sagt zu B, gib mir so viel Groschen von deinem Gelde als ich Gulden habe; so habe ich fünfmal so viel Geld als du. Nein,

agt **B** ju **A**, gib du mir lieber ſa viele Sechſer als ich Gulden habe
nD noch 86 fl. darüber, ſo habe ich gerade ſo viel wie du. Wie viel
at jeder? — Antw. A 250 fl., B 65 fl.

7) Es werden zwey Zahlen von folgender Beſchaffenheit geſucht:
ſenn man ihre Summe durch ihre Differenz dividirt, ſo ſoll der Quo-
ient 12, der Reſt aber 1 ſeyn; die Differenz ihrer Quadrate aber ſoll
as Dreyfache ihrer Summe ſeyn. Welche Zahlen ſind es? — Antw.
Die erſte iſt 20, die zweyte 17.

8) Man ſoll zwey Zahlen von folgender Beſchaffenheit ſuchen:
Der Würfel ihrer Differenz verhalte ſich zum Unterſchiede ihrer Wür-
el wie die Quadrate der Zahlen 2 und 7, das Siebenfache der erſten
Zahl aber ſey um 1 kleiner als das Zwölffache der zweyten. Welche
Zahlen ſind es? — Antw. 5 und 3.

9) Ein Krämer hatte in der Stadt Zucker und Kaffeh gekauft,
nd als ihn ſein Sohn um das Quantum jeder dieſer Waaren fragte;
ntwortete er ihm: $\frac{1}{2}$ vom Zucker wiegen 10 Pfund mehr als die
Hälfte des Kaffehs. Hätte ich aber 10 Pfund Kaffeh mehr gekauft;
ſo würde dieſer gerade $\frac{2}{3}$mal ſo viel wiegen als der Zucker. Da du
nun ein guter Rechenmeiſter biſt, ſo wirſt du mir ſchnell ſagen können,
wie viel Pfund ich von jeder Waare gekauft habe? — Antw. 40 Pfund
Kaffeh und 75 Pfund Zucker.

10) A hatte zwey Uhren, deren Werth er auf folgende Weiſe
angab. Gebe ich dieſes Petſchaft, deſſen Werth 24 Dukaten beträgt, zur erſten Uhr; ſo iſt dieſe noch einmal ſo viel werth als die
andere; gebe ich aber jenes Petſchaft zur zweyten Uhr; ſo iſt letztere
$\frac{1}{4}$ mehr werth als erſtere. Wie viel war jede Uhr werth? — Antw.
Die erſte 48, die zweyte 36 Dukaten.

11) Ein Student blieb in den Ferien einige Tage bey einem
Pfarrer auf dem Lande, welcher ſeinen jungen Klienten immer ſehr
angenehm und nützlich zu beſchäftigen ſuchte. Eines Tages führte der
Pfarrer den Jüngling in ſeinen Garten zu einem Baſſin, der nach
des Pfarrers Angabe gerade 224 Eimer Flüſſiges aufnehmen konnte,
und gerade abgelaſſen war, und ſagte zu ihm: Sie ſehen hier in die-
ſem Becken 2 Röhren von einerley Durchmeſſer, aus welchen das Waſ-
ſer aber mit verſchiedener Geſchwindigkeit ausſtrömt. Unterſuchen Sie
mir nun, in wie viel Zeit jede Röhre allein, und in wie viel Zeit
beyde Röhren zuſammen das Becken füllen; endlich beſtimmen Sie

mir das Verhältniß der Geschwindigkeiten, mit welchen aus beyden Röhren das Wasser ausströmt. Nun stellte der Jüngling einige Versuche an, und fand, daß das Becken genau gefüllt werde, wenn die eine Röhre 10 Stunden, die andere aber 13 Stunden geöffnet bleibt. Bey andern Versuchen aber fand er, daß wenn die erste Röhre 12 Stunden lang geöffnet bleibt, die zweyte genau 10 Stunden geöffnet bleiben müsse, um den Behälter ganz anzufüllen. Welche Resultate wird demnach der Student gefunden haben? — Antw. Aus der ersten Röhre strömen in jeder Stunde 12 Eimer Wasser, aus der zweyten in jeder Stunde 8 Eimer, demnach müssen beyde Röhren zugleich 11 Stunden 12 Minuten geöffnet bleiben, um den Behälter ganz anzufüllen, die erste Röhre allein 18 Stunden 40 Minuten, die zweyte allein aber 28 Stunden, folglich verhält sich die Geschwindigkeit der ersten Röhre zu der Geschwindigkeit der zweyten Röhre wie 3 : 2.

12) Wie alt sind Sie mein Freund? fragte A den B; dieser versetzte: Mein Alter und das meines Bruders C zusammen ist gerade um die Hälfte des Alters, welches ich in 8 Jahren haben werde, kleiner als 100. Die Differenz zwischen meinem dreyfachen Alter und dem doppelten Alter meines Bruders aber ist nur um 10 größer als die Hälfte des Alters von uns beyden zusammen. Wie alt war jeder? — Antw. B 40 und C 36 Jahre.

13) A hatte seit dem 24. Februar 1820 in einer Fabrik um den täglichen Lohn von 2 fl. 30 kr. mehrere Tage gearbeitet. Einige Tage später trat B in derselben Fabrik als Arbeiter ein; erhielt aber täglich 3 fl. Lohn. Nach einiger Zeit entstand zwischen A und B ein Streit, und beyde wurden zugleich fortgeschickt, nachdem sie ihren Lohn in Summe 98 fl. erhalten hatten. Als sie diese Summe theilten, sprach B: wenn ich so lange gearbeitet hätte als du, und du so lange als ich, so würde ich um $\frac{5}{12}$ meines jetzigen Antheiles mehr erhalten als du. Wie viel Tage hat jeder derselben gearbeitet, und in welchem Monate und an welchem Tage wurden beyde ihres Dienstes entlassen? — Antw. A 20 Tage, B 16 Tage und beyde wurden am 14. März nach den gewöhnlichen Arbeitsstunden entlassen.

14) Man soll eine zweyziffrige dekadische Zahl von folgender Beschaffenheit finden. Kehrt man die Ordnung der Ziffern um, und dividirt durch die so erhaltene Zahl die verlangte Zahl; so erhält man 1 zum Quotienten und 9 zum Reste; dividirt man aber die gesuchte

Zahl durch die Summe ihrer Ziffern; so erhält man 5 zum Quotienten und 11 zum Reste. Welche ist die Zahl? — Antw. 76.

15) Man soll einen Bruch finden, der so beschaffen ist, daß er, wenn man den Nenner um 1 vermehrt, in $\frac{4}{5}$ übergehe, aber wenn man Zähler und Nenner um 7 vermindert, sich in $\frac{3}{7}$ verwandle. Welcher ist dieser Bruch? — Antw. $\frac{35}{49}$.

16) Es wird ein Bruch gesucht, der so beschaffen ist, daß, wenn man den Zähler um 1 vermehrt und den Nenner um 1 vermindert, $\frac{1}{2}$ erhalten werde, daß er sich aber in $\frac{2}{9}$ verwandle, wenn man den Zähler um 6 vermindert, und den Nenner um 1 vermehrt. Wie heißt dieser Bruch? — Antw. $\frac{25}{89}$.

17) Ein Fleischhacker hatte von einem Ökonomen eine große Quantität Schafe und Schweine gekauft, welche er in 2 gleichen Abtheilungen bezog. Jedes Schaf bezahlte er bey der ersten Lieferung mit 7 Thaler und jedes Schwein mit 5 Thaler, und so mußte er bey dieser Lieferung 596 Thaler bezahlen. Bey der zweyten Lieferung bezahlte er jedes Schaf um einen Thaler theurer, jedes Schwein aber um einen Thaler wohlfeiler, und demnach mußte er bey der zweyten Lieferung um 4 Thaler weniger zahlen, als bey der ersten. Wie viel Schafe und wie viel Schweine hat er gekauft? — Antw. 96 Schafe und 104 Schweine, also bestand jede Lieferung aus 48 Schafen und 52 Schweinen.

18) Auf einem Fruchtspeicher lagen 98 Metzen Korn und 73 Metzen Weitzen vorräthig, welche licitando verkauft wurden. A, der jene Quantität Getreide um 673 fl. erstanden hatte, trat an B 48 Metzen Korn und 43 Metzen Weitzen um den Licitationspreis ab, und deßhalb mußte B 383 fl. zahlen. Wie theuer wurde der Metzen Korn und wie theuer der Metzen Weitzen gekauft? — Antw. Der Metzen Korn um 3 fl. 30 kr., der Metzen Weitzen um 5 fl.

19) Drey Personen A, B und C legten eine gewisse Summe Geldes zusammen, womit sie eine gewisse Summe gewannen, von welcher C 485 fl. erhielt. Wenn nun C $\frac{4}{7}$mal so viel einlegte als A und B zusammen; wenn sich ferner die Einlage des A und B zu ihrem Gewinne verhält wie 160 : 97, und B vom Gewinne $\frac{1}{3}$ mehr erhielt als A; so fragt sich nun, wie viel hat jeder eingelegt, wie groß war der ganze Gewinn? wie viel gebührte hiervon jedem der Interessenten? — Antw. A legte 480 fl. ein, B 640 fl., C 800 fl.;

der gemeinſchaftliche Gewinn betrug 1164 fl., wovon A 291 fl,
B 388 fl. und C 485 fl. erhielt.

20) Vier Kaufleute A, B, C und D traten in Kompagnie, und
gewannen mit ihrer Einlage 30 Procent. Der C hatte $\frac{1}{7}$ der Einlage
des B mehr eingelegt als A, D aber $\frac{2}{7}$ Mal ſo viel als die drey erſtern
zuſammen. Als ſie ihren Gewinn vertheilten, zeigte ſich, daß A und
C zuſammen 312 Thaler, B und D aber zuſammen 384 Thaler vom
gemeinſchaftlichen Gewinn erhielten. Wie viel hat nun jeder eingelegt? wie viel hat jeder gewonnen, und wie groß war der ganze Gewinn? — Antw. A legte 400 Thaler ein, B 560 Thaler, C 640 Thaler, und D 720 Thaler; ferner gewann A 120 Thaler, B 168, C 192
und 216 Thaler, und der ganze Gewinn betrug demnach 696 Thaler.

21) Es hatte jemand 2 Fäſſer, und in jedem derſelben war eine
gewiſſe Quantität Wein. Damit in jedes Faß gleich viel kommen
ſollte, gießt er aus dem erſten Faſſe ſo viel in das zweyte, als ſchon
darin war; hierauf gießt er wieder aus dem zweyten Faſſe in das erſte
ſo viel, als noch darin war. Am Ende befinden ſich in jedem Faß
32 Maß. Wie viel Maß waren anfangs darin? — Antw. Im erſten 40, im zweyten 24 Maß.

22) Drey Perſonen A, B und C erhalten zuſammen 96 fl. zum
Geſchenke, wovon ſich jeder einen Theil nahm. Da aber A mehr genommen hatte, als die übrigen zuſammen hatten, ſo gab er einem jeden
ſo viel, als er ſchon hatte, wodurch B am meiſten erhielt. Deßhalb
gab nun B dem A und C ſo viel, als jeder ſchon hatte, und ſo erhielt
C am meiſten. Endlich gab auch C jedem der beyden erſtern ſo viel,
als er ſchon hatte, und nun zeigte ſichs, daß ſie alle drey gleich viel
hatten. Wie viel hatte ſich jeder anfangs genommen? — Antw. A 52 fl.,
B 28 fl. und C 16 fl.

23) Ein Mann, der nur Seitenverwandte hatte, machte folgendes Teſtament: Die Geſchenke, die ich meinen 17 Verwandten in männlicher und weiblicher Linie bey Lebszeiten machte, ſollen zur Verlaſſen-
ſchaft gerechnet werden, und dann ſoll dieſe ganze Maſſe, die durch die
Geſchenke um $\frac{1}{7}$ vermehrt wird, ſo getheilt werden, daß die männliche
Linie ein Drittel mehr bekömmt, als die weibliche. Da nun auf dieſe
Art jeder Erbe in männlicher Linie 7314$\frac{2}{7}$ fl., und jeder Erbe in weiblicher Linie 3840 fl. erhalten hatte, ſo zeigte ſich, daß jeder Erbe gerade ſo viel erhalten habe, als wenn die Geſchenke nicht zur Verlaſſen-

schaft geschlagen, sondern diese letztere unter beyde Linien zu zwey glei=
chen Theilen vertheilt worden wäre. Wie groß war die ganze Verlaf=
senschaftsmasse? Wie viel hatte jede Linie vom Erblasser bey seinem
Leben zum Geschenke erhalten? Wie groß war die Erbschaft, die Do=
nationen nicht mitgerechnet? Wie viel Erben waren in jeder Linie?
Wie viel erhielt jeder noch nach des Erblassers Tode? — Antw. Die
ganze Verlassenschaftsmasse (einschlüssig der Geschenke) betrug 89600 fl.,
die Erbschaft (ohne Geschenke gerechnet) 71680 fl., die Geschenke
17920 fl. In männlicher Linie waren 7 Erben, in weiblicher 10. Je=
der Erbe in männlicher Linie hatte früher 2194⅔ fl. und nach des Erb=
lassers Tode noch 5120 fl.; jeder Erbe in weiblicher Linie aber beym
Leben des Erblassers 256 fl., und nach dessen Tode 3584 fl.

24) Man verlangt eine dreyzifferige Zahl von der Beschaffenheit,
daß das Quadrat der Summe ihrer Ziffern um 292 größer werde, als
die Summe der Quadrate der einzelnen Ziffern; daß ferner die Ziffer
der Hunderte mit der Summe der beyden andern Ziffern multiplicirt
um 62 größer werde, als das Produkt dieser beyden Ziffern, und daß
sich endlich die Ziffer der Einheiten zur Ziffer der Hunderte verhalte,
wie die dreyfache Summe der beyden ersten Ziffern rechts zu 52. Wie
heißt diese Zahl? — Antw. 876.

25) Drey Personen A, B und C legten 1600 Gulden zusammen,
und gewannen damit eine gewisse Summe Geldes, wovon A und B
zusammen 480 fl., B und C aber zusammen 360 fl. erhielten, denn A und
B hatten zusammen dreymal so viel eingelegt, als C. Wie viel hat
also jeder eingelegt? Wie groß war der ganze Gewinn? Wie groß war
der Antheil eines jeden? — Antw. Die Einlage des A betrug 700, die
des B 500, und die des C 400 fl.; der ganze Gewinn war 640 fl.,
wovon A 280, B 200, und C 160 fl. erhielt.

26) Ein gegebenes Stück Metall M, welches p Pfund wiegt,
verliert im Wasser a Pfund am Gewichte. Dieses Stück Metall ist
aus drey andern Metallen, die wir mit A, B und C bezeichnen wollen,
zusammengesetzt, und es ist durch Versuche bekannt, daß das Metall
A m Procent, B aber m' Procent, und C endlich m'' Procent am
Gewichte im Wasser verliert. Wie viel von jedem Metalle ist in dem
gegebenen zusammengesetzten Stücke M, wenn man weiß, daß der Ge=
wichtsverlust des Metalls C zum Gewichtsverluste des Metalls B in
der Mischung M sich verhalte wie 1 : n? — Antw. Das von A in der
Mischung befindliche Metall wiegt

$$\frac{m''n(100\,a - p\,m') + m'(100\,a - p\,m'')}{m''n(m - m') + m'(m - m'')}$$

$$\text{von } B \quad \frac{m''n(m\,p - 100\,a)}{m''n(m - m') + m'(m - m'')}$$

$$\text{von } C \quad \frac{m'(m\,p - 100\,a)}{m''n(m - m') + m'(m - m'')}.$$

27) Es hatte jemand ein Stück Metall, welches aus Gold, Silber und Kupfer zusammengesetzt war, und 108 Mark wog, im Wasser aber nur 99 Mark. Wenn wir nun annehmen, daß das Gold $5\frac{1}{2}$ Procent, das Silber aber $9\frac{14}{17}$ Procent, und das Kupfer $11\frac{1}{7}$ Procent im Wasser verliere, und wenn sich der Gewichtsverlust des in der Mischung befindlichen Kupfers zum Gewichtsverluste des in der Mischung befindlichen Silbers verhält wie 6 : 7; so fragt sich nun, wie viel von jeder Metallsorte in der Mischung gewesen sey? — Antw. 45 Mark Gold, 36 Mark Silber und 27 Mark Kupfer.

28) Man soll eine dreyzifferige dekabische Zahl suchen von der Beschaffenheit, daß sie, durch die Summe ihrer Ziffern dividirt, 36 zum Quotienten gibt; zieht man aber die gesuchte Zahl von der umgekehrten ab, so soll die Differenz gleich 198 seyn, und endlich soll die Stelle der Zehner $\frac{1}{7}$ von der Summe der beyden andern Ziffern seyn. Welche Zahl ist es? — Antw. 648.

29) Man soll drey Zahlen von der Beschaffenheit finden, daß die Differenz der Würfel der ersten und dritten Zahl um ihr Produkt größer wird, als die Summe ihrer Quadrate. Dividirt man das Quadrat der Summe der zweyten und dritten Zahl durch die Summe ihrer Quadrate, so sey der Quotient gleich 1, der Rest aber gleich dem Quadrate der zweyten Zahl. Endlich ist die um 1 verminderte zweyte Zahl durch die Summen der beyden andern dividirt der dritte Näherungsbruch von $\frac{11\,22}{13\,75}$. Wie heißen diese drey Zahlen? — Antw. 3, 4 und 2.

30) Es werden zwey Zahlen verlangt, deren Differenz, Summe und Produkt sich gegen einander verhalten wie die Zahlen 2, 3, 10, d. i. deren Differenz sich zu ihrer Summe wie 2 zu 3, und deren Summe sich zu ihrem Produkte wie 3 zu 10 verhält. Welche Zahlen sind es? — Antw. 20 und 4.

31) In einer Festung lagen Infanteristen, Kavalleristen und Artilleristen, deren Stärke der Kommandant seinem neugierigen Freunde auf folgende Art angab: Hätte ich 200 Mann Infanterie weniger, als ich habe, so könnte ich gerade 4 Mann Fußgeher auf 1 Kavalleristen

rechnen; dividire ich die Anzahl der Infanteristen durch den Rest der Besatzung, so finde ich 3 zum Quotienten, und den dritten Theil der Artillerie zum Reste; dividire ich aber die Anzahl der Infanteristen und Artilleristen durch die Anzahl der Reiter und Artilleristen, so finde ich zwar auch 3 zum Quotienten, aber dann ist der Rest um 60 größer als die Anzahl der Artilleristen. Wie stark war die Infanterie? Wie stark die Kavallerie? Wie stark die Artillerie, und wie stark also die ganze Besatzung? — Antw. 1800 Infanteristen, 400 Kavalleristen, 180 Artilleristen, und die ganze Besatzung also 2380 Mann.

32) Ein Pfarrer sprach zu einem Studenten, der ihn in den Ferien besuchte und ihn um Unterstützung für die Folge bat: Gut, mein Sohn! da Sie so gute Zeugnisse haben, so verspreche ich Ihnen für das nächste Semester einen Thaler mehr, als die Anzahl meiner Kühe, Ochsen und Pferde beträgt; denn die Zahlen, welche anzeigen, wie viel ich von jeder Gattung jener Hausthiere habe, mit einander multiplicirt, geben ein Produkt, welches eben so groß ist, als die Summe der drey ersten Potenzen der Anzahl meiner Ochsen; der Würfel dieser Anzahl aber ist um 1 größer, als das achtfache Produkt der beyden andern Zahlen, und das Produkt der Zahlen, welche die Menge meiner Kühe und Pferde bezeichnen, um ihre Summe vermehrt, übersteigt die zwölffache Anzahl meiner Ochsen um drey Einheiten. Wenn Sie mir in einer Stunde, fuhr der Pfarrer fort, sagen können, wie viel ich Ihnen versprochen habe, so zahle ich Ihnen die versprochene Summe auf der Stelle aus, wo nicht, so erhalten Sie nur die Hälfte. Wie viel hat der Pfarrer versprochen, und wie viel Stücke Vieh hatte er von jenen drey Gattungen? — Antw. Der Pfarrer versprach 30 Thaler, denn er hatte 13 Kühe, 9 Ochsen und 7 Pferde.

33) Man verlangt drey Zahlen von der Beschaffenheit, daß das Produkt der beyden ersten um die dritte Zahl vermehrt, gleich 17 werde; die Summe der Würfel der beyden ersten Zahlen aber verhält sich zu ihrem Produkte, wie die 19fache Summe jener zwey Zahlen zu 15; endlich soll der 15fache Kubus der Differenz zwischen der ersten und zweyten Zahl gleich dem achtfachen Produkte eben dieser Zahlen seyn. Wie heißen diese drey Zahlen? — Antw. 5, 3 und 2.

34) A hatte ein gewisses Kapital zu bestimmten Procenten auf bestimmte Zeit ausgeliehen, unter der Bedingung, daß das Kapital sammt Interessen nach Verlauf jener bestimmten Zeit zurück gezahlt werde. Als ihn nun ein Geldmäkler um die Größe jenes Kapitals, so

wie um den Zinsfuß fragte, antwortete A auf folgende, dem Mäkler räthselhafte Weise: Die sämmtlichen Interessen für die ganze Zeit, auf welche ich mein Kapital ausgeliehen habe, betragen gerade $\frac{9}{10}$ des ganzen Kapitals; multiplicire ich aber die jährlichen Interessen meines Kapitals mit 160, so finde ich genau mein Kapital auf die Zeiteinheit (1 Jahr) reducirt, d. i. eine Zahl, welche die Größe eines Kapitals anzeigt, das in einem Jahre eben so viel Interessen abwirft, als mein Kapital auf jene bestimmte Zeit; dividire ich endlich mein Kapital durch die Zeit, auf welche ich es ausgeliehen habe, so finde ich einen Quotienten, der um 5 größer ist, als die jährlichen Interessen von meinem ausgeliehenen Kapitale, der Rest aber ist um $\frac{1}{2}$ größer als die jährlichen Zinsen vom Hundert. Nun, sagte A zum Mäkler, wissen Sie schon mehr, als Sie zu wissen verlangten. Wie groß war das ausgeliehene Kapital? Zu wie viel Procenten und auf wie lange war das Kapital ausgeliehen? — Antw. Das Kapital betrug 680 fl., welche zu $7\frac{1}{2}$ Procent auf 12 Jahre ausstanden.

35) Ein Herr sah auf seinen Spaziergängen mehrmals eine junge Dame, welche in einen kleinen Garten neben einer armseligen Hütte schlich, und daselbst eine Bäuerinn mit Geschenken überraschte, und sie so recht von Herzen liebkoste. Diese Handlung erregte die innige Theilnahme jenes Herrn, und eines Tages faßte er den Muth, der Dame bey ihrem Weggehen den Weg zu vertreten, und ein Gespräch mit ihr anzuknüpfen, in dessen Verlauf er die Dame bat, ihm ihren Namen zu nennen, und ihm das zarte Verhältniß zwischen ihr und der Bäuerinn mitzutheilen. Die Dame gab ihm folgenden Bescheid: Mein Name besteht aus vier Buchstaben. Denken Sie sich nun die Buchstaben des Alphabets mit Zahlen der Ordnung nach bezeichnet, so können Sie das ganze Geheimniß durch Rechnung aus folgenden Angaben enträthseln: Addiren Sie die Zeiger, welche die Buchstaben meines Namens im Alphabete haben, so finden Sie ihre Summe gleich 30; multipliciren Sie den Unterschied zwischen dem Zeiger des ersten und dem des letzten Buchstaben mit 3, so finden Sie den Zeiger des zweyten; multipliciren Sie aber die Summe der Zeiger des ersten und letzten Buchstaben mit 4; so finden Sie die Summe der Zeiger der beyden mittlern Buchstaben; ziehen Sie endlich aus dem Zeiger des ersten und auch aus dem Zeiger des zweyten Buchstaben die Quadratwurzel aus, so verhält sich die Summe jener zwey Wurzeln zu ihrer Differenz wie $(17 + 4\sqrt{15})$ zu (-7). Kehren Sie meinen Namen um, so zeigt er Ihnen das

Wort, was mir die Bäuerinn einst war, und so wird Ihnen mein jetziges Verhältniß zu ihr kein Räthsel mehr seyn. Wie hieß die Dame? was war ihr einst die Bäuerinn? Antw. Emma — Amme.

36) Vier Räuber A, B, C und D nahmen einem Reisenden seine Börse ab, in welcher sich Frankenstücke, Dukaten, Speciesthaler und Zwanziger befanden. A nahm für sich $\frac{1}{7}$ von den Frankenstücken, $\frac{1}{4}$ von den Dukaten, und den siebenten Theil der Speciesthaler. Hierauf nahm B die übrigen Frankenstücke, $\frac{7}{16}$ von den Dukaten, und $\frac{17}{77}$ von den Zwanzigern, dann nahm C für sich den Rest der Dukaten, und dreymal so viel Speciesthaler als A. Was nun in der Börse noch war, behielt D. Da sie nun das Frankenstück zu $23\frac{1}{2}$ kr., den Dukaten zu $4\frac{1}{4}$ fl., und den Speciesthaler zu 2 fl. C. M. à 3 Zwanziger rechneten, so zeigte es sich, daß jeder von ihnen gerade 300 fl. C. M. erhalten habe. Wie viel Stück von jeder der obigen Münzsorten waren in der Börse des Reisenden? — Antw. 840 Frankenstücke, 80 Dukaten, 140 Speciesthaler und 693 Zwanziger.

37) Wie alt sind Sie, mein Fräulein? fragte jemand die geistreiche Emilie. Diese antwortete: Meine vier Tanten sind zusammen zwanzigmal so alt als ich. Aber wie alt sind denn Ihre Tanten? So hören Sie nur, fuhr Emilie fort. Wäre jede derselben um 17 Jahre älter, so wären alle vier zusammen viermal so alt, als meine älteste Tante. Dividire ich die Summe des Alters der ersten und des Alters der dritten durch die Summe des Alters der beyden andern, so finde ich 1 zum Quotienten und 12 zum Reste; dividire ich aber die Jahre der Jüngern durch das Alter der Ältesten, so finde ich 2 zum Quotienten und $\frac{1}{2}$ des Alters der dritten zum Reste, und, sonderbar genug, die älteste und jüngste zählen zusammen gerade so viel Jahre, als die beyden mittlern. Nun sagen Sie mir geschwind, wie alt bin ich? — Antw. die erste Tante 92, die zweyte 86, die dritte 64, die vierte 58, und Emilie 15 Jahre.

38) Es werden drey Zahlen von folgender Beschaffenheit gesucht: Zieht man von der ersten und auch von der zweyten Zahl 4 ab, so verhalten sich die Differenzen wie 3 zu 4. Zieht man aber von der zweyten Zahl 4 ab, und addirt zur dritten Zahl 4, so verhält sich jene Differenz zu dieser Summe wie 2 zu 3. Dividirt man aber sowohl die erste als die dritte Zahl durch 9, so findet man im ersten Falle den Quotienten gleich 1, im andern gleich 2, und die Reste beyder Divi-

sionen verhalten sich zu einander wie 5 zu 1. Welche Zahlen sind es? — Antw. $\frac{11}{3}$, $\frac{62}{3}$, 21.

39) Drey Brüder A, B und C haben ihre Kapitalien, welche sich verhielten wie die Zahlen 3, 4 und 6, auf verschiedene Zeiten zu verschiedenen Procenten angelegt. Die Interessen, welche sie während der ganzen Zeit von ihren respektiven Kapitalien bezogen, verhielten sich wie 15 zu 20 zu 27. Hätten alle drey Brüder ihr Vermögen zu einer Masse vereinigt, und diese Gesammtsumme nach dem mittlern Zinsfuße (das arithmetische Mittel der einzelnen Zinsfüße) so lange ausgeliehen, als das Kapital des A ausstand, so hätten sie in dieser Zeit 6500 fl. an Interessen bezogen; hätten sie aber jenes Gesammtvermögen nach demselben Zinsfuße so lange ausgeliehen, als das Kapital des B ausstand, so hätten sie nur 5200 fl an Zinsen bezogen; hätten sie endlich jenes gemeinschaftliche Kapital nach dem mittlern Zinsfuße nur auf so viele Jahre angelegt, als das Kapital des C ausstand, so hätten sie gar nur 3900 fl. au Zinsen bezogen. Wenn nur A sein Kapital zu $6\frac{2}{3}$ Procent auf so viele Jahre ausgeliehen hätte, als die Summe der einzelnen Zeiten betrug, so hätte er in dieser Zeit gerade so viel Zinsen eingenommen, als alle drey Brüder im Ganzen zusammen erhielten. Multiplicirt man die drey Zahlen, welche die Zeiten (während welchen die drey Kapitalien ausstanden) bezeichnen, mit einander, so findet man das Produkt gleich 60. Wie viel hatte jeder der drey Brüder ausgeliehen? Wie lange und zu wie viel Procenten standen die einzelnen Kapitalien aus? — Antw. A hatte 6000 fl. zu 4 pr. Ct. auf 5 Jahre ausgeliehen; B aber 8000 fl. zu 5 pr. Ct. auf 4 Jahre, und C 12000 fl. zu 6 pr. Ct. auf 3 Jahre.

40) Sechs Personen hatten zusammen mehrere Loose einer Güterlotterie gekauft, mit welchen sie 4800 fl. gewonnen haben. Als sie nun den Gewinn repartiren wollten, sprach einer von der Gesellschaft: Dividirt man die Summe aller Einlagen durch die Summe der Einlagen der drey ersten Personen, so findet man 1 zum Quotienten und 35 zum Reste. Dividirt man die ganze Einlage durch die Summe der Einlagen der ersten, zweyten und vierten Person, so findet man auch 1 zum Quotienten, aber 45 zum Reste. Ferner gibt die ganze Einlage durch die Summe der Einlagen des dritten, vierten und fünften Theilnehmers dividirt, 3 zum Quotienten und 4 zum Reste. Theilt man die ganze Einlage durch die Summe der Einlagen des zweyten, fünften und sechsten Theilnehmers, so findet man 2 zum Quotienten und die

Einlage des zweyten Mitspielers zum Reste. Die ganze Einlage durch die Summe der Einlagen der drey letzten Personen getheilt, gibt 4 zum Quotienten und die Summe der Einlagen des fünften und sechsten zum Reste. Endlich sagte er, die Einlagen des zweyten, dritten und fünften zusammen genommen, betragen gerade 77 fl. Wie viel hat nun jeder verhältnißmäßig seiner Einlage vom Gewinne zu erhalten? — Antw. Der erste legte 60 fl. ein, mithin 1800 fl. vom Gew.

»	zweyte	40 »	»	1200 »	»
»	dritte	25 »	»	750 »	»
»	vierte	15 »	»	450 »	»
»	fünfte	12 »	»	360 »	»
»	sechste	8 »	»	240 »	»

41) Im Januar 1833 saß Julius an seinem Pulte ganz in Gedanken vertieft, als sein Freund Moriz eintrat und ihn um den Grund seiner ernsten Stimmung fragte. Julius antwortete: Vor einigen Tagen, nämlich am 3. Januar, starb mein Großvater, und unter seinen hinterlassenen Papieren fand ich heute ein Dokument, welches — mir einst ein großes Vermögen zusichernd — mein Herz mit Freuden erfüllt hätte, wenn nicht meine armen Ältern gerade jetzt in dürftigen Umständen sich befinden würden, und vieles entbehren müssen, während ich einst im Überflusse leben werde. Meines Großvaters Bruder war ein Mathematiker und dabey ein großer Sonderling, wie sein Testament beweist, das ich hier vor mir habe. Er schreibt hier Folgendes: »Da ich mich dem Tode nahe fühle, und mein Sterbejahr gerade die einzige Jahreszahl des 18ten Jahrhunderts ist, die eine Quadratzahl darstellt, so vermache ich meinem lieben Bruder, oder im Falle seines frühern Ablebens, dem ältesten Sohne desselben so viele Gulden Conv. Geld, als die Summe aller jener Jahreszahlen des 19ten Jahrhunderts, welche absolute Primzahlen sind, beträgt, jedoch unter der Bedingung, daß das vollständig gesicherte Kapital sammt einfachen Interessen erst am 1. Januar in jenem Jahre des nächsten Jahrhunderts, dessen Jahreszahl ebenfalls eine Quadratzahl ist, aus der Kasse des Wechselhauses X, wo ich dasselbe anlegte, erhoben werden darf, denn bis dorthin beträgt das Kapital sammt Interessen gerade so viel, als die um mein ganzes Vermögen, d. i. um 49447 fl. verminderte Summe aller Jahreszahlen des 19ten Jahrhunderts, und ich würde, wenn ich bis dahin leben könnte, genau 7 Tage über das siebenfache jetzige Alter meines Bruders alt seyn.« Nun sind meine beyden Ältern zusammen

gerade so alt, als mein eben verstorbener Großvater war, meine Großmutter, die noch lebt, ist auch schon sehr alt, denn ihr gegenwärtiges
Alter ist der größte einfache Faktor der Jahreszahl meines Geburtsjahres, obgleich ich jetzt gerade so alt bin, als mein Großvater damals
war, als ihm die sonderbare Erbschaft zufiel, von der er also nichts ge-
nossen hat, und welche auch mein Vater und meine Mutter nicht sehr
lange genießen werden, wenn sie auch das Jahr, in welchem die Erbschaft zahlbar ist, erleben sollten. Übrigens habe ich heute meinen
Vater gebeten, daß er meiner lieben Tante die schriftliche Versicherung
geben möge, ihr bey Erhebung der Erbschaft eine Summe auszuzahlen, welche gleich ist der dreyfachen Zahl ihres Geburtsjahres mehr
ihrem fünffachen Alter in 10 Jahren, denn dann würden wir einst eine
runde Summe beziehen, und mein guter Vater hat bereits meine Bitte
gewährt. Aber, versetze Moriß, jetzt weiß ich im Grunde noch nichts,
obgleich ich alles Gesagte wohl verstanden habe. Gut, fuhr Julins
fort, ich gebe Ihnen noch die beyden Proportionen:

α) $\sqrt{x} : \sqrt{x + y} = (y + 1) : \sqrt{2y^2 + 3y + 1}$

β) $(x - y) : \sqrt{a} = \sqrt{b} : xy,$

wo x das Alter meines Vaters, y das Alter meiner Mutter bez
und a das Jahr, in welchem mein Großonkel starb, b aber das Jahr,
in welchem mein Vater oder ich einst die Erbschaft erheben werde; auch
sage ich Ihnen noch den sonderbaren Umstand, daß das Produkt xy
gerade das Geburtsjahr meiner lieben Tante sey, daß meine beyden Ältern am 3. Januar, meine Großmutter aber am 4. Januar geboren sey.
Nun beantworten Sie mir gefälligst folgende Fragen:

1) Wie viel vermachte mein Großonkel meinem Großvater?
2) Wie viel werde ich, und wie viel meine Tante einst erhalten.
3) Wie viel Procent trägt die angelegte Erbschaft?
4) Wann starb mein Großonkel, und wann werden wir die Erbschaft
   erheben?
5) Wie alt war mein Großvater, wie alt ist meine Großmutter, mein
   Vater, meine Mutter, meine Tante und ich?
6) Wann wurde jedes von uns geboren, und in welcher Beziehung
   steht das Alter meiner beyden Ältern zu den beyden merkwürdi-
   gen Jahreszahlen a und b?
7) An welchem Tage und in welchem Jahre wurde mein Großonkel
   und mein Großvater geboren?
8) Welche andern hier nicht angegebenen Relationen finden zwischen
   den gesuchten Zahlen noch Statt?

Gleichungen vom zweyten Grade.

a) **Mit einer unbekannten Größe.** (§. 220.—238. der Alg.)

1) Gl. $x^2 = P$.

    Aufl. $x = \pm \sqrt{P}$.

2) Gl. $x^2 + px = q$.

    Aufl. $x = \dfrac{-p \pm \sqrt{p^2 + 4q}}{2}$.

3) Gl. $x^2 + 8x = 105$.

    Aufl. $x = 7$, $x = -15$.

4) Gl. $x^2 - 10x = 24$.

    Aufl. $x = 12$, $x = -2$.

5) Gl. $5x^2 - 20x = 585$.

    Aufl. $x = 13$, $x = -9$.

6) Gl. $3x^2 - 5x = 2$.

    Aufl. $x = 2$, $x = -\frac{1}{3}$.

7) Gl. $x^2 - \frac{4}{7}x = 188$.

    Aufl. $x = 14$, $x = -13\frac{3}{7}$.

8) Gl. $\frac{1}{3}x^2 + 5x = -2\frac{1}{3}$.

    Aufl. $x = \dfrac{-1}{2}$, $x = -7$.

9) Gl. $x^2 + \frac{x}{12} = \frac{1}{3}$.

    Aufl. $x = \frac{1}{2}$, $x = -\frac{1}{4}$.

10) Gl. $\frac{5}{16}x^2 - \frac{9}{14}x = 6\frac{1}{3}$.

    Aufl. $x = 5\frac{3}{5}$, $x = -3\frac{10}{11}$.

11) Gl. $x^2 + x + \frac{12}{7} = 0$.

    Aufl. $x = -\frac{3}{7}$, $x = -\frac{4}{7}$.

12) Gl. $x^2 + \frac{41}{15}x - 2 = 0$.

    Aufl. $x = \frac{3}{5}$, $x = -3\frac{1}{3}$.

13) Gl. $x^2 - 4x + 1 = 0$.

    Aufl. $x = 2 + \sqrt{3}$, $x = 2 - \sqrt{3}$,

        oder $x = 3.72105$; $x = 0.26795 \ldots$

14) Gl. $x^2 + 5x + 5 = 0$.

    Aufl. $x = \dfrac{-5 + \sqrt{5}}{2}$, $x = \dfrac{-5 - \sqrt{5}}{2}$,

        oder $x = -1.381966 \ldots$, $x = -3.618034 \ldots$

15) Gl. $3x^2 + x = 7$.

Aufl. $x = \frac{\sqrt{85}-1}{6}$, . $x = \frac{-\sqrt{85}-1}{6}$,

oder $x = 1.3699\ldots$, $x = -1.7032\ldots$

16) Gl. $30 - 6x = 3x^2$.

Aufl. $x = -1 + \sqrt{11}$, $x = -1 - \sqrt{11}$,

oder $x = 2.3166\ldots$, $x = -4.3166\ldots$

17) Gl. $\frac{x}{3+x} + \frac{3-x}{2} = \frac{30}{3+x} - x$.

Aufl. $x = -1 + \sqrt{52}$, $x = -1 - \sqrt{52}$,

oder $x = 6.21110\ldots$, $x = -8.21110\ldots$

18) Gl. $x - \frac{x^2}{50} = 8$.

Aufl. $x = 40$, $x = 10$.

19) Gl. $\frac{18}{x-3} = \frac{35}{x} + 2$.

Aufl. $x = 5$, $x = -10.5$.

20) Gl. $x^2 + 1 = x$.

Aufl. $x = \frac{1}{2}(1 + \sqrt{-3})$, $x = \frac{1}{2}(1 - \sqrt{-3})$.

21) Gl. $3x - x^2 = 2$.

Aufl. $x = 2$, $x = 1$.

22) Gl. $\frac{2s}{x} = 2a + (x-1)d$.

Aufl. $x = \frac{-(2a-d) + \sqrt{(2a-d)^2 + 8sd}}{2d}$,

$x = \frac{-(2a-d) - \sqrt{(2a-d)^2 + 8sd}}{2d}$.

23) Gl. $\frac{a^2 c}{x^2} = \frac{a^2 d}{(b-x)^2}$.

Aufl. $x = \frac{b(c + \sqrt{cd})}{c-d}$, $x = \frac{b(c - \sqrt{cd})}{c-d}$.

24) Gl. $\frac{x}{am} - \frac{2}{a} = \frac{a}{mx} - \frac{m}{ax}$.

Aufl. $x = m + a$, $x = m - a$.

25) Gl. $x^2 + 28 = 16x$.

Aufl. $x = 14$, $x = 2$.

6) Gl. $\dfrac{x^2}{3} + x = 6a$.

Aufl. $x = 12$, $x = -15$.

27) Gl. $x^2 - \tfrac{7}{8}x + 4\tfrac{3}{4} = 0$.

Aufl. $x = \left(\dfrac{7 + \sqrt{-1039}}{16}\right)$, $x = \dfrac{7 - \sqrt{-1039}}{16}$.

28) Gl. $\dfrac{x}{x+8} = \dfrac{3}{x-20}$.

Aufl. $x = 24$, $x = -1$.

29) Gl. $\dfrac{x}{x-6} - \tfrac{1}{2} = \dfrac{x}{6} + \dfrac{x+6}{6-x}$.

Aufl. $x = 18$, $x = -3$.

30) Gl. $\dfrac{4x-3}{6x+8} + \dfrac{69}{133} = \dfrac{2x}{2x-4}$.

Aufl. $x = 4\tfrac{1}{2}$, $x = -\dfrac{68}{621}$.

31) Gl. $\dfrac{18+x}{39-13x} + \dfrac{15}{2x-6} = \dfrac{9\tfrac{3}{13}x+4\tfrac{2}{13}}{19-7x}$.

Aufl. $x = 7\tfrac{22}{113}$, $x = 2\cdot5$.

32) Gl. $x + \dfrac{b}{a} = \dfrac{mx^2}{n} + \dfrac{bmx}{an}$.

Aufl. $x = \dfrac{n}{m}$, $x = \dfrac{-b}{a}$.

33) Gl. $\dfrac{mx}{abn} + \dfrac{ab}{mn} = \dfrac{nx}{abm} + \dfrac{2x}{n}$.

Aufl. $x = \dfrac{ab}{m+n}$, $x = \dfrac{ab}{m-n}$.

34) Gl. $\dfrac{ax^2}{2b} + \left(\dfrac{a}{b} + 3\right)x - \dfrac{4a}{b} = \dfrac{bx^2}{2a} - \left(3 + \dfrac{b}{a}\right)x - \dfrac{4}{a}$

Aufl. $x = 2\left(\dfrac{a-b}{a+b}\right)$, $x = 4\left(\dfrac{a+b}{b-a}\right)$.

35) Gl. $4a^2x^2 + 19 = a(16x + 1)$.

Aufl. $x = \dfrac{4 + \sqrt{a-3}}{2a}$, $x = \dfrac{4 - \sqrt{a-3}}{4a}$.

36) Gl. $x^2 + \sqrt{10} = 5x - 9$.

Aufl. $x = \tfrac{1}{2}(5 + \sqrt{2} - \sqrt{5})$, $x = \tfrac{1}{2}(5 - \sqrt{2} + \sqrt{5})$.

37) Gl. $mx^2 + mn = 2mx\sqrt{n} + nx^2$.

Aufl. $x = \dfrac{\sqrt{mn}}{\sqrt{m}+\sqrt{n}}$, $x = \dfrac{\sqrt{mn}}{\sqrt{m}-\sqrt{n}}$.

38) Gl. $\frac{2n}{5m}\sqrt{2(m+5)} - \frac{11}{64}\left(2+\frac{1}{m^2}\right)x^2 +$

$$+ \frac{n\cdot\sqrt{5}}{11}(2m^2+1)x = \frac{5\sqrt{m+5}}{3m^3}\,x$$

Aufl. $x = \frac{-22\sqrt{m+5}}{5m(2m^2+1)}$, $x\left(=\frac{6m^2n\sqrt{2}}{25}.\right)$

39) Gl. $\frac{x}{\sqrt{m}} \mp p\sqrt{x} = \frac{n\sqrt{m}}{m}$.

Aufl. $x = \frac{m(2n+p^2)+\sqrt{(2mn+mp^2+2n)(2mn+mp^2-2n)}}{2m}$

$x = \frac{m(2n+p^2)-\sqrt{(2mn+mp^2+2n)(2mn+mp^2-2n)}}{2m}$.

40) Gl. $\sqrt{x-1} + 10\sqrt{2x-1} = 8\sqrt{3x+1}$.

Aufl. $x = 5$, $x = -7\frac{332}{719}$.

41) Gl. $\sqrt{x+3} + 3\sqrt{4x+1} = 2\sqrt{6x}$.

Aufl. $x = 6$, $x = \frac{6}{145}$.

42) Gl. $x^2\sqrt{3} - 2\sqrt{6}.x = 3\sqrt{300}$.

Aufl. $x = 5\sqrt{2}$, $x = -3\sqrt{2}$.

43) Gl. $x^2 - 4x\sqrt{3} + 2\sqrt{5} = 0$.

Aufl. $x = 2\sqrt{3}+\sqrt{12-2\sqrt{5}}$, $x = 2\sqrt{3}-\sqrt{12-2\sqrt{5}}$.

44) Gl. $ax^{2n} + bx^n = c$.

Aufl. $x = \sqrt[n]{\frac{-b+\sqrt{b^2+4ac}}{2a}}$, $x = \sqrt[n]{\frac{-b-\sqrt{b^2+4ac}}{2a}}$.

45) Gl. $x^4 - 5x^2 = 36$.

Aufl. $x = \pm 3$, $x = \pm 2\sqrt{-1}$.

46) Gl. $x^6 - 60x^3 = 256$.

Aufl. $x = 4$, $x = -\sqrt[3]{4}$.

47) Gl. $x^8 + 65x^4 = 1296$.

Aufl. $x = \pm 2$, $x = \pm 2\sqrt{-1}$, $x = \pm 3\sqrt[4]{-1}$.

48) Gl. $2\sqrt{x} - 3\sqrt[4]{x} = 35$.

Aufl. $x = 625$, $x = 150\cdot0625$.

49) Gl. $2\frac{1}{2}\sqrt[6]{2(x-16)} - 1 = \sqrt[3]{2(x-16)}$.

Aufl. $x = 48$, $x = 16\cdot0078125$.

Ausziehung der Quadratwurzel aus einem Binom von der Form A ± √B. (§. 239. der Alg.)

Formeln.

I. $$\sqrt{A \pm \sqrt{B}} = \sqrt{\frac{A + \sqrt{A^2 - B}}{2}} \pm \sqrt{\frac{A - \sqrt{A^2 - B}}{2}} =$$

$$= \sqrt{\frac{A+M}{2}} \pm \sqrt{\frac{A-M}{2}}.$$

II. $$\sqrt{A \pm \sqrt{-B}} = \sqrt{\frac{A + \sqrt{A^2 + B}}{2}} \pm \sqrt{\frac{A - \sqrt{A^2 + B}}{2}}.$$

Beyspiele.

1) $\sqrt{11 + 6\sqrt{2}} = 3 + \sqrt{2}$.

2) $\sqrt{43 - 12\sqrt{7}} = 6 - \sqrt{7}$.

3) $\sqrt{5 + 2\sqrt{6}} = \sqrt{3} + \sqrt{2}$.

4) $\sqrt{223 - 12\sqrt{92}} = 4 - 3\sqrt{23}$.

5) $\sqrt{57 - 12\sqrt{15}} = 3\sqrt{5} - 2\sqrt{3}$.

6) $\sqrt{1 + \frac{2}{3}\sqrt{2}} = \frac{1}{3}\sqrt{6} + \frac{1}{3}\sqrt{3}$.

7) $\sqrt{(a+b)^2 + 4(a-b)\sqrt{ab}} = a - b + 2\sqrt{ab}$.

8) $\sqrt{2(a - \sqrt{ab}) + 2(\sqrt{a} - \sqrt{b})\sqrt{a-b}} = \sqrt{a} - \sqrt{b} + \sqrt{a-b}$.

9) $\sqrt{m^2 + n + 2m\sqrt{n}} = m + \sqrt{n}$.

10) $\sqrt{mn(m + n - 2\sqrt{mn})} = m\sqrt{n} - n\sqrt{m}$.

11) $\sqrt{2(a + \sqrt{a^2 - b^2})} = \sqrt{a+b} + \sqrt{a-b}$.

12) $\sqrt{\frac{x^2}{4} - \frac{a}{2}\sqrt{x^2 - a^2}} = \frac{a - \sqrt{x^2 - a^2}}{2}$.

13) $\sqrt{a(b + 1 + 2\sqrt{b})} = \sqrt{a} + \sqrt{ab} = (1 + \sqrt{b})\sqrt{a}$.

14) $\sqrt{a^2 + b^2 + 2(a-b)\sqrt{2ab}} = a - b + \sqrt{2ab}$.

15) $\sqrt{xy + \sqrt{x} + \sqrt{y} + 2\sqrt{xy}\sqrt{x} + xy\sqrt{y}} = \sqrt{xy} + \sqrt{\sqrt{x} + \sqrt{y}}$.

16) $\sqrt{4\sqrt{2} + 2\sqrt{6}} = \sqrt[4]{18} + \sqrt[4]{2}$.

17) $\sqrt{3\sqrt{7} + 2\sqrt{14}} = \sqrt[4]{28} + \sqrt[4]{7}$.

18) $\sqrt[8]{2885 + 2040\sqrt{2}} = \sqrt[8]{5} + \sqrt[8]{80}$.

19) $\sqrt[4]{(x+y)^2 + 4(\sqrt{xy} + x + y)\sqrt{xy}} = \sqrt{x} + \sqrt{y}$.

20) $\sqrt[3]{(a+1+2\sqrt{a})\sqrt{b}} = \sqrt[4]{a^2 b} + \sqrt[4]{b}$.

21) $\sqrt{22 + 10\sqrt{-3}} = 5 + \sqrt{-3}$.

22) $\sqrt{18(1 - 2\sqrt{-2})} = 6 - 3\sqrt{-2}$.

23) $\sqrt{56\sqrt{-5} - 31} = 7 + 4\sqrt{-5}$.

24) $\sqrt{30\sqrt{-1} - 16} = -3 - 5\sqrt{-1}$.

25) $\sqrt{2 + 2\sqrt{-15}} = \sqrt{5} + \sqrt{-3}$.

26) $\sqrt{3 - 12\sqrt{-3}} = 2\sqrt{3} - 3\sqrt{-1}$.

27) $\sqrt[4]{-1} = \sqrt{\sqrt{-1}} = \sqrt{0 + \sqrt{-1}} = \sqrt{\tfrac{1}{2}} + \sqrt{-\tfrac{1}{2}}$.

28) $\sqrt{-\sqrt{-1}} = \sqrt{0 - \sqrt{-1}} = \sqrt{\tfrac{1}{2}} - \sqrt{-\tfrac{1}{2}}$.

29) $\sqrt{\tfrac{4}{3}\sqrt{-1}} = \sqrt{0 + \tfrac{4}{3}\sqrt{-1}} = \sqrt{\tfrac{2}{3}} + \sqrt{-\tfrac{2}{3}}$.

30) $\sqrt{-10\sqrt{-1}} = \sqrt{5} - \sqrt{-5}$.

31) $2\sqrt{3\sqrt{-1}} = \sqrt{6} + \sqrt{-6}$.

32) $\sqrt{143 - 24\sqrt{-1}} = 12 - \sqrt{-1}$.

33) $\sqrt{84 + 13\sqrt{-1}} = \dfrac{13 + \sqrt{-1}}{\sqrt{2}} = \tfrac{1}{2}(13\sqrt{2} + \sqrt{-2})$.

34) $\sqrt{2 - \sqrt{-1}} = \sqrt{\dfrac{2+\sqrt5}{2}} - \sqrt{\dfrac{2-\sqrt5}{2}}$.

35) $\sqrt{am^2 - an + 2am\sqrt{-n}} = m\sqrt{a} + \sqrt{-an}$
$$= (m + \sqrt{-n})\sqrt{a}.$$

36) $\sqrt{-2(a+b)\sqrt{-1}} = \sqrt{a+b} - \sqrt{-(a+b)}$.

37) $\sqrt{a[1 - \sqrt{-(3m^2-1)}]} =$
$$= \sqrt{\tfrac{a}{2}(1 + m\sqrt3)} - \sqrt{\tfrac{a}{2}(1 - m\sqrt3)}.$$

38) $\sqrt{\dfrac{a^2 m}{n}(5 + 12\sqrt{-1})} =$
$$= 3a\sqrt{\tfrac{m}{n}} + 2a\sqrt{\tfrac{m}{n}}\sqrt{-1} = a\sqrt{\tfrac{m}{n}}(3 + 2\sqrt{-1}).$$

39) $\sqrt[4]{a^2(n^4 - 6n^2 + 1 + 4n(n^2 - 1)\sqrt{-1})} =$
$$= \sqrt{a} - n\sqrt{-a} = (1 - n\sqrt{-1})\sqrt{a}.$$

10) $\sqrt{\frac{2a}{m}\sqrt{-1}} = (1 + \sqrt{-1})\sqrt{\frac{a}{m}}$.

11) $a\sqrt{x\sqrt{-23 + 4\sqrt{-6}}} = (\sqrt{3} + \sqrt{-2}) . a\sqrt{x}$.

12) $\sqrt{\frac{a}{m}(am^2 - 1)} + 2a\sqrt{-a} = a\sqrt{m} + \sqrt{-\frac{a}{m}}$.

β) Mit mehreren unbekannten Größen.

1) Gl. $\begin{pmatrix} ax + by = c \\ Ax^2 + By^2 = C \end{pmatrix}$.

Aufl. $x = \dfrac{Bac \pm b\sqrt{ACb^2 - ABc^2 + BCa^2}}{Ab^2 + Ba^2}$,

$y = \dfrac{Abc \mp a\sqrt{ACb^2 - ABc^2 + BCa^2}}{Ab^2 + Ba^2}$.

2) Gl. $\begin{pmatrix} 5x - 4y = 7 \\ 3x^2 + 2y^2 = 35 \end{pmatrix}$.

Aufl. $\begin{pmatrix} x = -1\frac{4}{7} \\ y = -3\frac{5}{7} \end{pmatrix}$ oder $\begin{pmatrix} x = 3 \\ y = 2 \end{pmatrix}$.

3) Gl. $\begin{cases} \dfrac{12x}{y} = \dfrac{5\frac{1}{2}y}{x} \\ 5xy + 4x + 3y = 154 \end{cases}$.

Aufl. $\begin{pmatrix} x = 4 \\ y = 6 \end{pmatrix}$ oder $\begin{pmatrix} x = -5\frac{2}{15} \\ y = -7.7 \end{pmatrix}$.

4) Gl. $\begin{pmatrix} xy = x + y \\ x + y + x^2 + y^2 = a \end{pmatrix}$.

Aufl. $x = \dfrac{1 \pm \sqrt{4a+1} \pm \sqrt{2(2a-3) \mp 6\sqrt{4a+1}}}{4}$

$y = \dfrac{1 \pm \sqrt{4a+1} \mp \sqrt{2(2a-3) \mp 6\sqrt{4a+1}}}{4}$.

5) Gl. $\begin{pmatrix} (x-y)(x^2-y^2) = a \\ (x+y)(x^2+y^2) = b \end{pmatrix}$.

Aufl. $\begin{cases} x = \dfrac{\sqrt[6]{2b-a} + \sqrt{a}}{2\sqrt[6]{2b-a}} \\ y = \dfrac{\sqrt[6]{2b-a} - \sqrt{a}}{2\sqrt[6]{2b-a}} \end{cases}$, oder

$$\begin{cases} x = \dfrac{\dfrac{\sqrt{2b-a}-\sqrt{a}}{6}}{2\sqrt{2b-a}} \\[4mm] y = \dfrac{\dfrac{\sqrt{2b-a}+\sqrt{a}}{6}}{2\sqrt{2b-a}} \end{cases}.$$

6) Gl. $\left(\begin{array}{l} 4x - 5y = 2 \\ 192\,x^3 - 375\,y^3 = 364\,xy \end{array} \right).$

Aufl. $\left(\begin{array}{l} x = 3 \\ y = 2 \end{array} \right)$ oder $\left(\begin{array}{l} x = -2\cdot5 \\ y = -2\cdot4 \end{array} \right).$

7) Gl. $\begin{cases} y : z = 8 : 5 \\ x^2 - 20 = 2yz \\ x^2 + y^2 + z^2 = 189 \end{cases}.$

Aufl. $x = 10,\ y = 8,\ z = 5.$

8) Gl. $\begin{cases} \dfrac{xyz}{x+y} = m \\[2mm] \dfrac{xyz}{x+z} = n \\[2mm] \dfrac{xyz}{y+z} = p \end{cases}.$

Aufl. $x = \pm\sqrt{\dfrac{2mnp\,(mp - mn + np)}{(mp + mn - np)\,(np + mn - mp)}}$

$y = \pm\sqrt{\dfrac{2mnp\,(np + mn - mp)}{(mp + mn - np)\,(mp - mn + np)}}$

$z = \pm\sqrt{\dfrac{2mnp\,(mp + mn - np)}{(mp - mn + np)\,(np + mn - mp)}}.$

9) Gl. $\begin{cases} x^3 + y^3 + z^3 = 3240 \\ xy + xz + yz = 440 - z^2 \\ \dfrac{x^3 + y^3}{18} = (x - y)^2 + xy \end{cases}.$

Aufl. $x = 8,\ y = 10,\ z = 12.$

10) Gl. $\begin{cases} x + y = 18 \\ x^3 + y^3 = 1512 \end{cases}.$

11) Gl. $\begin{cases} 2x - 3y = 75 \\ 8x^3 - 27.y^3 = 2657475 \end{cases}.$

12) Gl. $\begin{cases} x + y = 30 \\ x^4 + y^4 = 112082 \end{cases}.$

13) Gl. $\left\{\begin{array}{l}(x-y)(x^2+y^2) = a\\ x^2+y^2+x-y = b\end{array}\right\}.$

14) Gl. $\left\{\begin{array}{l}(x^2+y^2)(x^3+y^3) = a\\ x+y = b\end{array}\right\}.$

15) Gl. $\left\{\begin{array}{l}x^2+y^2+z^2 = a\\ x+y+z = b\\ xy = c\end{array}\right\}.$

* Mehrere wichtige Aufgaben dieser Art befinden sich schon im Lehrbuche.

Aufgaben, deren Auflösung auf Gleichungen des zweyten Grades führt.

1. **Aufgabe.** Es hatte jemand mehrere Schafe gekauft, und zahlte für jedes Stück dreymal so viel Gulden, als es Schafe waren, weßhalb er gerade 108 fl. zahlen mußte. Wie viel Schafe hat er also gekauft und zu welchem Preise? — Antw. 6 Schafe, jedes zu 18 fl.

2. **Aufgabe.** A hatte für 300 fl. mehrere seidene Tücher gekauft, und zwar kostete ihm jedes Stück $\frac{3}{4}$mal so viel Gulden als es Stücke waren. Wie viel Tücher, und zu welchem Preise hat A eingekauft? — Antw. 20 Stück, jedes zu 15 fl.

3. **Aufgabe.** Ein Knabe antwortete auf die Frage, wie alt er sey? folgendes: Wenn ich die Zahl 432 durch mein Alter dividire; so finde ich mein dreyfaches Alter zum Quotienten. Wie alt war wohl der Knabe? — Antw. 12 Jahre.

4. **Aufgabe.** Wie viel verzehrst du monatlich? fragte A den B, und erhielt zur Antwort: Wenn ich 588 fl. durch meine Ausgaben dividire, so finde ich den dritten Theil meiner Auslagen zum Quotienten. Wie viel gab B monatlich aus? — Antw. 42 Gulden.

5. **Aufgabe.** Man verlangt eine Zahl, deren Quadrat um ihr Sechsfaches vermehrt, gleich 72 wird. Wie heißt diese Zahl? — Antw. 3 oder — 9.

6. **Aufgabe.** Wie viel Gulden hast du in der Tasche? fragte jemand den A. Dieser erwiederte: wenn ich das Quadrat der Anzahl meiner Gulden um $3\frac{1}{4}$ vermehre; so finde ich gerade das Siebenfache meines Geldes. Wie viel habe ich also? — Antw. $6\frac{1}{2}$ fl. oder $\frac{1}{2}$ fl.

7. **Aufgabe.** Ein Lehrer fragte seinen Schüler, wie alt sein jüngerer Bruder sey. Der Schüler antwortete: Mein Vater ist 48

Jahre alt, und meine Mutter 39. Dividiren Sie nun das jetzige Alter meines Vaters durch das Alter meines Bruders in 3 Jahren, so finden sie einen Quotienten, der um 5 kleiner ist als der Quotient, den Sie finden, wenn Sie das Alter meines Vaters und das dreyfache Alter meiner Mutter zusammen genommen durch das Alter dividiren, welches mein Bruder in 10 Jahren haben wird. — Wie alt war der kleine Knabe? — Antw. 5 Jahre, oder auch $5\frac{5}{7}$ Jahre.

8. Aufgabe. Man verlangt eine Zahl, deren Fünffaches um 2 kleiner ist, als ihr dreyfaches Quadrat. Welche ist diese Zahl? — Antw. 2, oder — $\frac{1}{3}$.

9. Aufgabe. Es hat jemand dreyerley Waaren, die zusammen 131 fl. 15 kr. kosten. Das Pfund einer jeden Sorte kostet so viele Groschen als er Pfunde davon vorräthig hat. Er hat aber von der zweyten Sorte um den vierten Theil mehr als von der ersten, und von der dritten Sorte 15 Pfund mehr als von der zweyten. Wie viel Pfunde hat er von jeder Sorte? — Antw. Von der ersten 20, von der zweyten 25, und van der dritten 40 Pfunde.

10. Aufgabe. Ein Fabrikant beschäftigte mehrere Arbeiter und mußte ihnen zusammen wöchentlich 196 fl. Lohn zahlen. Die Arbeiter waren in drey Klassen getheilt, und jeder Arbeiter erhielt wöchentlich so viele Gulden Lohn, als Personen in seiner Klasse waren. In der zweyten Klasse waren 8 Arbeiter weniger, als in der ersten, und in der dritten Klasse waren um die Hälfte mehr Arbeiter als in der zweyten. Wie viel Arbeiter waren in jeder Klasse? — Antw. In der ersten 12, in der zweyten 4, und in der dritten 6 Arbeiter.

11. Aufgabe. Man soll zwey Zahlen suchen, die um 9 Einheiten von einander unterschieden sind, deren Produkt aber gleich 360 ist. Welche Zahlen sind es? — Antw. 24 und 15.

12. Aufgabe. Man soll eine Zahl suchen, deren Quadrat um 156 größer ist, als sie selbst. Welche Zahl ist es? — Antw. 13.

13. Aufgabe. Es soll eine Zahl von solcher Beschaffenheit gefunden werden, daß, wenn man $\frac{4}{5}$ derselben mit $\frac{2}{3}$ von ihr multiplizirt, und zum Produkte das Einfache der gesuchten Zahl addirt, das so gefundene Resultat eben so viel unter 100 betrage, als der vierte Theil der 75fachen gesuchten Zahl über 100 beträgt. Welche Zahl ist es? — Antw. 8.

14. Aufgabe. Im Jahre 1816 fragte jemand einen Offizier, wie alt er sey, worauf letzterer erwiederte: wenn ich mein Alter vor

3 Jahren mit meinem Alter in 8 Jahren multiplizire; so finde ich gerade mein Geburtsjahr. Wie alt war der Offizier? — Antw. 40 Jahre.

15. Aufgabe. Ein Student A sagte seinem Freunde B, daß er jährlich 2400 fl. W W. zu verzehren habe. Als nun B sagte, aber wie viel bist du denn deinem Kostherrn schuldig? erwiederte A: Meinem Schneider bin ich 30 fl. mehr, und meinem Schuster 20 fl. weniger schuldig, als meinem Kostherrn. Wenn ich aber jene beyden Schulden mit einander multipliziren würde, so betrüge das Produkt gerade so viel als meine jährlichen Einnahmen. Wie viel war A seinem Kostherrn, wie viel seinem Schneider und wie viel seinem Schuster schuldig? — Antw. Dem Kostherrn 50, dem Schneider 80, und dem Schuster 30 fl.

16. Aufgabe. Es verkauft jemand ein Pferd um 24 Karolin, und verliert dadurch so viel vom Hundert, als ihm das Pferd gekostet hatte; wie theuer hat er das Pferd gekauft? — Antw. Um 60 oder um 40 Karolin.

17. Aufgabe. A hatte seinen Freunden 175 fl. hinterlassen, welche sie unter sich gleich vertheilen sollten. Da inzwischen auch zwey von seinen Freunden starben; so wurde dadurch der Antheil eines jeben der übrigen um 10 fl. vermehrt. Wie groß war die Anzahl der noch lebenden Theilnehmer? — Antw. 5.

18. Aufgabe. A hatte den Kindern seines Bruders und seiner Schwester 1800 fl. hinterlassen, welche in zwey gleiche Theile vertheilt werden sollten. Da der Bruder des Erblassers 2 Kinder weniger hatte als seine Schwester; so erhielt jedes Kind des Bruders um 75 fl mehr als ein Kind der Schwester. Wie viel Kinder hatte der Bruder, wie viel die Schwester? Wie viel bekam jedes Kind? — Antw. Der Bruder hatte 4 Kinder, wovon jedes 225 fl. bekam; die Schwester aber hatte 6 Kinder, wovon jedes 150 erhielt.

19. Aufgabe. Ein Lehrer gab seinem Schüler zwey ganze Zahlen zu multipliziren, welche um 6 Einheiten von einander verschieden waren. Als der Schüler die Multiplikation verrichtet hatte, mußte er die Probe machen, zu welchem Zwecke er das vorhin gefundene Produkt durch den kleinern Faktor richtig dividirte; der Quotient war 87, und der Rest 40; also hatte der Schüler falsch multiplizirt, weßhalb er den Fehler verbessern mußte. Als der Schüler den Fehler gefunden hatte, sagte er, er hätte vorhin bey der Addition der Par-

talprodukte, eine 3 ausgelassen, worauf der Lehrer sagte: nein, du hast nicht 3 sondern 300 bey jener Addition ausgelassen. Welche Zahlen hatte wohl der Schüler mit einander zu multipliziren? — Antw. 85 und 91.

20. Aufgabe. Man verlangt zwey Zahlen, wovon die eine um 3 größer ist als die andere, und die zugleich die Eigenschaft haben, daß wenn man die Zahl 60 durch jede derselben dividirt, und die gefundenen Quotienten addirt, die Summe derselben gleich $11\frac{1}{2}$ gefunden werde. Welche Zahlen müssen das seyn? — Antw. 9 und 12.

21. Aufgabe. Wie alt sind Sie, mein Herr? so fragte ein Fremder den A, welcher jenem zur Antwort gab: Wenn ich den fünften Theil meines Alters aufs Quadrat erhebe; so ist das Resultat um 16 kleiner als mein doppeltes Alter. Berechnen Sie nun mein Alter nach algebraischen Grundsätzen; so finden Sie mich einmal um einige Jahre älter als ich gerade aussehe, und das andere Mal finden Sie mich bey weitem jünger, denn Sie würden im letzten Falle das Alter meines erstgebornen Sohnes finden. Wie alt war A, und wie alt sein Sohn? — Antw. A war 40, und sein Sohn 10 Jahre alt.

22. Aufgabe. Man verlangt 2 Zahlen, deren Summe gleich ist ihrem Produkte, die Summe ihrer Quadrate aber um die Summe der Zahlen selbst vermehrt, soll gleich 12 werden. Wie heißen diese beyden Zahlen? — Antw. 2 und 2.

23. Aufgabe. Es werden zwey Zahlen von folgender Beschaffenheit gesucht: Die Differenz derselben mit der Differenz ihrer Quadrate multiplizirt sey gleich 32; ihre Summe aber mit der Summe ihrer Quadrate multiplizirt sey gleich 272. Welche sind diese beyden Zahlen? — Antw. 5 und 3.

24. Aufgabe. Als Kajus um sein Alter gefragt wurde, gab er zur Antwort: Wenn ich mein Alter mit dem Alter meines Bruders, der um 5 Jahre jünger ist als ich, multiplizire, so finde ich gerade 300 zum Produkte. Wie alt bin ich, und wie alt ist mein Bruder? — Antw. Kajus war 20, und sein Bruder 15 Jahre alt.

25. Aufgabe. Sempronius sagte, wenn ich die Anzahl meiner Pferde mit der Anzahl meiner Ochsen multiplizire, so finde ich 108, denn es sind zusammen gerade 21 Stück. Wie viel Pferde und wie viel Ochsen hatte Sempronius? — Antw. 12 Pferde und 9 Ochsen.

26. Aufgabe. Titus sagte, er habe Thaler und Dukaten in

er. Tasche, und zwar gebe die Anzahl der Stücke von der ersten Geldsorte mit jener von der zweyten multiplizirt 36 zum Produkte; die Summe der Würfel beyder Zahlen aber betrage 1755. Wie viel Thaler und wie viel Dukaten hatte Titus? — Antw. 12 Thaler und 3 Dukaten, oder umgekehrt.

27. Aufgabe. Man verlangt 3 Zahlen von folgender Beschaffenheit: Das Produkt derselben durch die Summe der beyden ersten dividirt, gibt 75 zum Quotienten; dasselbe Produkt aber durch die Summe der ersten und dritten dividirt, gibt 46 zum Quotus und 4 zum Reste. Endlich gibt jenes Produkt durch die Summe der beyden letzten Zahlen dividirt, 40 zum Quotienten. Wie heißen jene drey Zahlen? — Antw. Die erste 6, die zweyte 10, und die dritte 30.

28. Aufgabe. Es kauft jemand eine goldene Dose, welche er nach einiger Zeit wieder um 119 fl. verkauft. Bey diesem Handel gewinnt er so viele Prozente, wie viele Gulden ihm die Dose gekostet hat. Wie theuer hat er die Dose gekauft? — Antw. Um 70 fl.

29. Aufgabe. Ein Jugendfreund hatte einst 27 Kinder, theils Knaben theils Mädchen, um sich versammelt. Zur Jause hielten sowohl die Knaben als auch die Mädchen 60 Äpfel, und da zeigte sich bey der Theilung, daß jeder Knabe einen Apfel mehr erhalten habe, als ein Mädchen. Wie viel Knaben und wie viel Mädchen waren also in der Gesellschaft? — Antw. 12 Knaben und 15 Mädchen.

30. Aufgabe. Man verlangt eine Zahl, die zum Dreyfachen ihrer Quadratwurzel addirt die Summe 700 gibt. Welche Zahl ist es? — Antw. 625.

31. Aufgabe. Es werden zwey Zahlen gesucht, deren Differenz zur Differenz ihrer Quadrate addirt, die Summe 26 gibt, und deren Summe zur Summe ihrer Quadrate addirt, die Zahl 188 gibt. Welche Zahlen sind es? — Antw. 11 und 7.

32. Aufgabe. Man will 3 Zahlen haben von der Beschaffenheit, daß die erste mit der Summe der beyden andern multiplizirt 4800, die zweyte aber mit der Summe der beyden andern multiplizirt 3744, und endlich die dritte mit der Summe der beyden ersten multiplizirt 2784 zum Produkte gebe. Welche Zahlen sind es? — Antw. 80, 36 und 24.

33. Aufgabe. Es wird eine Zahl gesucht, die aus drey Ziffern von der Beschaffenheit besteht, daß die Summe der Qua-

drate der einzelnen Ziffern, ohne auf ihren Lokalwerth zu sehen, gleich 70, das Quadrat der mittlern Ziffer aber um 11 kleiner sey, als das doppelte Produkt der beyden äußern Ziffern; daß endlich, wenn man von der verlangten Zahl die Zahl 297 abzieht, die gesuchten drey Ziffern, aus welchen die verlangte Zahl besteht, in umgekehrter Ordnung zum Vorschein kommen. Welche Zahl ist es? — Antw. 653.

34. Aufgabe. Es gibt 3 Zahlen, welche in einer stätigen geometrischen Proportion stehen, und die Eigenschaft haben, daß ihre Summe gleich 65, ihr Produkt aber gleich 3375 sey. Welche Zahlen sind es? — Antw. 5, 15 und 45.

35. Aufgabe. Bezeichnet man die Buchstaben des Alphabetes der Ordnung nach mit 1, 2, 3, 4 . . .; so heiße ich w x y z. Man kennt und liebt mich allgemein, denn ich beglücke den Sterblichen, wenn harte Noth ihn drückt, erreg in ihm der Hoffnung freudiges Gefühl, wenn er sich schon verloren glaubt, kurz, meine Elemente scheinen nur zum Wohl der Menschen geschaffen zu seyn, denn y w x z findest du im reichen Ungerlande, dessen Bewohner liebkosend alt es nennen, und w z y x lebt Segen spendend auf Afrikas heißem Boden in mancherley Gestalten! — Meine Elemente findet man durch die Auflösung folgender Gleichungen:

$$\alpha)\ w^4 y + w y^5 + (x+7)^2 (w-y)^2 + 6 w y = (w^2 y - w y^2)^2 - $$
$$- 6 (w-y)^2 + w^3 y^3 - w y (x+7)^2;$$

$$\beta)\ \frac{2 w y + 7 x + 55}{w y - x + 7} = w y + x;$$

$$\gamma)\ w y + w z + y z = 108 - w^2;$$

$$\delta)\ w^3 + y^3 + z^3 = 476.$$

36. Aufgabe. Vier Brüder erbten von einem Verwandten eine gewisse Summe Geldes, von welcher jeder gerade so viele Dukaten erhielt, als er Jahre zählte. Mit dieser Summe kauften sie gemeinschaftlich mehrere Loose einer Staatslotterie-Anlehens und erhielten bey der bald darauf erfolgten Ziehung 7000 Dukaten zurück, die sie anfänglich zwar nach Verhältniß ihrer Beyträge theilten, dann aber wieder zusammen gaben und damit gemeinschaftlich ein Geschäft unternahmen, welches die drey jüngern Brüder abwechselnd durch 20 Jahre verwalteten. Nun theilten die vier Brüder den ganzen Fond von 15484½ Dukaten unter sich zu gleichen Theilen, damit die jüngern Brüder durch die respektiven Überschüsse für die bey der Administration gehabten Bemühungen entschädigt würden. — Bezeichnet man die Al-

terszahlen der vier Brüder der Ordnung nach mit u, x, y und z, so findet man die entsprechenden numerischen Werthe aus folgenden vier Gleichungen:

I. $(x + z) : 4\sqrt{z} = 19\sqrt{x} : 3\sqrt{155}$.

II. $7\left[z - x + \dfrac{xz}{z-x}\right] : 43\left[u + x - \dfrac{ux}{u+x}\right] =$
$$= 37\left(\dfrac{x-u}{z-x}\right) : 19\left(\dfrac{x+z}{u+x}\right).$$

III. $(z^2 - y^2) : (z^3 + y^3) = 8 : 1729$.

IV. $(45x - 31y) : y = 62\sqrt{2(z-y)} : 37$.

Durch die Auflösung dieser vier Gleichungen wird man in den Stand gesetzt, nachstehende Fragen zu beantworten:

α) Wie viele Dukaten hat jeder der vier Brüder geerbt?

β) Wie viel gebührte jedem von dem gemachten Gewinne ohne und mit Rücksicht auf die Verwaltungskosten?

γ) Wie viel Procent hat jedem sein Antheil ohne Rücksicht auf die Verwaltungskosten jährlich getragen?

δ) Wie rentirte sich das erwähnte Geschäft im Durchschnitte mit und ohne Berücksichtigung der Verwaltungskosten?

ε) Wie viel Procent vom Einlagskapital betrugen die jährlichen Verwaltungskosten und wie hoch beliefen sich letztere überhaupt?

ζ) Wie lange hat jeder der drey jüngern Brüder das Vermögen verwaltet?

Es wird hier vorausgesetzt, daß die Verwaltungskosten erst am Schlusse des ganzen Geschäftes in Rechnung kommen, daß also keiner der Interessenten früher irgend etwas vom gemeinschaftlichen Fonds bezogen hat.

Unbestimmte Aufgaben. (§. 238. — 242. der Alg.)

1. Aufgabe. Welche Zahlen lassen durch 5 dividirt 1, und durch 11 dividirt 2 zum Reste? — Antw. 46, 101, 156, 211, 266, 321, 376 ..., überhaupt alle Zahlen von der Form N = 55 n + 9, wo n jede beliebige ganze Zahl bezeichnet.

2. Aufgabe. Welche Zahlen sind durch 7 theilbar, und lassen durch 6 dividirt 1 zum Reste? — Antw. 7, 49, 91, 133, 175..., überhaupt alle Zahlen von der Form N = 7(6 n + 1).

3. Aufgabe. Welche Zahlen lassen durch 6 dividirt 1, durch 7 dividirt 2, durch 8 aber 3, und durch 9 endlich 4 zum Reste? —

Antw. 499, 1003, 1507, 2011, 2511, 3019 u. s. w., und überhaupt alle Zahlen von der Form N = 504 p — 5, wo p jede beliebige Zahl bezeichnet.

4. Aufgabe. Ein Bauer hatte zwischen 700 und 800 Nüsse zu Markte gebracht, und als er um die bestimmte Menge derselben gefragt wurde, gab er zur Antwort: Verkaufe ich 12 Nüsse um einen Groschen, so bleiben mir 11 Stück übrig; verkaufe ich aber 15 Nüsse um einen Groschen, so bleiben mir 2 Nüsse übrig. Wie viel Nüsse hat der Bauer zu Markte gebracht? — Antw. 707 oder 767.

5. Aufgabe. Ein Knabe sah auf dem Tische seines Vaters viele Groschen liegen, und fragte, wie viel Stücke es seyen. Das sage ich dir nicht, mein Sohn! antwortete der Vater; das mußt du mir ausrechnen. Wenn ich jedem der Zigeuner, die mir heute auf dem Spaziergange begegneten, 5 Groschen gegeben hätte, so wären mir 3 übrig geblieben; würde ich aber jedem der Männer, die in der Fabrik des N arbeiten, 6 Groschen geben, so würden mir 5 Stück übrig bleiben, obgleich ich nicht ganz 6 Gulden habe. Wie viel Groschen habe ich also? Wie viel Zigeuner haben wir heute gesehen, und wie viel Personen arbeiten in der Fabrik des N? — Antw. 113 Groschen, 22 Zigeuner und 18 Arbeiter.

6. Aufgabe. Welche Zahlen lassen durch 5, 6, 7 und 8 dividirt nach der Reihe die Reste 3, 1, 0 und 5? — Antw. 133, 973, 1813, 2653, 3493 u. s. w., überhaupt alle Zahlen von der Form 840 n + 133.

7. Aufgabe. Welche Zahlen lassen den Rest 3, man mag sie durch 5, 7 oder 9 dividiren? — Antw. 3, 318, 633, 948, 1263, 1578 . . ., und überhaupt alle Zahlen von der Form 315 n + 3.

8. Aufgabe. Welche Zahlen lassen durch 20 dividirt 13, durch 13 getheilt aber 7 zum Reste? — Antw. 33, 293, 553, 813, 1073, 1333, 1593 u. s. w., überhaupt alle Zahlen von der Form 260 n + 33.

9. Aufgabe. Welche von den durch 3 theilbaren Zahlen lassen durch 6 dividirt 2 zum Reste? — Antw. Keine — Warum?

10. Aufgabe. Welche Zahlen lassen durch 3, 4, 5 und 6 dividirt 2 zum Reste, durch 7 dividirt aber 3? — Antw. 122, 542, 962, 1382, 1802, 2222, 2642 u. s. w., und im Allgemeinen alle Zahlen von der Form 420 m + 122.

11. Aufgabe. Welche Zahlen lassen durch 3 oder 6 dividirt

1, und durch 4 oder 8 dividirt 3 zum Reste? — Antw. Keine. — Warum?

12. Aufgabe. Welche von den durch 5 theilbaren Zahlen lassen durch 11 dividirt 2, und durch 13 dividirt 11 zum Reste? — Antw. 310, 1025, 1740, 2455, 3170, 3885 u. s. w., allgemein jede Zahl von der Form 5(143 m — 81).

13. Aufgabe. Ein Bauer fragte seinen Nachbarn, wie viel Garben er geerntet habe, und erhielt zur Antwort: Du sagtest mir, du hättest gerade 7000 Garben geerntet, ich aber habe nicht ganz so viel erhalten, doch beträgt der Unterschied nicht 200 Garben. Es mögen nun 7 oder 8 Garben eine Metze Getreide geben, so bleibt mir eine übrig; sollten aber 9 oder gar 11 Garben auf die Metze gerechnet werden, so würde mir in beyden Fällen eine Garbe übrig bleiben. — Antw. 6832 Garben.

14. Aufgabe. Wie stark ist Ihre Kompagnie? fragte jemand einen Hauptmann, und dieser erwiederte: Lasse ich meine Kompagnie (welche zwar über 100 Mann stark, aber doch nicht vollzählig ist, weil sie sonst 150 Köpfe zählen müßte,) 5 Mann hoch aufmarschiren, so bleiben mir 3 Mann übrig; lasse ich sie 6 Mann hoch aufmarschiren, so bleibt mir 1 Mann übrig; und lasse ich sie 8 Mann hoch ausrücken, so bleiben mir gar 5 Mann übrig, was ich durchaus nicht leiden kann, und deßhalb lasse ich meine Kompagnie immer 7 Mann hoch aufmarschiren, damit jede Reihe vollständig ist. Wie stark war also die Kompagnie? — Antw. 133 Mann.

15. Aufgabe. Ein Vogelhändler zählte den Vorrath an Kanarienvögeln, der nicht 200 Stück betrug, zwey Mal nach einander, und gab das erste Mal immer 3 Vögel in einen Käfig, wo ihm 2 übrig blieben; das zweyte Mal gab er immer 5 Vögel in einen Käfig, wo ihm nur einer übrig blieb, worüber er sich denn gewaltig ärgerte. Nun verkaufte er 6 Vögel und einige Käfige dazu, weßhalb er eine neue Anordnung traf, indem er immer 7 Vögel in einen Käfig sperrte, aber da blieben ihm 3 übrig. Nun sperrte er in jeden Käfig noch 4 Vögel mehr, und da blieben ihm wieder 3 Vögel übrig, worüber er die Geduld verlor, und keine weitern Versuche mehr anstellte. Wie viel Vögel hatte der Vogelhändler? — Antw. 86 Vögel.

16. Aufgabe. Als ein Lehrer gefragt wurde, wie viel Schüler er habe, antwortete er: Ich habe zwischen 200 und 300 Schüler, aber genau weiß ich ihre Anzahl nicht, doch erinnere ich mich, daß,

wenn ich 2 Schüler weniger hätte, als ich habe, ihre Anzahl ein Vielfaches von 3 wäre; hätte ich aber 3 Schüler weniger, so wäre ihre Anzahl ein Vielfaches von 7; hätte ich endlich einen Schüler mehr als ich habe, so wäre ihre Anzahl theilbar durch 10. Wie viel Schüler habe ich also? — Antw. 269.

17. Aufgabe. A erzählte seinem Freunde, daß er einen außerordentlich reichen Ökonomen kenne, der 704 Stück Rindvieh, nämlich Ochsen und Kühe habe, und daß derselbe also 19 Mal so viel Ochsen, und 23 Mal so viel Kühe habe als er. Wie viel Ochsen und wie viel Kühe hatte also A? — Antw. 31 Ochsen und 5 Kühe, oder 8 Ochsen und 24 Kühe.

18. Aufgabe. Ein Knabe von 14 Jahren, der plötzlich seinen Vater und mit ihm jede Unterstützung verloren hatte, ging zu einem Kaufmanne, und bat, als Lehrjunge aufgenommen zu werden. Kannst du auch gut rechnen? fragte der Kaufmann, und als er eine bejahende Antwort erhielt, gab er dem Knaben folgende Aufgabe. Heute verlangte jemand von mir für 183 fl. 12 kr. Kaffeh und Zucker. Nun kostet das Pfund Kaffeh 2 fl. 36 kr. und das Pfund Zucker 1 fl. 24 kr., berechne mir also, auf wie vielerley Art ich das Verlangen des Käufers hätte erfüllen können, und bestimme mir, wie ich es wirklich erfüllt habe, indem ich dir noch sage, daß sowohl das Gewicht des überschickten Kaffeh's als auch das Gewicht des Zuckers durch gerade Zahlen ausgedrückt werden müssen, damit ihre Summe gerade durch 10 theilbar würde.

Antw. Entweder 1 Pfund Kaffeh und 129 Pfund Zucker,

oder	8	»	»	»	116	»	»
»	15	»	»	»	103	»	»
»	22	»	»	»	90	»	»
»	29	»	»	»	77	»	»
»	36	»	»	»	64	»	»
»	43	»	»	»	51	»	»
»	50	»	»	»	38	»	»
»	57	»	»	»	25	»	»
»	64	»	»	»	12	»	»

Demnach hat der Kaufmann 36 Pfund Kaffeh und 64 Pfund Zucker übersendet.

19. Aufgabe. Eine Bäuerinn brachte 100 Stück Geflügel zu Markte, und zwar Hühner, Gänse und Änten, und als sie gefragt

wurde, wie viel Stücke sie von jeder Sorte habe, gab sie zur Antwort: Ich weiß das nicht mehr genau, aber das weiß ich, daß die reyfache Anzahl meiner Hühner und die fünffache Anzahl meiner Gänse usammen gerade fünfzehn Mal so viel beträgt als die Anzahl meiner Enten. Wie viel Stücke hat nun die Bäuerinn von jeder Sorte zu Markte gebracht?

Antw. Entweder 80 Hühner, 3 Gänse und 17 Enten,

oder	70	»	12	»	»	18	»
»	60	»	21	»	»	19	»
»	50	»	30	»	»	20	»
»	40	»	39	»	»	21	»
»	30	»	48	»	»	22	»
»	20	»	57	»	»	23	»
»	10	»	66	»	»	24	»

20. Aufgabe. Drey Studenten A, B und C wohnten zusammen, und A gab, als er gefragt wurde, wie viel jeder von ihnen monatlich zu verzehren habe, folgende Antwort, um den neugierigen Frager in Ungewißheit zu lassen. Hätte ich fünfmal so viel monatlich u verzehren, als ich wirklich habe, so würden mir doch noch 18 Gulden fehlen, bis ich viermal so viel hätte als B, und C bekömmt in 3 Monaten nur um 6 Gulden weniger als B in 4 Monaten. Wie viel hat also jeder von uns monatlich zu verzehren?

Antw. A 6 oder 18 oder 30 oder 42 oder 54 oder 66 u. s. w.

B 12 » 27 » 42 » 57 » 72 » 87 »
C 14 » 34 » 54 » 74 » 94 » 114 »

21. Aufgabe. In einem Garten arbeiteten 26 Personen, Männer, Weiber und Kinder durch 8 Tage, und zwar erhielt jeder Mann einen Thaler, jede Frau einen Gulden und jedes Kind 40 Kreuzer täglichen Lohn, weßhalb der Eigenthümer des Gartens in jenen 8 Tagen eine Auslage von 240 Gulden hatte. Wie viel Männer, wie viel Weiber und wie viel Kinder haben denn nun im Garten wohl gearbeitet?

Antw. Entweder 10 oder 12 oder 14 Männer,

»	13	»	8	»	3 Weiber und
»	3	»	6	»	9 Kinder.

22. Aufgabe. A bittet den B, er möge ihm 88 Gulden leihen. Wenn nun B nur Zehngulden-, Fünfgulden- und Zweygulden-scheine hat, wie viel von jeder Sorte muß er geben, damit er jene

der Beschaffenheit, daß die Differenz ihrer Quadrate und der doppelte Unterschied beyder Zahlen zusammen genommen gleich 36 werde. Wie heißen diese beyden Zahlen? — Antw. 7 und 9.

35. Aufgabe. Man verlangt zwey positive Zahlen, deren Eigenschaften durch die Gleichung $y^2 = 2x^2 - 3x + 25$ gegeben werden. Wie heißen diese Zahlen? — Antw. 5 und $\frac{1}{2}$, oder 18 und 13, oder 12 und 8·5, oder $6\frac{4}{7}$ und $3\frac{3}{7}$, u. s. w.

36. Aufgabe. Man verlangt zwey ganze positive Zahlen, deren Eigenschaften durch die Gleichung $y^2 = 14 + 7x + 4x^2$ gegeben sind. Welche Zahlen sind es? — Antw. 5 und 1, oder 22 und 10.

37. Aufgabe. Es werden zwey ganze positive Zahlen von der Beschaffenheit gesucht, daß ihre Eigenschaften durch die Gleichung $(x + y)(x - y) + 3(2x - y) = 32$ ausgedrückt werden. Welche Zahlen sind es? — Antw. 6 und 5, oder 36 und 37.

38. Aufgabe. Man verlangt zwey ganze positive Zahlen von der Beschaffenheit, daß das halbe Quadrat einer derselben um 1 größer sey, als das Quadrat der andern Zahl. Wie heißen beyde Zahlen? Antw. 2 und 1, oder 10 und 7.

39. Aufgabe. A fragte den B, wie viel Pferde er im Stalle habe, worauf B folgende räthselhafte Antwort gab. Mein Bruder hat ein Pferd mehr, und meine Schwester eins weniger als ich; multiplicire ich aber die Anzahl der Pferde meines Bruders mit der Anzahl der Pferde meiner Schwester, so finde ich dieselbe Zahl, welche ich erhalte, wenn ich die Anzahl der Pferde meines Vaters mit der Anzahl Pferde meines Onkels (der doch nur halb so viele Pferde hat, als mein Vater) multiplicire. Wie viel Pferde habe ich also, und jede der genannten Personen? — Antw. B hatte 3, sein Bruder 4, seine Schwester 2, sein Vater 4, und sein Onkel 2 Pferde.

Aufgaben für die Anwendung der Progressionen.
(§. 243. — 257. der Alg.)

1. Aufgabe. Eine Frau, welche ihr Glück in der Zahlenlotterie versuchte, setzte das erste Mal 6 Kreuzer, dann 9, dann 12 Kreuzer, und so jedes folgende Mal um einen Groschen mehr, bis sie endlich in der 25sten Ziehung gewinnt. Wie viel hat sie das letzte Mal, und wie viel im Ganzen gesetzt? — Antw. Das letzte Mal 1 fl. 18 kr., und im Ganzen 17 fl. 30 kr.

2. Aufgabe. Ein Vater versprach seinem fleißigen Sohne für die erste fehlerfreie Aufgabe in jedem Monate 5 Kreuzer Conv. M., und für jede folgende fehlerfreye Aufgabe immer um 5 Kreuzer mehr, und so mußte der Vater seinem Sohne für die am letzten März fehlerfrey gelieferte Aufgabe gerade einen Thaler zählen. Wie viel fehlerfreye Aufgaben hat der Sohn im März geliefert, und wie viel Geld hat er von seinem Vater erhalten? — Antw. 18 gute Aufgaben, wofür er 14 fl. 15 kr. erhielt.

3. Aufgabe. Als Cajus seinen Vater Geld zählen sah, fragte er ihn, wie viel Geld es sey, worauf ihm sein Vater antwortete: Ich habe 253 Gulden in lauter Sechskreuzer-Stücken. Lege ich diese Geldstücke in der Form eines Triangels auf den Tisch, so daß in die erste Reihe 10 Stück, in die letzte aber 100 Stück zu liegen kommen, so erhalte ich gerade so viele Reihen, als ich Jahre zähle; und wenn du mir nun mein Alter berechnen kannst, so schenke ich dir so viele Geldstücke, wie viel in jeder Reihe mehr liegen, als in der unmittelbar vorhergehenden. Wie alt war der Vater, und wie viel Geldstücke erhielt Cajus im Falle der richtigen Auflösung der an ihn gestellten Frage? Antw. Der Vater war 46 Jahre alt, und Cajus erhielt 3 Geldstücke.

4. Aufgabe. Es ließ jemand einen Körper von einer Höhe von 960 Fuß fallen, und in 8 Sekunden hatte der Körper die Erde erreicht. Wenn wir nun voraussetzen, daß der Körper in der ersten Sekunde gerade 15 Fuß zurückgelegt hat, so entsteht die Frage, um wie viel hat die Geschwindigkeit des Körpers in jeder folgenden Sekunde zugenommen? — Antw. um 30 Fuß.

5. Aufgabe. A erzählte seinem Freunde, er habe den Weg von Wien bis Lemberg, also einen Weg von 102 Meilen, in 17 Tagen zu Fuß zurückgelegt, was ihm gar nicht beschwerlich gefallen sey, indem er am ersten Tage nur eine kleine Strecke zurückgelegt habe, am zweyten Tage aber eine halbe Meile mehr, und so an jedem folgenden Tage immer eine halbe Meile mehr, als am vorhergehenden Tage. Wie viel Meilen hat A am ersten Tage gemacht? — Antw. 2 Meilen.

6. Aufgabe. A nahm einen Bedienten auf und sagte ihm: ich gebe dir im ersten Jahre nur 30 Gulden Lohn, wenn du aber dich so benimmst, wie ich es wünsche und verlange, so bekommst du im zweyten Jahre 40 Gulden, im dritten 50, und so in jedem folgenden Jahre 10 Gulden mehr. Bleibst du endlich 10 Jahre oder gar noch länger in meinen Diensten, so sichere ich dir den letzten Jahrgehalt als lebens-

längliche Penſion zu. Nun blieb der Bediente wirklich über 10 Jahre bey ſeinem Herrn, und da er ſich ein kleines Sümmchen erſpart hatte, ſo legte er ſeinen ganzen Gehalt im letzten Jahre zu $4\frac{1}{2}$ Procent an, und erhielt ſo in 20 Jahren 126 Gulden an Intereſſen. Wie lange war jener Bedienter bey A in Dienſten, und wie viel Lohn hatte er im letzten Jahre erhalten? — Antw. Er ſtand 12 Jahre in Dienſten, und erhielt alſo im letzten Jahre 140 fl.

7. Aufgabe. Ein alter Kaufmann, der nur noch wenige Tage zu leben hatte, ließ ſeinen Sohn, der ein lockerer Geſelle war, zu ſich kommen, um ihn zur Thätigkeit und Ordnung aufzufordern, und ſagte ihm unter andern: Ich treibe das Handelsgeſchäft nun gerade 50 Jahre, und bin es endlich müde, weßhalb ich dir mein ganzes Vermögen über-geben will, wenn du mir verſprichſt, ein ordentlicher Mann zu ſeyn. Ich habe mit wenigem angefangen, denn ich hatte nur 2000 fl., und beſitze nun ein großes Vermögen. Verbindeſt du demnach, wie ich, Klugheit mit Sparſamkeit, ſo kannſt du es weit bringen; denn ſiehe, ich verglich geſtern alle meine Bücher und Journale, und fand folgen-des merkwürdige Reſultat: Im erſten Jahre meines öffentlichen Lebens als Kaufmann gewann ich außer der Summe, die ich zur Beſtreitung meiner Bedürfniſſe nöthig hatte, mit jenem kleinen Kapitale 2 Procent, im zweyten Jahre 4, im dritten 6, und ſo in jedem folgenden Jahr 2 Procent mehr, als im vorhergehenden Jahre, bey welcher Rechnung, wie dir einleuchtend ſeyn wird, immer jenes anfängliche Kapital zu Grunde gelegt iſt, und heute, am Ende des 50ſten Jahres meines kaufmänniſchen Lebens, trete ich dir die ganze ſehr beträchtliche Summe mit der Hoffnung ab, daß du nach 50 Jahren ſo getroſt deinem Ende entgegen ſehen kannſt, wie ich. Wie groß war das Vermögen, wel-ches der Kaufmann ſeinem Sohne abtrat? — Antw. 53000 fl.

8. Aufgabe. Ein Jugendfreund übergab einem Lehrer eine ge-wiſſe Summe Geldes, um ſie unter ſeine 25 armen Schüler auf fol-gende Art zu vertheilen: Der Lehrer ſollte eine ſchriftliche Ausarbeitung machen laſſen, die Schüler nach der Qualität ihrer Arbeit klaſſificiren, und dem erſten das Meiſte geben, dem zweyten etwas weniger, dem dritten um eben ſo viel weniger, u. ſ. w. Auf dieſe Art erhielt der dritte und vierzehnte zuſammen 30 Gulden, der ſiebente und letzte aber zuſammen 20 Gulden. Wie viel erhielt jeder dieſer vier Schüler, und wie viel erhielten alle 25 Schüler zuſammen? — Antw. Der dritte

8 fl. 40 kr., der siebente 16 fl.; der vierzehnte 11 fl. 20 kr., der letzte 1 fl., und alle Schüler zusammen 300 fl.

9. Aufgabe. A hatte eine gewisse Schuld an B zu entrichten, und kam mit ihm überein, dieselbe in 15monatlichen Raten so abzutragen, daß er im ersten Monate 12 fl., im nächsten Monate einige Gulden mehr, und so in jedem folgenden Monate um eben so viel mehr abbezahlen sollte. Wie viel schuldete A an B, wenn das letzte Ratum 54 fl. betrug, und um wie viel stiegen die einzelnen Raten? — Antw. Die ganze Schuld betrug 495 fl., und demnach mußte er in jedem folgenden Monate 3 fl. mehr bezahlen.

10. Aufgabe. Man soll zwischen o und 12 so viele Zahlen einschalten, daß diese mit den zwey gegebenen Zahlen eine arithmetische Progression bilden, deren Summe gleich 150 werde. Wie groß ist die Differenz der Reihe, und wie viele Glieder müssen zwischen o und 12 ingeschaltet werden? — Antw. Die Differenz der Reihe ist $\frac{1}{2}$, und es liegen zwischen o und 12 demnach 23 Glieder.

11. Aufgabe. Wie viel Tauben hast du hier? fragte ein Herr einen Bauernjungen. Dieser versetzte: Wenn Sie meine Tauben kaufen wollen, so zahlen Sie mir für die erste einen Groschen, für die zweyte 4 Kreuzer, und so für jede folgende einen Kreuzer mehr. Wollen Sie also den Handel schließen, so zahlen Sie mir Summa Summarum 6 Gulden und 5 Groschen. Der Herr nahm die Tauben um den verlangten Preis, und fand, daß ihm jede Taube im Durchschnitt weniger kostete, als die Anzahl der Tauben anzeigte. Wie viel Tauben waren es, und wie theuer kam eine im Durchschnitte? — Antw. Es waren 25 Tauben, deren jede also auf 15 kr. kam.

12. Aufgabe. Man soll eine arithmetische Progression bilden von der Beschaffenheit, daß das siebente und siebzehnte Glied addirt, 8 zur Summe gebe, und das Produkt aus dem ersten Glied in das achtzehnte gleich 1 werde. Endlich sey 7 das letzte Glied der verlangten Reihe. Welche Zahlen bilden diese Reihe? Wie viel Glieder hat die Reihe? Wie groß ist ihre Summe? — Antwort. Die Reihe ist $\frac{1}{3}$, $\frac{2}{3}$. 1. $\frac{4}{3}$. $\frac{5}{3}$. 2 . . . 7; sie hat also 21 Glieder, und ihre Summe ist = 77.

13. Aufgabe. Man soll zwischen 5 und 135 zwey Glieder einschalten, so, daß eine geometrische Progression von 4 Gliedern erhalten werde. Wie heißen die beyden eingeschalteten Glieder? — Antw. 15 und 45.

12 *

— 180 —

14. **Aufgabe.** Es wird eine geometrische Progression deren erstes Glied $= 1$, deren letztes $= 38\frac{147}{243}$, und deren $= 113\frac{147}{243}$ ist. Wie heißt der Exponent der Reihe? Wie viel G hat die Reihe? — Antw. Der Exponent der Reihe ist $\frac{2}{3}$, und die hat 10 Glieder.

15. **Aufgabe.** Die Summe einer geometrischen Progr von 12 Gliedern ist $= 797160$, und der Quotient der Reihe = Wie heißt das erste und letzte Glied? — Antw. Das erste Glied ist das letzte aber $53 \cdot 441$.

16. **Aufgabe.** Man hat eine geometrische Progression von Beschaffenheit, daß die Summe der drey ersten Glieder $= 28$, die Summe der drey folgenden Glieder aber $= 3\frac{1}{2}$ ist. Welche Zahlen sind es? — Antw. $16, 8, 4, 2, 1, \frac{1}{2}, \frac{1}{4}, \frac{1}{8}, \ldots$

17. **Aufgabe.** Man soll eine geometrische Progression neun Gliedern bilden, welche so beschaffen ist, daß das Produkt d beyden äußern Glieder $= 321489$, die Summe des vierten und sech ten Gliedes aber $= 1890$ werde. Welche Zahlen bilden diese Progression? — Antw. $7, 21, 63, 189, 567, 1701, 5103, 15309, 45927.$

18. **Aufgabe.** Es gibt vier Zahlen, die in geometrischer Progression, und vier Zahlen, die in arithmetischer Progression stehen, und zugleich die Eigenschaft haben, daß, wenn man von den Gliedern der geometrischen Progression die gleichnamigen Glieder (d. i. jene, welche gleiche Indices haben) der arithmetischen Progression abzieht, nach und nach die Reste 1, 5, 19 und 53 erhalten werden. Welches sind die verlangten Zahlen? — Antw. $\div 10 : 20 : 40 : 80,$

$$\text{und} \div 9 \div 15 \div 21 \div 27.$$

19. **Aufgabe.** Man hat eine steigende arithmetische Progression von drey Gliedern, deren erstes Glied $= 184 \cdot 25$, und deren Differenz 2 ist. Man soll eine geometrische Progression von eben so vielen Gliedern bilden, deren Quotient auch 2 ist, und deren Summe eben so groß ist, als die Summe jener arithmetischen Progression. Wie heißt die geometrische Progression? —

Antw. $\div 6 : 12 : 24 : 48 : 96 : 192 : 384 : 768.$

20. **Aufgabe.** Man soll zwischen je zwey Gliedern der Progression $\div 1 : 12 : 12^2 : 12^3 \ldots$ zwey Glieder so einschalten, daß wieder eine geometrische Progression erhalten werde, und diese neue Reihe so weit fortsetzen, bis man zur Zahl 1728 kömmt. Wie viel Glieder wird man also nehmen müssen? — Antw. 10 Glieder.

Logarithmen.

1) $\text{Log.} A \cdot B = \text{Log.} A + \text{Log.} B.$

2) $\text{Log.} \dfrac{A}{B} = \text{Log.} A - \text{Log.} B.$

3) $\text{Log.} A^n = n \cdot \text{Log.} A.$

4) $\text{Log.} \sqrt[n]{A} = \dfrac{1}{n} \cdot \text{Log.} A.$

5) $\text{Log.} a\,b\,c\,d = \text{Log.} a + \text{Log } b + \text{Log.} c + \text{Log.} d.$

6) $\text{Log.} \dfrac{ab}{cd} = \text{Log.} a + \text{Log.} b - \text{Log.} c - \text{Log.} d.$

7) $\text{Log.} a^m b^n c^p = m \, \text{Log.} a + n \cdot \text{Log.} b + p \, \text{Log.} c.$

8) $\text{Log.} \dfrac{a^m b^n}{c^p} = m \, \text{Log.} a + n \, \text{Log.} b - p \, \text{Log.} c.$

9) $\text{Log.} a^{-m} = - m \, \text{Log.} a.$

0) $\text{Log.} \dfrac{a^n b^m c^{-p}}{d^q} = n \, \text{Log.} a + m \, \text{Log.} b - p \, \text{Log.} c - q \, \text{Log.} d.$

11) $\text{Log.} \sqrt[n]{\dfrac{a}{b}} = \dfrac{1}{n} (\text{Log.} a - \text{Log.} b)$

12) $\text{Log.} \dfrac{\sqrt[n]{a}}{\sqrt[m]{b}} = \dfrac{1}{n} \, \text{Log.} a - \dfrac{1}{m} \, \text{Log.} b.$

13) $\text{Log.} \dfrac{\sqrt[n]{ab}}{\sqrt[m]{cd}} = \dfrac{1}{n} \, \text{Log.} a + \dfrac{1}{n} \, \text{Log.} b - \dfrac{1}{m} \, \text{Log.} c - \dfrac{1}{m} \, \text{Log.} d.$

14) $\text{Log.} \dfrac{a \sqrt[n]{b}}{c \sqrt[m]{d}} = \text{Log.} a + \dfrac{1}{n} \, \text{Log.} b - \text{Log.} c - \dfrac{1}{m} \, \text{Log.} d.$

15) $\text{Log.} \sqrt[n]{\dfrac{a^m \sqrt[m]{b}}{c^p \sqrt[q]{d}}} = \dfrac{1}{n} \left[m \, \text{Log.} a + \dfrac{1}{m} \, \text{Log.} b - p \, \text{Log.} c - \dfrac{1}{q} \, \text{Log.} d \right] \cdot$

16) $\text{Log.} \dfrac{(a+x)^m}{(a-x)^n} = m \, \text{Log} (a+x) - n \, \text{Log.} (a-x).$

17) $\text{Log.} \dfrac{a^2 - x^2}{\sqrt{a^2 + x^2}} = \text{Log.} (a+x) + \text{Log.} (a-x) - \dfrac{1}{2} \, \text{Log.} (a^2 + x^2).$

18) $\text{Log.} \dfrac{1}{a^3 \sqrt[4]{1-x^2}} = - 3 \, \text{Log } a - \dfrac{1}{4} \, \text{Log.} (1+x) - \dfrac{1}{4} \, \text{Log.} (1-x).$

19) $\text{Log.} \dfrac{a+x}{a\sqrt[3]{a\,b^4}} = \text{Log.} (a+x) - \dfrac{4}{3} \, \text{Log.} a - \dfrac{4}{3} \, \text{Log.} b.$

20) $\log. \dfrac{a^n \sqrt{1+x}}{(1-x)\sqrt[m]{c}} = n\log.a + \frac{1}{2}\log.(1+x) - \log.(1-x) - \frac{1}{m}\log.c$

21) $\log. \dfrac{(a^4-x^4)\sqrt{1-x^2}}{\sqrt[3]{10+7x-2x^2}} = \log.(a^2+x^2) + \log.(a+x)$
$+ \log.(a-x) + \frac{1}{2}\log.(1+x) + \frac{1}{2}\log.(1-x)$
$- \frac{1}{3}\log.(3+2x) - \frac{1}{3}\log(5-x).$

22) $\log. \sqrt{\dfrac{12\,a^3\,\sqrt{ab}}{35\,b\,\sqrt[3]{a^2\,b}}} = \frac{1}{2}\log.3 + \log.2 - \frac{1}{2}\log.5$
$- \frac{1}{2}\log 7 + \frac{17}{12}\log.a - \frac{5}{12}\log.b.$

23) $\log.a^x = x\log.a.$

24) $\log.(x^{\log.a} . a^{\log.x}) = 2\log.x . \log.a.$

25) $\log.(301 \times 593) = 5.2516212.$

26) $\log(713 \times 857) = 5.7860703.$

27) $\log.(4729 \times 3712) = 7.2443773.$

28) $\log.(7348 \times 6400) = 7.6723491.$

29) $\log.(59 \times 67 \times 314) = 6.0938564.$

30) $\log.\frac{7}{4} = 0.2430380.$

31) $\log.\frac{367}{79} = 0.6670390.$

32) $\log.\frac{763}{312} = 0.3883699.$

33) $\log.2\frac{3}{4} = 0.4393327.$

34) $\log.23\frac{5}{7} = 1.3750101.$

35) $\log.354\frac{13}{20} = 2.5498000.$

36) $\log.\frac{3}{4} = -0.1249387 = 0.8750613 - 1.$

37) $\log.\frac{1}{5} = -0.6989700 = 0.3010300 - 1.$

38) $\log.\frac{1}{17} = -0.7533276 = 0.2466724 - 1.$

39) $\log.\frac{35}{87} = -0.3954513 = 0.6045487 - 1.$

40) $\log\frac{37}{542} = -1.1665981 = 0.8334019 - 2.$

41) $\log.\frac{12}{4917} = -2.6142819 = 0.3857181 - 3.$

42) $\log.\frac{921}{85963} = -1.9470924 = 0.0529076 - 2.$

43) $\log.47.8 = 1.6794279.$

44) $\log.630.5 = 2.7996851.$

45) $\log.7.49 = 0.8744818.$

46) $\log.0.723 = 0.8591383 - 1.$

47) $\log.1.9458 = 0.2890982.$

48) $\log.53800 = 4.7307823.$

49) $\log.538 = 2.7307823.$

50) $\text{Log.} \, 53\cdot8 = 1\cdot7307823.$

51) $\text{Log.} \, 5\cdot38 = 0\cdot7307823.$

52) $\text{Log.} \, 0\cdot538 = 0\cdot7307823 - 1.$

53) $\text{Log.} \, 0\cdot0538 = 0\cdot7307823 - 2.$

54) $\text{Log.} \, 0\cdot00538 = 0\cdot7307823 - 3.$

55) $\text{Log.} \, 0\cdot000538 = 0\cdot7307823 - 4.$

56) $\text{Log.} \, \dfrac{743 \times 512}{619} = 2\cdot7885682.$

57) $\text{Log.} \, \dfrac{827 \times 314}{539 \times 675} = 0\cdot8535425 - 1.$

58) $\text{Log.} \, \dfrac{7369}{473 \times 5670} = 0\cdot4389644 - 3.$

59) $\text{Log.} \, \dfrac{83 \times 24\frac{3}{5}}{87 \times 3\cdot8} = 0\cdot7907103.$

60) $\text{Log.} \, \dfrac{7\frac{3}{4} \times 5\frac{6}{7}}{2\frac{1}{2} \times 40\frac{1}{3}} = 0\cdot6529349 - 1.$

61) $\text{Log.} \, \dfrac{0\cdot3478 \times 3\cdot257}{4\cdot569 \times 2\cdot48} = 0\cdot9998745 - 2.$

62) $\text{Log.} \, 31^3 = 4\cdot4740851.$

63) $\text{Log.} \, 29^4 = 5\cdot8495920.$

64) $\text{Log.} \, 318^7 = 17\cdot5169898.$

65) $\text{Log} \, \dfrac{94^3 \cdot 5^4 \cdot 6^2}{17^2 \cdot 13^3} = 4\cdot4688383.$

66) $\text{Log.} \, \left(\dfrac{43}{5}\right)^3 = 2\cdot8034954.$

67) $\text{Log.} \, \left(\dfrac{316}{47}\right)^5 = 4\cdot1379460.$

68) $\text{Log.} \, \left(\dfrac{3}{4}\right)^{30} = 0\cdot2518379 - 4.$

69) $\text{Log.} \, \left(\dfrac{1}{12}\right)^{15} = 0\cdot8122820 - 17.$

70) $\text{Log.} \, \left(\dfrac{3\frac{1}{5} \cdot 2\cdot8}{6\frac{1}{2}}\right)^3 = 0\cdot6420846.$

71) $\text{Log.} \, \left(\dfrac{7^{32} \cdot (40\cdot35)^3}{12^3 \cdot (4\frac{3}{5})^2}\right)^2 = 7\cdot9622338.$

72) $\text{Log.} \, \left(\dfrac{63\,(2\cdot345)^4}{7\cdot48}\right)^3 = 7\cdot2180303.$

73) $\text{Log.} \, \sqrt{29} = 0\cdot7311990.$

74) $\text{Log} \, \sqrt[3]{47} = 0\cdot5573660.$

75) $\log. \sqrt[4]{83} = 0.4797695.$

76) $\log. \sqrt{3728} = 1.7857380.$

77) $\log. \sqrt{5476980} = 3.3692705.$

78) $\log. \sqrt[3]{8943} = 1.3171611.$

79) $\log. \sqrt[5]{73496} = 0.9734527.$

80) $\log. \sqrt[7]{48763} = 0.6697272.$

81) $\log. \sqrt[200]{99} = 0.0099782.$

82) $\log. \sqrt[100]{100} = 0.02.$

83) $\log. \sqrt{\frac{13}{5}} = 0.2074866.$

84) $\log. \sqrt{\frac{817}{59}} = 0.5706851.$

85) $\log. \sqrt[3]{\frac{88}{19}} = 0.2168884.$

86) $\log. \sqrt{\frac{3}{7}} = 0.8160117 - 1.$

87) $\log. \sqrt[3]{\frac{5}{13}} = 0.8145658 - 1.$

88) $\log. \sqrt{0.4789} = 0.8401224 - 1.$

89) $\log. \sqrt{0.00763} = 0.9412623 - 2.$

90) $\log. \sqrt[3]{0.047635} = 0.5593087 - 1.$

91) $\log. \sqrt[5]{\frac{3.47}{4.4}} = 0.9793754 - 1.$

92) $\log. \sqrt[7]{\frac{12\frac{3}{4}}{0.7638}} = 0.1746472.$

93) $\log. \sqrt[11]{\frac{560.897}{8\frac{13}{19}}} = 0.1645593.$

94) $\log. \sqrt[7]{\frac{48\sqrt{13}}{2\sqrt{5}\sqrt[3]{6}}} = 0.1897592.$

95) $\log. \sqrt[3]{\left(\frac{3}{4}\right)^2} = 0.9167075 - 1.$

96) $\log. \sqrt[5]{\left(\frac{8}{3}\right)^3} = 0.2555812.$

97) $\log. \sqrt[13]{\left(\frac{1}{8}\right)^5} = 0.6526577 - 1.$

8) $\text{Log.} \sqrt[27]{\left(\dfrac{8\cdot 34}{7^{\frac{3}{5}}}\right)^{8}} = 0\cdot0119563.$

9) $\text{Log.} \sqrt[11]{\dfrac{63\cdot 49 \sqrt[3]{7\frac{1}{2}}}{6\frac{3}{4}\sqrt{0\cdot729}}} = 0\cdot1210265.$

10) $\text{Log.} \sqrt[6]{\dfrac{12\cdot8^{803\cdot8}\cdot \text{Log.}(23)^{1\cdot6}}{(\text{Log.}\,218)^{803\cdot4}}} = 0\cdot1951487.$

Anwendung der Logarithmen auf die Auflösung verschiedener Aufgaben.

1. **Aufgabe.** Ein junger Edelmann machte, als er kaum großjährig geworden war, unvermuthet eine Erbschaft von 20000 Thalern. Da er selbst reich genug war, und die Oekonomie wohl verstand, so legte er jene Erbschaft zu 4 Procent an, mit der Bestimmung, daß die jährlichen Interessen wieder zum Kapitale geschlagen werden, das Kapital sammt Interessen aber erst nach 30 Jahren an seine künstigen Töchter zahlbar seyn sollte, um seinen Söhnen das Majoratsgut ungeschmälert hinterlassen zu können. Wie viel hatten demnach seine Töchter nach Verlauf jener Zeit zu fordern? — Antw. 64867·8 Thaler beynahe.

2. **Aufgabe.** Als dem A ein Sohn geboren wurde, wollte er für ihn ein Kapital zu 4 Procent auf Zins von Zins in einer Sparkasse anlegen, damit er bey seiner Großjährigkeit, also nach 24 Jahren, ein Vermögen von 12000 Gulden besitze. Wie groß mußte die Einlage oder das ursprüngliche Kapital seyn? — Antw. 4681 fl. 28 kr.

3. **Aufgabe.** Es hatte jemand sein Vermögen von 8760 Thalern zu 5½ Procent auf Zins von Zins angelegt, und als er nach einer vieljährigen Abwesenheit sein Kapital sammt Zinsen erheben wollte, fand er, daß er beynahe 25000 Thaler zu fordern habe. Wie lange stand das ursprüngliche Kapital aus? — Antw. 19 Jahre und 7 Monate.

4. **Aufgabe.** A hatte ein Kapital von 7348 Thaler auf Zins von Zins ausgeliehen, und nach 15 Jahren 15800 Thaler dafür erhalten. Zu wie viel Procent stand das Kapital aus? — Antw. Zu 5·24 Procent beynahe.

5. Aufgabe. Wenn jemand am Tage der Geburt Christi ein Kreuzer zu 5 Procent auf Zins von Zins angelegt hätte, wie wäre am Ende des Jahres 1823 das Kapital sammt Interessen? Antw. Über $7078523 \cdot 10^{10}$ Gulden, also eine Summe, die auf ganzen Erde nicht aufzutreiben wäre.

Ein Engländer fand, daß 1 Penny von Geburt Christi bis Weihnachtsabend 1815 auf Zins von Zins angelegt, die Summe 36.515.920.279.303.446.291.658 556.232.190.076 Thaler Conv. erreichen würde. Diese Summe in eine Kugel verwandelt, hätte Durchmesser von 153335 geogr. Meilen und $1639\frac{1}{2}$ Fuß. Die würde also größer seyn, als alle Planeten des Sonnensystems, un wenn die Erde von Gold wäre, würde sie nicht hinreichen, das Interesse obiger Summe auch nur für eine Stunde zu bezahlen.

6. Aufgabe. Ein Kapital von 6740 Gulden stand zu $4\frac{1}{2}$ Procent auf Zins von Zins aus. Wie groß ist sein Werth nach 32 Jahren 6 Monaten? — Antw. $14436 \cdot 7$ fl. beynahe.

7. Aufgabe. Ein Vater hinterließ ein Vermögen von 25800 fl., welches seine beyden Söhne unter sich theilen sollten. A legte sein Kapital zu 5 Procent auf Zins von Zins an, mit der Bedingung, daß die Interessen immer vierteljährig gerechnet werden; B aber legte seinen Antheil auch zu 5 Procent an, aber die Interessen wurden nur jährlich in Rechnung gebracht. Nach 20 Jahren nahmen beyde Brüder ihr Vermögen zurück; wie viel hat also jeder zu fordern? — Antw. A $34848 \cdot 95$ fl., und B $34227 \cdot 54$ fl. beynahe.

8. Aufgabe. A hatte dem B 900 fl. geliehen, ließ sich aber dafür einen Schuldbrief von 1200 fl. ausstellen, die nach 5 Jahren ohne Zinsen zahlbar sind. Wie viel Procent hat A gerechnet? — Antw. $5 \cdot 92$, also nicht ganz 6 Procent.

9. Aufgabe. Ein Forstrevier ist zu 36480 Klaftern abgeschätzt, und angestellten Versuchen gemäß, vermehrt es sich bey der Schonung um 3 Procent. Wie groß wird in dem geschonten Reviere die Zahl der Klaftern nach 25 Jahren seyn? — Antw. $76380 \cdot 9$ Klafter.

10. Aufgabe. Wenn wir annehmen, daß die Bevölkerung von Wien 300000 Menschen beträgt, und daß sie im Durchschnitt jährlich um 2 Procent gewachsen sey, so ist nun die Frage, wann betrug die Anzahl der Einwohner Wiens nur 20000 Menschen? — Antw. Ungefähr im Jahre 1686.

11. **Aufgabe.** Eine Schuld von 8670 Thalern steht zu 6 Procent auf Zinseszinsen. Wenn nun nach 6 Jahren 670 Thaler, nach 9 Jahren 2000, und nach 12 Jahren 4000 Thaler abgetragen werden, wie viel hat der Schuldner am Ende des fünfzehnten Jahres noch zu zahlen? — Antw. 12045·14 Thaler beynahe.

12. **Aufgabe.** A hat an B die Summe von 4875 fl. nach 5 Jahren ohne Interessen zu zahlen. Wie viel kann er für diese Summe baar bezahlen, wenn 5 Procent Diskonto gerechnet werden, und zwar auf Zins vom Zinse? — Antw. 3819·9 fl.

13. **Aufgabe.** Als A sein Landgut verkaufen wollte, bot ihm B 24000 Thaler gegen gleich baare Bezahlung, C. aber 30000 Thaler nach 4 Jahren ohne Zinsen zahlbar, und D 36000 Thaler, wovon er 6000 Thaler sogleich, 12000 Thaler nach 4 Jahren, und den Rest nach 8 Jahren, jedoch ohne Zinsen zahlen wollte. Welcher von den Kauflustigen hat wohl den vortheilhaftesten Antrag gemacht, wenn die Zinsen zu 5 Procent gerechnet werden? — Antw. C hat den vortheilhaftesten Antrag gemacht, weil er eigentlich 24681 Thaler anbot, D aber nur 24531, also 150 Thaler weniger als C.

14. **Aufgabe.** Es legt jemand ein Kapital von 3740 fl. zu 4 Procent auf Zins vom Zinse an, und vermehrt überdieß jährlich diesen Fond um 450 fl. Wie groß ist das Kapital sammt Zuschüssen und Interessen nach 8 Jahren? — Antw. 9264·84 fl.

15. **Aufgabe.** A hatte ein Landgut um 30000 fl. gekauft, blieb aber diese Summe schuldig und zahlte jährlich 2000 fl. In wie viel Jahren war wohl die ganze Schuld getilgt, wenn 4½ Procent und Zins vom Zinse gerechnet wurden? — Antw. Nach 22 Jahren 7 Monaten und 2 Tagen beyläufig.

16. **Aufgabe.** Ein junger Sausewind hatte ein Vermögen von 58780 Thalern, und glaubte, daß er ein so großes Kapital in seinem Leben nicht verzehren könne. Er übergab jene ganze Summe einem Handlungshause gegen 5 Procent, und ließ sich jährlich vom Kapitale und den Interessen zusammen 3000 Thaler auszahlen, um damit seine Bedürfnisse zu bestreiten. Wie viel hatte er wohl von seinem Vermögen nach 50 Jahren, wo er gerade 75 Jahre alt war, noch übrig? — Antw. 11609 Thaler.

17. **Aufgabe.** A hatte eine Jahrrente zu beziehen, die er immer zu 5¼ Procent auslieh, und zwar auf Zins vom Zinse, weil er durch eignen Fleiß sich seinen ganzen Unterhalt verschaffte. Nachdem

er diese Rente durch 19 Jahre bezogen hatte, starb er und hinterließ seinem Neffen das so gesammelte Kapital, welches sich gerade auf 85760 Thaler belief. Wie groß war wohl jene Jahrrente? — Antw. 2394·72 Thaler beynahe.

18. Aufgabe. A schuldet an B 3981·58 fl., und verschiedene Unglücksfälle setzten ihn außer Stand, die Zahlung sogleich zu leisten. B, ein sehr menschenfreundlicher Mann, hat mit seinem Schuldner Mitleid, und kömmt mit ihm überein, seine Schuld in 12 gleichen jährlichen Raten abzutragen, indem er nicht mehr als 3 Procent rechnet. Wie viel hat also A jährlich an B zu zahlen? — Antw. 400 fl.

19. Aufgabe. Es hatte Jemand ein gewisses Kapital auf 3 Jahre 8 Monate zu 10 Procent ausgeliehen, und nach Verlauf jener Zeit 13310 Thaler an Kapital und Zinsen erhalten. Wie groß war das ursprüngliche Kapital, wenn Zins vom Zinse gerechnet wird? — Antw. 9375 Thaler.

20. Aufgabe. Es schuldet jemand 50000 fl. zu 10 Procent verzinslich, welche Schuld er in 4 Jahren abtragen will, indem er am Ende eines jeden Jahres immer eine gleiche Summe zahlt. Wie viel beträgt jedes Ratum, wenn Zins vom Zinse gerechnet wird? — Antwort. 15773 fl. 32·4 kr. beynahe.

21. Aufgabe. Drey Brüder treten in Kompagnie, und jeder gibt einen gleichen Beytrag. Der älteste schießt alle Vierteljahr so viel nach, als seine Einlage beträgt, und gewinnt 6½ Procent. Der mittlere Bruder vermehrt alle 4 Monate den Fond mit einer Summe, die seiner Einlage gleich ist, und gewinnt 10 Procent; der jüngste endlich vermehrt den Fond alle halbe Jahre um seine Einlage, und gewinnt 15 Procent. Am Ende des ersten Jahres zeigte der Abschluß der Rechnung, daß der zweyte Bruder 408 fl. mehr gewonnen habe, als der jüngste. Wie viel betrug die Einlage eines jeden, und wie viel hat jeder gewonnen? — Antw. Jeder legte 48000 fl. ein; der erste gewann 14138·785 fl., der zweyte 15888 fl., und der dritte 14480 fl.

22. Aufgabe. A hatte dem B ein Kapital von 3804 Thalern unter der Bedingung geliehen, daß er dasselbe am Ende des ersten Jahres ohne Interessen zurück zahlen sollte; würde er aber sein Versprechen nicht pünktlich erfüllen, so müßte er im folgenden Jahre 5 Procent, im nächstfolgenden 10 Procent, im folgenden Jahre 20 Procent, und hätte er auch da seine Schuld noch nicht entrichtet, im nächsten Jahre 25 Procent zahlen. Nun sah sich B in die Nothwendigkeit ver-

ge, obige Schuld in fünf gleichen Zahlungen am Ende eines jeden der inf auf einander folgenden Jahre abzutragen. Wie viel betrug wohl de dieser Partialzahlungen? — Antw. 924 Thaler.

23. Aufgabe. Es hat Jemand eine Jahrrente von 2000 Thalern auf 30 Jahre um 34580 Thaler gekauft. Wie viel Procent hat der Entrepreneur gerechnet? — Antw. 4 Procent.

24. Aufgabe. Ein Staat A. schuldet 50 Millionen Gulden zu 5 Procent verzinslich. Diese Schuld will A in 25 Jahren dadurch abtragen, daß er jährlich eine bestimmte Summe zahlt, und in jedem folgenden Jahre überdieß diejenige Summe beylegt, die ihm der jährliche Zins von dem jedesmal Gezahlten abwerfen würde, oder die er ohnedieß hätte zahlen müssen, wenn er nichts am Kapitale von 50 Mill. abgetragen hätte. Wie viel muß der Staat demnach jährlich an Kapital zahlen? — Antw. 1371400 fl. beynahe am Kapital, und 1500000 fl. an Interessen, also im Ganzen 2871400 fl.

25. Aufgabe. Man bestimme den Werth von x aus der Gl.
$$3^x - 5.3^{x-2} = 4.$$
Antw. Es ist $x = 2$.

26. Aufgabe. Welchen Werth hat x in der Gleichung
$$5^{x^2 - 6x + 10} = 625?$$
Antw. Es ist $x = 3$, oder $x = -2$.

27. Aufgabe. Welchen Werth hat x in der Gleichung
$$5^{2x} = 390625?$$
Antw. $x = 3$.

28. Aufgabe. Welchen Werth hat x in der Gleichung
$$3^{4x} - 5.3^{2x} = 6^{166}?$$
Antw. $x = 2$.

29. Aufgabe. Welchen Werth hat x in der Gleichung
$$4^{9x} + 6.4^{6x} + 12.4^{3x} = 992.$$
Antw. $x = \frac{1}{2}$.

30. Aufgabe. Welche Werthe haben x und y in den beyden zusammengesetzten Gleichungen
$$\begin{cases} 1) \quad a^{2xy} - m\,a^{xy} = b \\ 2) \quad a^x = \dfrac{c}{a^y} \end{cases}?$$

Antw. $x = \dfrac{\mathfrak{Log}.c \pm \sqrt{\mathfrak{Log}.^2 c - 4\,\mathfrak{Log}.a\,\mathfrak{Log}.(m \pm \sqrt{4b + m^2}) + 4\mathfrak{Log}.2\,\mathfrak{Log}.a}}{2\,\mathfrak{Log}.a}$

und $y = \dfrac{\mathfrak{Log}.c \mp \sqrt{\mathfrak{Log}.^2 c - 4\,\mathfrak{Log}.a\,\mathfrak{Log}.(m \pm \sqrt{4b + m^2}) + 4\mathfrak{Log}.2\,\mathfrak{Log}.a}}{2\,\mathfrak{Log}.a}$

31. Aufgabe. Welche Werthe haben x und y in den Gleichungen

$$\left\{ \begin{aligned} 1)\quad & a^{x^{\log y}} = A \\ 2)\quad & a(xy)^m = B \end{aligned} \right\},$$

wo a die Basis des logarithmischen Systemes bezeichnen soll?

Antw. $\log x = \dfrac{\log B - 1 \pm \sqrt{(\log B - 1)^2 - 4m^2 \log \log A}}{2m}$

$\qquad\qquad = s \pm d$ der Kürze wegen,

und $\log y = \dfrac{\log B - 1 \mp \sqrt{(\log B - 1)^2 - 4m^2 \log \log A}}{2m}$

$\qquad\qquad = s \mp d$ der Kürze halber,

folglich $x = a^{s \pm d}$, und $y = a^{s \mp d}$.

32. Aufgabe. Man bestimme x und y aus den Gleichungen

$$\left\{ \begin{aligned} 1)\quad & a^{x^2 - y^2} = b \\ 2)\quad & a^{\log x + \log y} = \frac{c}{a} \end{aligned} \right\}$$

wo a die Basis des logarithmischen Systems ist.

Aufl. Es ist $x = \sqrt{\tfrac{1}{2}\log b \pm \sqrt{\dfrac{c^2}{a^2} + \tfrac{1}{4}\log^2 b}}$,

und $y = \sqrt{-\tfrac{1}{2}\log b \pm \sqrt{\dfrac{c^2}{a^2} + \tfrac{1}{4}\log^2 b}}$.

33. Aufgabe. Man bestimme x aus der Gleichung

$$a^{x^4} = \frac{a^{6x^2}}{a^9},$$

wo a die Basis des Systemes seyn mag.

Aufl. Es ist $x = \pm \sqrt{3}$.

34. Aufgabe. Man bestimme x aus der Gleichung

$$4^{\sqrt{x+1}} = 64 \cdot 2^{\sqrt{x+1}}.$$

Aufl. Es ist $x = 15$, oder $x = 4\tfrac{1}{16}$.

Vermischte Fragen.

1) Was ist eine Größe? — Wie unterscheidet sich die Größe im ꜧeren Sinne — Quantität — von der Größe im weitern Sinne — ꜧuantum?

2) Wie unterscheidet sich die Größe im engern Sinne von einer ꜧannten Zahl?

3) Welcher Unterschied findet zwischen einer abstrakten, einer ab- ꜧuten und einer unbenannten Zahl Statt?

4) Was ist Null, und was hat man sich unter $+ b$ und $- b$ denken?

5) Was ist eine algebraische Summe, und lassen sich die Glieder ꜧselben beliebig versetzen?

6) Welches ist die praktische Regel für das Zusammenfassen zweyer ꜧer mehrerer Glieder einer algebraischen Summe in ein Glied?

7) Welcher Unterschied findet zwischen einer gebrochenen Zahl ꜧnd einem Brüche Statt?

8) Für welchen Werth von c ist die Gleichung $\frac{a}{b \mp c} = \frac{a}{b} \pm \frac{a}{c}$ ꜧhr?

9) Für welchen Werth von c gilt die Gleichung

$$\frac{a}{b} = \frac{a+c}{b+c} \text{ oder } \frac{a}{b} = \frac{a-c}{b-c}?$$

10) Wenn $a > b$ und $c > d$ ist, muß dann nothwendig auch ꜧemal $ac > bd$, oder $a - c > b - d$, oder $\frac{a}{c} > \frac{b}{d}$ seyn? — Unter ꜧelcher Voraussetzung ist immer $ac > bd$?

11) Was bedeuten die Ausdrücke $\frac{o}{o}$, $\frac{o}{a}$, $\frac{o}{-a}$ und $\frac{a}{o}$?

12) Unter welcher Modifikation läßt sich der Quotient

$$A_0 x^n + A_1 x^{n-1} + A_2 x^{n-2} + A_3 x^{n-3} + \dots$$

$$\dots + A_{n-3} x^3 + A_{n-2} x^2 + A_{n-1} x + A_n) : (ax \pm b)$$

ꜧach der §. 58. der Alg. angegebenen Regel entwickeln?

13) Wenn $a > b$ und $c > d$ ist, wie werden die Quotienten ꜧ und $\frac{b}{d}$ beschaffen seyn?

14) Wie würde das Kennzeichen der Theilbarkeit einer Zahl N ꜧurch 7 heißen, und wie für den Divisor 37?

15) Wie läßt sich die §. 74., Nr. 5, gegebene Regel mit Hülfe des §. 58., Anm., der Alg. rechtfertigen?

16) Gibt es zwey Brüche, deren algebraische Summe und deren Produkt zugleich eine ganze Zahl ist?

17) Welcher Unterschied findet Statt zwischen dem Rechnen mit Decimalbrüchen und dem Rechnen mit ganzen Zahlen?

18) Wenn zwey gemeine Brüche, deren Nenner 43 und 59 sind, in Decimalbrüche verwandelt werden, wie vielziffrig werden die respektiven Perioden seyn, und wie vielerley Gattungen von Perioden gestatten jene beyden Nenner?

19) Was geschieht, wenn man bey einem Decimalbruche das Komma oder den Punkt um n Stellen rechts oder links rückt?

20) Was heißt, ein Decimalbruch hat eine Genauigkeit von r Stellen?

21) Wie läßt sich der Grad der Genauigkeit eines Produktes aus zwey unvollständigen Decimalbrüchen beurtheilen?

22) Wenn α, β, γ, δ ... einzifferige Zahlen bezeichnen, n aber eine beliebige ganze positive Zahl ist, wie läßt sich dann das Produkt

$$\left(1 + \frac{\alpha}{10^n}\right)\left(1 + \frac{\beta}{10^{n+1}}\right)\left(1 + \frac{\gamma}{10^{n+2}}\right)\left(1 + \frac{\delta}{10^{n+3}}\right) \ldots \text{ bilden,}$$

und welche Vorsichten sind dabey zu berücksichtigen?

23) Welcher Kettenbruch und welcher gemeine Bruch entspricht der Reihe

$$2 + \frac{1}{3} - \frac{1}{6} + \frac{1}{33} - \frac{1}{517} + \frac{1}{31562} - \frac{1}{1327594}?$$

24) Welcher Kettenbruch entspricht der Reihe

$$\frac{1}{3} - \frac{1}{21} + \frac{1}{266} - \frac{1}{10374} + \frac{1}{283961} - \frac{1}{317.1757} + \frac{1}{253559559}?$$

25) Den Kettenbruch

$$3 + \frac{1}{2} + \frac{1}{4} + \frac{1}{7} + \frac{1}{10} + \frac{1}{3} + \frac{1}{5} + \frac{1}{6}$$

in eine Reihe von der Form $A + \frac{1}{B} + \frac{1}{C} + \frac{1}{D} + \ldots$ zu verwandeln.

26) Den Decimalbruch $0\cdot 9300675$ in eine Reihe zu verwandeln von der Form

$$\frac{1}{a} - \frac{1}{ab} + \frac{1}{bc} - \frac{1}{cd} + \frac{1}{de} - \ldots$$

27) Sey $\frac{16915}{12418} - \hat{1} =$ ... $+ \frac{1}{3} + \cdots + \frac{1}{x} + \frac{1}{2} + \frac{1}{4}$;

welchen Werth hat x?

28) Sey $1031 \cdot x - 2847 \cdot y = 1$, man bestimme x und y; d. h. man suche von 1031 und 2847 solche Vielfache, daß der Unterschied derselben gleich 1 sey?

29) Welchen Werth haben die Ausdrücke

$$\binom{7}{5} + \binom{7}{4}\binom{9}{1} + \binom{7}{3}\binom{9}{2} + \binom{7}{2}\binom{9}{3} + \binom{7}{1}\binom{9}{4} + \binom{9}{5},$$

ferner

$$\binom{13}{6} + \binom{13}{5}\binom{13}{1} + \binom{13}{4}\binom{13}{2} + \binom{13}{3}\binom{13}{3} +$$
$$+ \binom{13}{2}\binom{13}{4} + \binom{13}{1}\binom{13}{5} + \binom{13}{6},$$

und

$$\binom{8}{8} + \binom{8}{7}\binom{8}{1} + \binom{8}{6}\binom{8}{2} + \binom{8}{5}\binom{8}{3} + \binom{8}{4}\binom{8}{4} +$$
$$+ \binom{8}{3}\binom{8}{5} + \binom{8}{2}\binom{8}{6} + \binom{8}{1}\binom{8}{7} + \binom{8}{8}?$$

30) Wie viele einfache und zusammengesetzte Divisoren haben die Ausdrücke

$720 a^3 b^2 x$; $12 x^3 y^2 + 72 x^2 y^4 + 96 x y^2$; $150 a^3 b^2 (1-x^2)^3 (2+x)^2$?

31) Wie viele vierzifferige Zahlen und wie viele zehnzifferige Zahlen gibt es?

32) Welche Bedeutungen und respektiven numerischen Werthe haben die Ausdrücke

0^a; b^0; $\sqrt[n]{0}$; $\sqrt[n]{+1}$; $\sqrt[n]{-1}$; $\sqrt[n]{+a}$; $\sqrt[n]{-a}$; $\sqrt[n]{0}$; 0^{-a}?

33) In welchen Fällen ist $(a-b)^a = (b-a)^a$, und wann ist $(a-b)^a = -(b-a)^a$?

34) Welcher Unterschied ist zwischen $a^2 - b^2$ und $(a-b)^2$, zwischen $(a^2 + b^2)$ und $(a+b)^2$, zwischen $a^3 + b^3$ und $(a+b)^3$, zwischen $a^3 - b^3$ und $(a-b)^3$?

35) Sind die Ausdrücke $\sqrt[n]{a \pm b}$ und $\sqrt[n]{a} \pm \sqrt[n]{b}$ gleichbedeutend?

36) Man hat einen Kessel mit heißem Wasser, dessen Temperatur $= 80°$ R. ist, und Wasser von der Temperatur $= 10°$ R.; man will ein Bad bereiten, dessen Temperatur $= 18°$ R; wie viel muß man von jeder Gattung Wasser nehmen, wenn die Badwanne 84 Maß fordert?

37) Wie viel beträgt die Summe aller numerischen Koeffizienten in der Entwickelung von $(a + b)^{15}$, $(a — b)^{12}$, $(a + b + c)^6$, $(a + b + c)^8$, $(a + b + c + d)^9$, $(a + b + c + d + e)^7$ $(a + b + c + d)^n$ u. s. w.

38) Ist 0^n immer $= 0$?

39) Lassen sich die Brüche von der Form $\dfrac{A}{\sqrt{a} + \sqrt{b} + \sqrt{c} + \sqrt{d} + \dots}$ nach der gewöhnlichen Methode immer mit rationalem Nenner darstellen, und wenn es nicht möglich ist, wie viele Glieder kann der Nenner höchstens haben, um den verlangten Zweck zu erreichen?

40) Man soll $\sqrt[3]{-1}$ auf die Form $a + b\sqrt{-1}$ zurückführen.

41) Welche Bedeutung haben die Ausdrücke: rational, irrational, reell, imaginär, Näherungswerth, endliche und unendliche Größe?

42) Kann eine Größe ohne Ende wachsen oder abnehmen, ohne eine festgesetzte Grenze zu überschreiten? — Wie unterscheiden sich derley Größen von den unendlichen?

43) Wie vielerley Gattungen von unmöglichen Größen wir in der Elementar-Mathematik kennen gelernt, und wie unterscheiden sich dieselben von einander?

44) Gibt es auch solche Größen, welche bloß der Form nach imginär sind?

45) In welchem Falle führt die Transformation eines reell Ausdruckes auf eine imaginäre Form, und worin liegt der Grund davon

46) Wie lassen sich die Leibrenten und die Zeitrenten berechn und welche Data sind zur Ausführung der Rechnung erforderlich?

47) Wie lassen sich die sogenannten Zauber-Quadrate berechne

Tafeln

über die Vergleichung der vorzüglichsten Maße, Gewichte und Münzen mit den österreichischen und französischen.

———

I. Tabelle der Längenmaße.

Amsterdam. Eine Elle = 2·18 Wien. Fuß = 0·6903 Mètres.
Ein Fuß = ⅓ Faden = 0·823 Wien. F. = 0·87137 Par. F.
= 0·283056 Mètres.

Antwerpen. Eine Elle in Seide = 2·195 W. Fuß =
= 0·6943 Mètres.
Eine Elle in Wolle = 2·164 W. Fuß =
= 0·6844 Mètres.

Augsburg. Ein Fuß = 0·905 W. Fuß = 0·879167 Par. Fuß =
= 0·285688 Mètres.
Eine Elle, die große = 2·917 W. Fuß.
die kleine = 1·873 W. Fuß.

Baden. Eine Elle = 2 Fuß = 0·6 Mètres = 1·895 W. Fuß.
Ein Fuß = 0·3 Mètres = 0·948 W. Fuß.

Bayern. Siehe München.

Berlin. Die neue Elle = 25·5 Par. Zoll = 2·107 W. Fuß =
0·6669 Mètres.
Die alte Elle = 2·116 W. Fuß = 0·6677 Mètres.

Breslau. Die Elle = 1·819 W. Fuß.
Ein Fuß = 0·895 Wiener Fuß.

Brüssel. Siehe Antwerpen.

Constantinopel. Große Elle (Pik) große = 2·113 W. Fuß =
= 296·6 Par. L. = 0·6691 Mètres.
Kleine Elle (Pik) kleine = 2·047 W. F. = 287·2 Par. L. =
= 0·6479 Mètres.

Dresden. Eine Elle = 1·791 W. F. = 251·14 Par. L. = 0·5665 Mèt.
Ein Werk-Fuß = 0·823 W. F. = 0·872 Par. Fuß = 0·28326 Mèt.
Ein Feld-Fuß = 1·322533 Par. F. = 0·42961l Mètres.

England. Die Elle (Yard) = 3 F. = 2·891 W. F. = 405·4 Par. L. =
= 0·91438 Mètres.
Der Fuß (Foot) = 0·965 Wien. Fuß = 0·938181 Par. Fuß =
= 0·304795 Mètres.

Frankfurt a. M. Eine Elle = 1·730 W. F. = 242·61 Par. L. =
= 0·5473 Mètres.

Ein Fuß = 0·902 W. F. = 0·876267 Par. F. = 0·28465 Mèt.

Genua. Der Palmo = ⅟₁₂ Canna = 0·791 W. F. = 110·75 Par. L. =
= 0·2498 Mètres.

Hamburg. Die Elle = 1·813 W. F. = 254 Par. L. = 0·5730 Mèt.
Der Fuß = 0·905 W. F. = 0·881944 Par. F. = 0·28649 Mètres.

Holland. Siehe Amsterdam.

Königsberg. Die Elle = 1·816 W. F.
Der Fuß = 0·972 W. F.

Kopenhagen. Die Elle = 1·819 W. F. = 0·6277 Mètres.
Der Fuß = 0·993 W. F.

Leipzig. Eine Elle = 1·787 W. F. = 250·6 Par. L. = 0·5653 Mèt.
Ein Fuß = 0·895 W. F.

Lissabon. Der Palmo = ⅛ Covado (Elle) = ⅟₅ Vara = 0·690 W. F.
= 0·672917 Par. F. = 0·21859 Mètres.

Livorno. Der Braccio = 1·879 W. F. = 263·5 Par. L. = 0·5944 Mèt.
Ein Brasse = 1·794793 Par. F. = 0·583028 Mètres.

London. Siehe England.

München. Eine Elle = 2·635 W. F. = 369·27 Par. L. = 0·8330 Mèt.
Ein Fuß = 0·924 W. F. = 0·898472 Par. F. = 0·291859 Mètres.

Paris. Eine Elle = 531·96 Par. L. = 1·2 Metres = 3·784 W. F.
Eine Elle zur Seide = 527·5 Par. L. = 1·19 Mètres.
»   »   für Tuch = 526·4 »   = 1·1875 Mètres.
»   »   » Leinwand = 524· Par. L. = 1·1821 Mètres.
Ein Fuß (alte) = ⅙ Toise = 1·028 W. F. = 0·324839 Mètres.

Petersburg. Siehe Rußland.

Polen. Eine Elle = 1·822 W. F. = 269·16 Par L. = 0·5846 Mèt.
Der Fuß = 0·911 W. F. = 0·916667 Par. F. = 0·297769 Mèt.

Rußland. Die Arschin = 2·252 W. F. = 315·4 Par. L. = 0·7115 Mèt.
Der Fuß = 0·962 W. F.

Sachsen. Siehe Dresden.

Schlesien. Siehe Breslau.

Schweden. Eine Elle = 1·879 W. F. = 263·2 Par. L. = 0·5937 Mèt.
Der Fuß = 0·766 W. F. = 0·913799 Par. F. = 0·296839 Mèt.

Spanien. Die Vara (in Kastilien) = 2·679 W. F. = 375·9 Par. L. =
= 0·8480 Mètres.

Ein Fuß (piea) = 0,897 Wien. Fuß = 0·870139 Par. Fuß =
= 0 282655 Mètres.

S t o ch o l m.   Siehe Schweden.

T r i e ſt. Eine Elle zur Wolle = 2·139 W. F. = 299·6 Par. L. =
= 0·6758 Mètres.

Eine Elle zur Seide = 2·031 W. F. = 284 Par. L. = 0·6407 Mèt.

T u r i n.   Die Elle (Raso) in Piemont = 1·908 W. F.
»   »   »   in Sardinien = 1·737 W. F.
»   »   »   in Savoyen = 1·816 W. F.

Der Fuß = 1·022 W. F. = 1·581677 Par. F. = 0·513766 Mèt.

U n g a r n.   Die Elle = 2·464 W. F. = 247·4 Par. L. = 0·5581 Mèt.

Der Fuß = 1 W. F. = 0·973104 Par. F. = 0·316109 Mètres.

W e n e d i g.   Der Braccio = 2·015 W. F.

Der Fuß = 1·101 W. F. = 1·069444 Par. F. = 0·347398 Mèt.

W a r ſch a u.   Siehe Polen.

W i e n.   Die Elle = 2·464 W. F. = 355·4 Par. L. = 0·7792 Mètres.

Ein Fuß = 0·97312 Par. F. = 0·316609 Mètres.

» » = 1·03712 Londoner Fuß = 1·00718 Rhein. Fuß =
= 1·00736 Preuß. Fuß.

W ú r t e m b e r g.   Eine Elle = 1·942 Wien. Fuß = 272·3 Par. L. =
= 0·6143 Mètres.

Ein Fuß = 127 franz. Linten = 0·28649 Mètres.

II. Tabelle der Körpermaße.

Amsterdam. 1 C' = 0·02486 Mètres cub. = 066·154 Par. C'.
　　1 Last à 27 Mudden = 36 Sack = 379·303 W. Achtel.
　　1 Mudde = 100 Litres = 504·25 Par. C''.
　　1 Vat = 100 Kannen = 70·765 W. Maß = 100 Litres =
　　　　= 504· Par. C'.
　　1 Ank. = ½ Ohm = 10 Stübchen = 20 Kannen = 27·009 W. Maß.

Antwerpen. 1 C' = 0·02329 Mètres cub.
　　1 Last = 150 Mucken = 373·871 W. Achtel.
　　1 Sack = 1/16 Last = 2 Scheepel = 12 Vierdewats = 15·156 W. Acht.
　　1 Stoop = ¼ Steekanne = 1/16 Anker = 1·647 W. Maß.

Baden. 1 Zuver = 12 Malter = 100 Sester = 1000 Meßlein =
　　　　= 195·145 W. Achtel.
　　1 Fuder = 10 Ohm = 100 Stützen = 1000 Maß = 10000 Glas =
　　　　= 995·839 W. Maß.

Bayern. 1 C' = 0·02486 Mètres cub. = 0·7252 Par. C''.
　　1 Scheffel = 6 Metzen = 28·907 W. Achtel = 222·357 Litres =
　　　　= 11·08 Par. C''.
　　1 Eimer (Wein) = 60 Maß = 45·35 W. Maß.
　　1 » (Bier) = 64 Maß = 47·902 W. Maß.

Breslau. 1 Scheffel = 4 Viertel = 16 Metzen = 9·619 W. Achtel.

Constantinopel. 1 Kisloz = 35·1134 Litres = 1770 Par. C''.
　　1 Alm = 5·2368 Litres = 264 Par. C'.

Dresden. 1 C' = 0·02273 Cub. Mètres = 0·78769 Par. C'.
　　1 Scheffel = 16 Metzen = 13·959 W. Achtel = 107·434 Litres = 5416 Par. C''.
　　1 Eimer = 63 Kannen = 41·518 W. Maß = 58·9856 Litres =
　　　　= 2974 Par. C''.

England. 1 Bushel = ⅓ Strick = ⅛ Quarter = 1/16 Wei = 1/80 Load (Last) = 4 Pecks = 8 Gallons = 16 Pottles = 32 Quart =
　　　　= 64 Pirols.
　　1 Imperial Standart Bushel = 4 693 W. Achtel.
　　1 Winchester Bushel = 4·683 W. Achtel.
　　1 Quarter = 14408 Par. C''.
　　1 Gallon = 1/252 Tonne = 1/126 Pipe = 1/84 Punchion = 1/63 Hogshead = 1/42 Tierces = 1/18 Runblet = 2 Pottles = 4 Quarts =

= 8 Pinten = 3·212 Wiener Maß = 4·5435 Litres =
= 228·98 Par. C''.

Frankfurt a. M. 1 Malter = 4 Simmer = 8 Mesten = 14·909
W. Achtel = 114·732 Litres = 5783 Par. C''.
1 Ohm = 20 Viertel = 80 Maß = 143·418 Litres = 7230 P. C''.

Frankreich. 1 Hectolitre = 100 Cub. Mètres = 10 Décalitres =
= 13·01 W. Achtel = 5041·25 Par. C''.
1 altes Setier = 12 Boisseaux = $\frac{1}{12}$ Muid = 192 Litrens =
= 20·195 W. Achtel = 156 Litres = 7863 Par. C''.
1 Litre = 0·70705 W. Maß.
1 Muid (alt) = 2 Feuillettes = 36 Veltes = 288 Pintes =
= 189·488 W. Maß = 268·445 Litres = 13532 Par. C''.

Genua. 1 Mina = 8 Quartis = 96 Combettes = 15·202 W. Achtel =
= 116·746 Litres = 5885 Par. C''.
1 Mezzarola = 2 Barilli = 200 Pint = 104·431 W. Maß =
= 148·456 Litres = 7484 Par. C''.

Hamburg. 1 Scheffel = 2 Faß = 4 Himten = 13·694 W. Achtel =
105·371 Litres = 5312 Par. C''.
1 Ahm = $\frac{1}{2}$ Fuder = 4 Anker = 80 Kannen = 102·38 W.
Maß = 144·806 Litres = 7300 Par. C''.

Kopenhagen. 1 Tonne = $\frac{1}{25}$ Last = 4 Viertel = 18·083 W.
Achtel = 139·123 Litres = 7013 Par. C''.
1 Ahm = 40 Stübchen = 144 Pott = 77½ Kannen = 105·880 W.
Maß = 149·735 Litres = 7549 Par. C''.

Leipzig. Siehe Dresden.

Lissabon. 1 Fanega = 7·025 W. Achtel = 54·039 Litres =
= 2724 Par. C''.
1 Pipa = $\frac{1}{5}$ Tonnel = 52 Cantaros = 1248 Quartilhos =
= 307·565 W. Maß = 435·289 Litres = 21944 Par. C''.

Livorno. 1 Sacco = 3 Staji = 12 Quarti = 96 Mezzete = 9·237
W. Achtel = 71·0538 Litres = 3582 Par. C''.
1 Barillo (für Wein) = 20 Fiaschi = 40 Boccali = 29·413 W.
Maß = 41·6559 Litres = 2099·9 Par. C''.
1 Barillo (für Öhl) = 16 Fiaschi = 32 Boccali = 23·531 W.M.

London. Siehe England.

Paris. Siehe Frankreich.

Petersburg. 1 Tschetwert = 2 Osmin = 4 Pajok = 8 Tschetwerik = 25·31 W. Achtel = 194·57 Litres = 9808 Par. C''.

1 Wiedro (Eimer) = 4 Tschetwerk = 8 Osmuschki = 8·98 W. Maß = 12·695 Litres = 640 Par. C''.

Polen. 1 Korzec = 2 Polkorrow = 4 Cwierci = 32 Garey = = 128 Kwarty.

1 Korzec in Krakau = $\frac{1}{16}$ Laft = 15·612 W. Achtel.

1   »   in Warschau = 16·652 W. Achtel = 128 Litres = = 6450·8 Par. C''.

1   »   in Galizien und der Bukowina = 15·872 W. Achtel.

1 Beczka = 25 Garniec (in Warschau) = 100 Kwarty = = 70·705 W. Maß = 160 Litres = 5041 Par. C''.

1 Beczka = 34 Garn. (in Krakau) = 144 Kwarty = 96·512 W.M.

Schweden. 1 Tonne = 2 Spann = 32 Kappar = 112 Stoop = = 19·046 W. Achtel = 146·523 Litres = 7386 Par. C''.

1 Ahm = 60 Kannen = 111·006 W. Maß = 157·105 Litres = = 7920 Par. C''.

Spanien. 1 Fanega = $\frac{1}{12}$ Cahiz = 12 Almudes = 48 Quartillos = 57·153 Litres = 2881 Par. C'' (in Madrid).

1 Cantaro = 32 Quartillos = 12·974 W. Maß = 15·75 Litres = 794 Par. C''.

Triest. Siehe Wien.

Turin. 1 Sacco = 3 Staji = 15·033 W. Achtel = 114·952 Litres = = 5795 Par. C''.

1 Brenta = $\frac{1}{10}$ Carro = 6 Rubbi = 6 Pinten = 72 Boccali = = 39·828 W. Maß = 56·415 Litres = 2844 Par. C''.

Ungarn. 1 Metzen in Preßburg = 64 ungar. Halben = 128 Seitl = = 256 Rimpel = 6·934 W. Acht. = 53·344 Lit. = 2689 P. C''.

1 Metzen in Pest = 96 ungar. Halben = 10·407 W. Achtel.

1 Antal für den Tokayer Wein = 51·848 W. Maß.

1 Eimer zu 64 Halben = 37·686 W. Maß.

Venedig. 1 Stajo = 84·86 Litres = 4278 Par. C''.

1 Biconzia = $\frac{1}{1}$ Amphora = 2 Conzi = 128 Boccali = = 112·138 W. Maß.

Wien. 1 Metzen = 8 Achtel = 61·499 Litres = 3100 Par. C''.

1 Eimer = 58·016 Litres = 2924·7 Par. C''.

Würtemberg. 1 Malter = 32 Vierling = 177·227 Litres = = 8931·5 Par. C''.

1 Eimer = 160 Maß = 293·93 Litres = 14818 Par. C''.

III. Tabelle der Gewichte.

Amsterdam. Handelsgew. 1 Schiffspfund = 3 Ctr. = 300 Pf.

1 Pf. = 32 Loth = 0·8820 Wienerpf. H. G. = 0·493926 Kilogramm = 1·009903o Par. Pf.

1 Pf. Troys-Gew. = 0·8786 W. Pf. = 0·492004 Kilogr. = 1·005104 Par. Pf.

Augsburg. 1 Pf. Frohngew. = 0·8768 W. Pf. = 0·491043 Kilogr. = 0·1003149 Par. Pf.

1 Pf. Krämergew. = 0·8439 W. Pf. = 0·472593 Kilogr. = = 0·965449 Par. Pf.

Baden. Handelsgew. 1 Ctr. = 100 Pf.

1 Pf. = 0·5 Kilogr.

1 Stein = 10 Pf.

1 Pf. = 4 Vierling = 16 Unzen = 32 Loth.

Bayern. Handelsgew. 1 Pf. = 32 Loth = $\frac{1}{10}$ Stein = $\frac{1}{100}$ Ctr. = 0·9999 W. Pf. = 0·560001 Kilogr. = 1·144012 Par. Pf.

Apoth. Gew. 1 Unze = 8 Drachmen = 24 Skr. = 480 Gr. = = 30 Grammen franz. Med. Gew.

Berlin. Handelsgew. 1 Pf. = 32 Loth = $\frac{1}{100}$ Ctr. = $\frac{1}{330}$ Schiffs-pfund = $\frac{1}{4000}$ Schiffslast.

1 Pf. (neues) = 0·8346 W. Pf.

1 Pf. (altes) = 0·8363 W. Pf. = 0·468509 Kilogramm = = 0·957106 Par. Pf.

Apoth. Gew. 1 Unze = 480 Gran = 29·2320 Grammen franz. Med. Gew.

Constantinopel. 1 Rottel Handelsgew. = $\frac{1}{2}$ Oka = $\frac{1}{4}$ Batman = 1·139 W. Pf. = 0 637828 Kilogr. = 1·303003 Par. Pf.

Dänemark. 1 Pf. Handelsgew. = 2 Mark = 32 Loth = 128 Quent-chen = $\frac{1}{100}$ Ctr. = $\frac{1}{16}$ Liespf. = $\frac{1}{16}$ Wog = $\frac{1}{320}$ Schiffspf. = = $\frac{1}{5120}$ Last = 0·8916 Wien. Pf. = 0·499327 Kilogr. = = 1·020062 Par. Pf.

Danzig. 1 Pf. = 32 Loth = $\frac{1}{330}$ Ctr. = 0·7775 W. Pf.

Dresden. Siehe Leipzig.

England. Bey dem Avoirdupois-Gew. oder Handelsgew. ist das Imperial-Standart-Pound = 16 Ounces = 256

Drams = 7000 Grän = 0·8099 W. Pf. = 0·4584148 Kilog. =
= 0·926269 Par. Pf.

112 Pf. Imp. = 1 Ctr., 20 Ctr. = 1 Ton (Tonne).

Das Troy-Pound (Münz- und Med. Gew.) = 12 Ounces =
= 240 Pennyweight = 5760 Troy-Grains = 0·6664 W.
Pf. = 0·3730956 Kilogr. = 0·762387 Par. Pf.

1 Unze Apoth. Gew. = 480 Grän = 31·1002 Gramm. franz.
Med. Gew.

Florenz. 1 Pf. = 0·6063 Wien. Pf. = 0·339515 Kilogramm =
= 0·693585 Par. Pf.

Frankfurt a. M. 1 Ctr. = 100 Pf. à 32 Loth Handelsgew.

1 Pf. Handelsgew. schwer = 0·9023 W. Pf. = 0·505309 Kilogr. = 1·032383 Par. Pf.

1 Pf. Krämergew. oder leichtes = 0·8355 W. Pf. = 0·467880
Kilogr. = 0.955820 Par. Pf. — Von diesem gehen 108 Pf.
auf einen Centner.

Frankreich. 1 metrisches Pfund = 0·8928 W. Pf.

1 Kilogr. = 2·042876302 Par. Pf. = 1·785676 W. Pf.

1 Gramme = 0·001785676 W. Pf. = 18·82715 Grains altes
franz. Handelsgew. = 13 71389 Grane W. Apoth. Gew. =
= 26·812824 holl. As Troys-Gew.

1 altes Par. Pf. = 2 Mark = 16 Onces = 128 Gros =
9216 Grains = 0·489505846 Kilogr. = 0·8740970496 W. Pf.

Genua. 1 Libra p. g. = 12 Oncien = 0·6229 W. Pf. = 0·348823
Kilogr. = 0·712603 Par. Pf.

1 Libra p. sot. = 0 5663 W. Pf.

Hamburg. 1 Pf. Handelsgew. = 32 Loth = $\frac{1}{112}$ Ctr. = $\frac{1}{14}$ Lspf. =
= $\frac{1}{280}$ Schiffspf. = 0·8649 W. Pf. = 0·484332 Kilogr. =
= 0·989429 Par. Pf.

Leipzig. 1 Pf. Handelsgew. = 32 Loth = $\frac{1}{22}$ Stein = $\frac{1}{110}$ Ctr. =
= 0·8347 W. Pf.

1 Pf. Stahlgew. = $\frac{1}{113}$ Ctr. = 0·7781 W. Pf.

Lemberg. 1 Pf. = $\frac{1}{100}$ Ctr. = 32 Loth = 0·75 W. Pf. = 0·420009
Kilogr. = 0·858024 Par. Pf.

Madrid. 1 Cast. Pf. (Libra) = 0·823 W. Pf. = 0·460870 Kilog. =
= 0·921740 Par. Pf.

Mayland. 1 Libra metrica = 10 Once = 1·7857 W. Pf.

1 Libra peso grosso = 1·3449 W. Pf. = 0·753216 Kilog. =
= 1·53872 Par. Pf.

1 Libra peso sottile = 0·575 W. Pf. = 0·322007 Kilogr. =
= 0·63768 Par. Pf.

1 Libra peso medicinale = 0·75 W. Pf.

Niederlande. 1 Pf. = 1 Kilogr. = 2·042873 Par. Pf.

Portugal. 1 Libra = 0·8195 W. Pf. = 0·458948 Kilogr. =
= 0·937573 Par. Pf.

Prag. Wie Wien. ...

1 böhm. Pf. = 32 Loth = 128 Quent. = $\frac{1}{10}$ Stein = $\frac{1}{120}$ Ctr. =
= 0·9185 W. Pf. = 0·514346 Kilogr. = 1·050745 Par. Pf.

Rußland. 1 Pf. = 32 Loth = 96 Solotnik = $\frac{1}{40}$ Pud = $\frac{1}{400}$ Berkowitz = 0·7304 W. Pf. = 0·408979 Kilogr. = 0·835492 Par. Pf.

Schweden. 1 Pf. = 32 Loth = $\frac{1}{20}$ Liespf. = $\frac{1}{400}$ Ctr. Schalgew. =
= 0·7563 W. Pf. = 0·425123 Kilog. = 0·868472 Par. Pf.
1 Mark Berggew. = 0·375826 Kilog. = 0·694738 Par. Pf.

Toskana. 1 Libra = 0·6063 W. Pf. = 0·339502 Kilogramm =
= 0·693561 Par. Pf.

Turin. 1 Libra = 0·368902 Kilog. = 0·753621 Par. Pf.

Tyrol. 1 Pf. in Botzen = $\frac{1}{100}$ Ctr. = $\frac{1}{400}$ Saum = 0·8945 W. Pf.
1 Tyroler Pf. = 1·0052 Wien. Pf. = 0·562922 Kilogramm =
= 1·14998 Par. Pf.

Ungarn. 1 Pf. in Preßburg = 1 W. Pf. Handelsgew.
1 Pf. in Ofen = 0·8775 W. Pf.
1 Ctr = 2·2779 Wr. Pf.

Warschau. 1 Pf. = 0·405309 Kilog. = 0·827444 Par. Pf.

Wien. 1 Pf. = 10543·43 Grains alt Par. G. = 560·012 Grammes
= 12655·43 holl. As Troy-Gew.
= 1·30774 Richtpf. des W. Salvations-Gewichts
= 1·5692875 Richtpf. des Köln. Münzgew.
= 1·995453 Mark des W. Valv. Gew.
= 1·333333 Pf. des W. Apothek. Gew.
= 1·144035 Pf. alt Par. Gew.
= 1·5009883 Pounds Londoner Troy-Gew.
= 1·2350988 Pounds Lond. avoirdupois-Gew.
1 W. Kub. Fuß dest. Wassers = 56·40344 W. Pf. bey + 3° R.

1 Mark Valvations- oder Münz- und Silber-waar
gewicht = 65536 Richtpf. = 0·50113g W. Pf. H. G.

1 Richtpf. = 0·0000076468 W. Handelsgew.

1 Wr. Mark Silber = 16 Loth.

1 Loth = 4 Qt. = 18 Gran = 4096 Richtpf.

Goldwaaren- und Dukaten-Gewicht zu 60 Gran
0·06233 Wr.-Pf.

1 Duk. Gran = 0·000104 Wr. Pf. Handelsgew.

1 Mark Gold = 24 Karat = 288 Gran.

1 Karat Gold = 12 Gran, wovon 60 Gr. = 1 kaiserl. Duk.

Apothekergew. 1 Pf. = 12 Unz. (= 24 Loth Handelsgew.)

1 Unze = 8 Drachmen à 3 Skrupel, 1 Skr. = 20 Gr.

1 Apoth. Gr. = 0·0001302084 Wr. Pf. Handelsgew.

Juwelen-Gewicht. 1 Karat = 0·0003680013 Wr. Pf.
Handelsgew. = 48·125 Richtpf. Wr Valv. Gew.

Würtemberg. 1 Pf. = 0·469923 Kilog. = 0·959995 Par. Pf

Bemerkungen.

(Zu §. 160. der Alg.)

1) Eine Mark münzfähigen Goldes oder Silbers enthalte f Karat
f Gold oder f Loth feines Silber; ein hieraus geprägtes Goldstück enthalte m Loth Brutto, so gehen (wenn wir die Mark mit M bezeichnen, wo also $M = 16$ Loth bey Silber und $M = 24$ Karat bey Gold ist) auf eine rauhe Mark $\frac{M}{m}$ Stücke, und es sey $\frac{M}{m} = n$; jedes solche Stück enthält $\frac{m}{M} \cdot f = \frac{f}{n}$ Theile feines Metall.

2) Sollen nun aus einer Mark fein a Goldstücke ausgebracht werden, oder sollen a Stücke eine Mark fein enthalten; so gehen auf die rauhe Mark $\frac{af}{M}$ Stücke = b St., oder eine rauhe Mark ist $\frac{af}{M} = b$ (Gulden oder Thaler oder Dukaten) werth; mithin ist der innere Werth einer solchen Münze $= \frac{af \cdot m}{M^2} = \frac{af}{nM} = w$ (Gulden, Thlr. oder Duk.)

3) Wir haben demnach folgende Gleichungen:

a) $a = \frac{M^2 \cdot w}{mf} = \frac{Mn \cdot w}{f} = \frac{bM}{f}$ als Werth einer Mark fein,
oder als Anzahl der Stücke, welche eine Mark fein enthalten.

β) $\quad b = \frac{af}{M} = $ dem Werthe einer Mark rauh.

γ) $\quad w = \frac{afm}{M^2} = \frac{af}{Mn} = $ dem Werthe eines Stückes.

δ) $\quad n = \frac{af}{Mw} = \frac{M}{m} = $ der Anzahl Stücke, welche auf eine rauhe Mark gehen.

ε) $\quad m = \frac{M}{n} = \frac{M^2 \cdot w}{af} = $ dem Gew. (Brutto) eines Stückes, und

ζ) $\quad f = \frac{Mnw}{a} = \frac{M^2 w}{am} = $ dem Feingehalte einer rauhen Mark.

Übrigens ist zu bemerken, daß bey diesen Gleichungen durchaus kein Remedium berücksichtiget wurde.

4) Wenn die Legirung mehr oder weniger fein ist, als das Münzgesetz bestimmt, so heißt der Überschuß das Remedium am Korne, und der Überschuß oder Abgang am gesetzlichen Gewichte einer Münze wird das Remedium am Schrote genannt.

Sey nun das gesetzliche Remedium am Korn $= \frac{\delta}{M}$, und am Schrote $= \frac{d}{M}$; so werden $\frac{M \pm d}{M}$ Mark des geprägten Metalles für eine ganze rauhe Mark passirt, deren Feine zwischen $\frac{f}{M}$ und $\frac{f \pm \delta}{M}$ fallen muß.

Wenn demnach $\frac{M-d}{M}$ Mark Br. Gew. $\frac{f-\delta}{M}$ Mark fein enthalten, so enthalten jene n Stücke, welche zusammen auf eine rauhe Mark gerechnet werden, nur $\left(\frac{M-d}{M}\right)\left(\frac{f-\delta}{M}\right)$ Mark fein, oder so viele Mark fein sind in n Stücken enthalten, und da $\frac{M-d}{M}$ Mark rauh auf b (Gulden oder Thlr. oder Duf.) ausgebracht werden sollen, so ist der Werth einer Mark fein $= a = \frac{M^2 \cdot b}{(M-d)(f-\delta)}$ (Gulden oder Thaler oder Duf.) $= \frac{M^2 n w}{(M-d)(f-\delta)}$.

5) Nach einer Verordnung vom 12. Januar 1786 wird in den k. k. Münzämtern 1 Wiener Mark = 24 Karat fein Gold mit 395·5 fl. Conv. M. bezahlt, also 1 Köln. Mark fein Gold mit 299·583 fl. C. M., wenn 1 Köln. Mark = ⅚ Wiener Mark gesetzt wird. Da nun 1 Wiener Mark = 5840·83 holländ. Assen Troy-Gewicht, und 1 Kölnische Mark = 4867·358 holl. Aff. Tr. Gew. (= 4865 holl. Aff. Tr. Gew.

nach Andern); so ist der Werth von 1 holl. Asse f. Gold = o·
C. M. = 3·693 kr. C. M. Nach diesen Bestimmungen sind die
der in folgender Tabelle verzeichneten Goldmünzen, als
trachtet, berechnet und in der letzten Spalte angeführt. Hier
ich vorzüglich benützt die Angaben des Herrn Christian
in seinem »vollständigen Handbuche der Münz-, Bank- und
verhältnisse aller Länder und Handelsplätze der Erde«. Rudolstadt
und des Herrn Dr. Volz in seinem Gewerbskalender für das
1833. Die Einrichtung der Tafel selbst ist für sich klar.

6) Mit dem 20 Gulden-Fuß ist der 13½ Thaler-Fuß
Dieser Conventions-Reichsthaler) gewöhnlich sächs.
Thaler genannt, wird eingetheilt:

in Sachsen und Hannover in 24 gute Groschen à 12 Pfennigen,

in Augsburg und Frankfurt am Main in 30 Groschen,

in Braunschweig in 36 Mariengroschen,

in Westphalen in 28 Schillinge,

in Bremen in 72 Grot.

7) Der rheinische Gulden-Fuß oder der 24 Gulden-
nach welchem 1 fl. R. W. = 50 kr. C. M., ist in Bayern,
berg, am Rhein und Main, in Salzburg und Tyrol gebräuchli
Dieser rhein. Gulden, oder Gulden Reichs-Währung wird eingethei

in Anspach in 12 Batzen,

in Bayreuth in 16 Groschen,

in Bayern, Baden und Würtemberg in 20 Groschen oder 60 Kreu-
    zer à 4 Pfennige,

in Braunschweig in 28 Schillinge.

8) Der preußische Reichsthaler-Fuß oder der 14 Reichs-
thaler Fuß ist in ganz Preußen, in Anhalt, Cleve, Elberfeld u. s. f.
gebräuchlich. Der preußische Thaler wird gesetzmäßig (seit 30. Sep-
tember 1821) eingetheilt in 30 Silbergroschen à 12 Pfennige preuß.
Cour.; vor dem Jahre 1825 aber in 24 Groschen à 12 Pf. preuß. Cour.
Dieser Thaler ist = $\frac{1}{7}$ fl. = 1·42857 fl. Conv. M., und 1 fl. C. M. =
= 0·7 preuß. Thaler.

9) Die Mark Banko ist in Hamburg, Mecklenburg, Holstein
und in den Seestädten des nördlichen Deutschlands im Gebräuche. Von
dieser Münzsorte gehen 27½ Stück auf eine Köln. Mark f. S., also ist
1 Mark Banko = 0·72398 fl. C. M., und 1 fl. C. M. = 1·3812 M.
Banko. Die Mark wird in 16 Schillinge Lübisch à 12 Pf. eingetheilt.

Die im gemeinen Leben gebräuchliche Mark Courant in Hamburg ist gleich 0·588235 fl. Conv. M., nach neuern genauen Untersu-
chungen aber = 0·583 fl. C. M., und 1 fl. C. M. = 1·71526 Mk. Cour.

10) In England ist der Schilling gebräuchlich und wird in
12 Pence à 4 Farthings eingetheilt. Hiervon gehen nach der frühern
Prägungsart 41·9813 Schilling Sterl. auf eine Köln. Mark f. S.,
nach der neuern Ausmünzungsart aber (seit 1816) 44·6898 Schilling
Sterling auf eine Köln. Mark f. S. Es ist demnach ein alter Schilling = 0·4764 fl. Conv. M., und ein neuer Schilling = 0·44753 fl.
C. M. Nach einer andern Untersuchung aber gehen 41·91515 Schill.
Sterl. auf eine Köln. Mark f. S., also ist hiernach 1 Schill. Sterling
= 0·47715 fl. Conv. M.

11) Die Basis des franz. Münzsystems ist der Franc, welcher
in 100 Centimes = 10 Decimes getheilt wird. 51·94453 Francs
gehen auf die Köln. Mark fein S., also ist 1 Franc = 0·38503 fl.
C. M. = 23·1 kr. C. M.

IV. Tabelle der Münzen.

	Gew. von 1 Stück in holl. Assen	Hiervon gehen Stücke auf eine Köln. Mark		Werth in C. fl.
		rauh	fein	
Baden.				
Das ganze Großherzogth. rechnet nach Gulden zu 60 Kr. à 4 Pf. im 24 fl. Fuß, wobey die Kronenthaler zu 2 fl. 24 kr. R. W. gerechnet werden.				
Gold.				
Ludwigsd'or (alte) fein Gehalt 21 Karat 8 Gran	143·12	34·00	37·662	7·95¼
Halbe und doppelte nach Verhältniß.				
Fünfthalerstück (neu) 21 K. 8 Gr. f.	119·24	40·8	45·194	6·61⅝
Rheingoldduukaten, Feingeh. 22 Kar. 6 Gr.	76·39	63·697	67·95½	4·40⁷
Silber.				
Zweyguldenstück 12 Loth fein .	529·604	9·188	12·25	1·633
Guldenstücke	264·762	18·375	24·5	0·816
Kronenthaler 13 Lth. 17 Gr. f.	614·035	7·923	9·09093	2·20
Bayern.				
Das ganze Königreich rechnet fast allgemein nach Gulden zu 60 Kr. à 4 Pf. im 24 fl. Fuß, wobey der Kronenthaler zu 2 fl. 24 kr. R. W. gerech. net wird. Der gesetzmäßige Zahl= werth ist seit 1. Januar 1810 der Conventions = Fuß, worin jedoch die Köln. Mark fein Silber zu 24 fl. be= stimmt wird.				
Gold.				
Carolin 18 Karat 5·91 Gr. fein .	201·26	24·1722	31·3712	9·54½
Halbe und Viertel nach Verhältniß.				
Mard'or 18 Kar. 5·76 Gr. fein .	134·85	36·0769	46·8523	6·39⁰⁷
Dukaten 23 Kar. 6·91 Gr. fein .	72·48	67·1199	68·3275	4·38¼
Silber.				
Speriesthaler 13 Loth 6 Gr. f.	583·68	8·3333	10·	2·
Kronenthaler 13 Loth 17 Gr. f.	614·035	7·923	9·091	2·200
Kopfstück 9 Loth 6 Gr. fein . .	138·97	35·	60·	0·333
Braunschweig.				
Hier rechnet man nach Thalern zu 24 guten Grosch. à 12 Pf. im 20 fl. Fuß. Bisweilen wird jedoch auch nach Tha= lern zu 36 Mariengroschen à 8 Pf. und am Ober=Harze nach Marien=Gul= den, Kassengeld zu 20 Marien=Gro.				

7

	Gew. von 1 Stück in holl. Aſſen	Hiervon gehen Stücke auf eine Köln. Mark		Werth in C. M. fl.
		rauh	fein	
en. Es ſind 162 Mar. Guld. genau …o Thaler C. M. Hier gibt es auch genannte feine Gulden nach n Leipziger Münzfuß geprägt, wo n 18 Stück auf die Köln. Mark fein ilber gehen.				
Gold.				
arls'd'or 21 Kar. 6·5 Gr. f. 1802	138·22	35·197	39·2141	7·6359
Doppelte nach Verhältniß.				
ukaten 23 Kar. 1·55 Gr. fein .	72·48	67·1199	69·6466	4·2993
Silber.				
peciesthlr. 13 Loth 4·91 Gr. f.	583·90	8·33186	10·04369	1·991
albe nach Verhältniß.				
iner Gulden 15 L. 15·58 Gr. f.	273·07	17·81577	17·9666	1·113
Dänemark.				
Hier wird jetzt nach Reichsthalern zu Mark à 16 Schillinge Däniſch oder 96 Schill. gerechnet. Hiervon gehen ¹⁄₂ St. auf eine Köln. Mark fein S.				
Gold.				
ourant=Dukaten 21 K. 1·2 Gr. fein von 1757	64·73	75·1603	85·4904	8·5028
pecies=Duk. 23 Kar. 5·84 Gr. fein ſeit 1671	72·48	67·1199	68·5873	4·3657
hriſtiand'or 21 Kar. 8·88 Gr. fein ſeit 1775	138·90	35·0262	38·6677	7·7442
iedrichsd'or ſeit 1826, 21 K. 5·5 Gr. fein	138·	35·25	39·425	7·5935
Silber.				
eichs=Bankthaler (neu) = 6 Mark = 96 Schillinge von 1813, 14 Loth fein	300·47	16·18772	18·5	1·081
anze Speciesth. = 2 Rbthlr. 14 Loth fein	600·95	8·09386	9·25	2·162
Stücke zu 2 Mark, 1 Mark, zu 8 Schillingen nach Verhältniß.				
England				
hnet nach dem bisher fingirten Münz= rthe, dem Livre oder Pfund terling , oder dem ſeit 1816 ge ägten Souveraine zu 20 Sch. 12 Pence Sterling. Hiervon gehen 0991 Livres auf 1 Köln. Mark Silb. 1 Guineas = 1·05 Pf. Sterl. oder overeign ; 1 Lw. St. = 1·5 Marks				

14 *

= 2 Angels = 3 Nobles = 4 Kronen
= 20 Schill. = 60 Groats = 240 Pence
= 960 Farthings.

Gold.

1 Guinee (alt) zu 21 Schill. 21 Kar. 11·98 Gr fein vor dem J. 1816 .	174.63	27·8586	30·3934	9·
1 Souverain à 20 Schill. seit dem J. 1816, 22 Kar. 0·28 Gr. fein .	166·20	29·2713	31·8983	9·387
Halbe Souverain, doppelte und fünffache nach Verhältniß.				
Livre-Sterling (Rechnungsmünze) nach der Ausprägung vor dem J. 1816 . .	—	—	2·0991	9·528
nach der neuern Auspr. seit 1816	—	—	2·1350	8·

Silber.

Krone (alt) 14 Loth 14·42 Gr. fein	626.38	7·76683	8·39584	2·381
Halbe nach Verhältniß.				
Schilling, vor d. J. 1816, 14 Loth 14·01 Gr. fein . . .	125·41	38·79241	41·99876	0·476
Halbe Schillinge nach Verhältniß.				
Krone (neu) à 5 Schilling, nach 1816 14 Loth 14·45 Gr. fein . .	588·28	8·26978	8·93879	2·237
Dergl. halbe Kronen seit 1816, 14 Loth 14·6 Gr. fein . .	293·97	16·54905	17·87757	1·119
Neuer Schilling seit 1816, 14 Loth 14·38 Gr. fein . .	117·66	41·34892	44·705	0·447
Halber Schilling seit 1816, 14 Loth 13·29 Gr. fein . .	50·00	82·46157	89·52094	0·223
Ganze Krone v. J. 1818, 14 L. 14 G.f.		8·25806	8·94166	2·236
Halbe Krone v. 1825, 14 L. 14 G.f.		16·51613	17·88212	1·118
Ganzer Schilling v. J. 1825, 14 Loth 14 Gr. fein		40·96	44·34767	0·451
Bank-Thaler zu 5 Schill. v. J. 1804, 14 Loth 5 Gr. fein . .		8·74920	9·80450	2·040

Frankreich

rechnet nach Francs zu 100 Centimes oder zu 10 Decimes. Man rechnet häufig den neuen franz. Franc auch in Sols oder Sous, und bestimmt denselben zu 20 Sols de Francs, wo dann der Sous zu 5 Cent. gerechnet wird.

Gold.

Louisd'or v. 1640—1709, 21 Kar. 9 Gr. fein . . .	138·97	35·	38·6207	7·7516
von 1709 — 1716, Sonnenlouisd'or genannt, 21 K. 6 Gr.f.	169·1667	28·75	32·893	9·3286

n 1716—1718, gen. Nouilles, mit 4 Wappen, 21 Kar. 8 Gr. fein .	254·39	19·3333	21·184	14·13:5
n 1718 — 1723, Malthefer: Kreuz gen., 21 Kar. 6 Gr. fein .	199·89	24·8333	28·489	10·9577
von 1723—1726, Mirlitons ge: nannt, 21 Kar. 6½ Gr. fein .	135·11	36.	40·108	7·464:
von 1726—1785, Schild=Louis: d'or genannt, 21 Kar. 8 Gr. fein .	169·16	28·75	31·846	9·4005
Doppelte u. halbe nach Verhältniß.				
Von 1785 bis nach der Revolution, 21 Kar. 8 Gr. fein	158·61	30·6667	33·9692	8·8134
Doppelte nach Verhältniß.				
Neue nach der Revolution, einfache à 24 Livres, 21 Kar. 7⁷/₈ Gr. fein	158·61	30·6667	33·9856	8·8091
Napoleond'or à 20 Franken, auch Marengos gen., 21 K. 7.2 G. f.	133·19	36·52	40·575	7·3783
Doppelte nach Verhältniß.				
(Nach dem Gesetze v. 1803 ohne alles Remedium.)				
Piece de 20 Francs 21 Kar 7.2 G. f.	134·28	36·23131	40·25701	7·4383
Piece de 40 Francs nach Verhältniß.				
(Neuere Ausprägung nach dem gesetzlichen Remedium.)				
Zwanzig=Frankenst. 21 K. 6.56 G. f.	134·008	36·30392	40·43753	7·4050
Vierzig=Frankenstücke nach Verhältniß.				

Silber.

Ecu, altes 6 Livre=Stück (Laubthlr.) 14 Loth 5·98 Gr. fein	606·83	8·0171	8·94987	2·235
halbe oder 3 Livrestück (petit écu) 14 Loth 5·92 Gr. fein .	303·41	16·03419	17·90419	1·117
Fünf=Frankenstücke nach der neuen proviforischen Münzordnung 14 Loth 1·73 Gr. fein	517·82	9·39504	10·66418	1·875
fünf=Frankenstück v. J. 1808 (Napoléon blanc) 14 Lth. 6 G. f.	519·17	9·37063	10·48621	1·912
zwey=Frankenstück v. J. 1808 14 Loth 5·9 Gr. fein .	209·02	23·27544	25·99203	0·769
Frankenstück (Franc) v. 1809 und v. 1818, 14 Loth 5·9 Gr. fein .	104·51	46·55089	51·98406	0·385
halbes Frankenstück (Demi= franc) 14 Loth 4·25 Gr. fein . .	52·59	92·50351	103·96812	0·192

Genua

rechnet und führt Buch feit 1. Januar 1827 nach Lire nuove di Pie=
onte à 100 Centesimi. 51·9345
folche Lire enthalten 1 Köln.Mark fein
Silber. Früher rechnete man nach Lire
20 Soldi à 12 Denari.

Gold.

Doppien oder alte Pistolen 21 K. 9 Gr. fein	140·04	34.732	38·325
fünf=, vier=, zweyfache, halbe, Viertel und Achtel nach Verhältniß.			
Doppien oder neue Genovinen à 100 Lire 21 Kar. 10·5 Gr. f. . . .	586·31	8·296	9·102
halbe, Viertel, Achtel nach Verhältniß.			
Zechinen (Duk.) 23 K. 10·5 Gr. f.	72·60	67·	67·3508
Nach den neuern Untersuch. aber ist			
1 Doppie oder Pistole 21 K. 7·9 Gr. f.	139·57	34.8569	38·6263
1 Zechine (Sequin) 23 K. 10·12 G. f.	72·48	67·1199	67·5598
1 Genovina à 100 Lire 21 K. 8·99 G. f.	586·60	8·2935	9·1519
à 96 Lire oder à 4 Pistolen der Ligur. Republik, 22 Kar. 1·51 Gr. fein	523·22	9·2982	10·0858

Silber.

Scudo della croce (Kreuzthaler) 15 Loth 4·76 Gr. f. . . .	799·32	6·08637	6·37965
Scudo di St. Giambatista à 5 Lire 14 Loth 12·01 Gr. f. . . .	432·19	11·25645	12·27942
Doppel=Madonnina 13 Lth. 5·9 Gr. f.	188·12	25·86160	31·04728
Scudo à 8 Lire von 1796, 14 Loth 4·79 Gr. f.	691·78	7·03254	7·88739
Scudo von der Ligur=Republik, 14 L. 3·05 Gr. fein	691·78	7·03254	7·941214

Griechenland.

Gold.

Stücke von 20 und 40 Drachmen. Sie bestehen aus 9 Theilen feinen Goldes und aus einem Theile Kupfer (unter König Otto geprägt). Das einfache Stück zu 20 Dr. hält 5·199 Grammen feinen Goldes, 0·577 Gr. Zusatz an Kupfer, also zusammen 5·776 Gramm. metr. Gew.	120·21	—	—
Das St. zu 40 Dr. nach Verhältniß. (Nach der allg. Zeit. v. 21. May 1833.)			

Silber.

Phönix = 100 Lepta = 1/6 span. Piaster, jetzt außer Kurs gesetzt, 14 Lth. 7 Gr. fein	93·19	52·2067462	58·0522892
Drachme = 100 Lepta, unter König Otto I. eingeführt. Diese Münze besteht aus 9 Theilen f. Silber und 1 Th. Kupfer. Sie hält 4·029 Gr.			

	Gew von 1 Stück in holl. Assen	Hiervon gehen Stücke auf eine Köln. Mark		Werth in C.M. fl.
		rauh	fein	
f. S. und 0·448 Gr. Kupfer, also das Gesammtgewicht = 4·477 Gr. metr. Gew.	93·18	—	—	0·3467
ünf = Drachmen = Stück hält 20·147 Grammen f. S., 2·238 Gr. Kupfer; also zusammen 22·385 Gr. metr. Gew. . . . . . . Halbe und Viertel = Drachmen nach Verhältniß.	465·89	—	—	1·7333

Hamburg

rechnet nach Mark zu 16 Schillingen à 12 Pf. Lübisch oder Hamb. in Banko in Courant. 1 Mk. Bko. = 1/3 Thlr. Co.; 27 5/8 Mk. Bko. od 34 Mk. Cour. tragen 1 Köln. Mark fein Silber.

	Gew von 1 Stück in holl. Assen	rauh	fein	Werth in C.M. fl.
Ducate al Marco in Gold 23 Kar. 6 Gr. fein	72·51	67·0788	68·5060	4·3701
Reichsthaler à 3 Mark oder 48 Schill. Lübisch seit 1752, 12 Loth f.	572·23	8·5	11·3333	1·765
Zwey Markstücke seit 1726, 12 L. f.	381·48	12·75	17·	1·176
Ein Markstück aus 16 Schilling nach Verhältniß.				
Nach genauen Untersuchungen Reichs= oder Speciesthaler 14 Loth 2·4 Gr. fein . . .	606·83	8·0171	9·07596	2·204
Zwey Markstücke 11 L. 16·77 G. f.	380·28	12·79324	17·15499	1·166
Ein Markstück nach Verhältniß.				

Hannover

rechnet jetzt nach Reichsthalern zu 24 guten Groschen à 12 Pf., wovon 3 1/3 Stück auf 1 Köln. Mark f. Silb. gehen. Bis zum J. 1817 rechnete man hier nach Thalern zu 36 Mariengroschen à 8 Pf. in Kassengeld. 12 solche Th. enthalten 1 Köln. Mark f. S.

Gold.

	Gew von 1 Stück in holl. Assen	rauh	fein	Werth in C.M. fl.
Dukaten 23 Kar. 9·59 Gr. f. . .	72·48	67·1199	67·6866	4·4242
Georgsd'or 21 Kar. 8·18 Gr. f. .	138·22	35·197	38·96	7·6857

Silber.

Reichsthaler à 24 gGr. 14 Loth 3·62 Gr. fein . . .	608·17	7·99932	9·01247	2·219
Gulden 15 Loth 15·58 Gr. f. . .	272·40	17·85987	18·01145	1·110
Gemeiner Gulden 12 Loth 1·13 Gr. f.	357·02	13·62679	18·07462	1·107

Holland

rechnet jetzt gesetzmäßig nach Gulden zu 100 Cents, wovon 24·325 eine Köl=

	Gew. von 1 Stück in holl. Assen	Hiervon gehen Stück auf eine Köln Mark		Na in E. fl.
		rauh	fein	

nische Mark f. Silber enthalten Früher rechnete man nach Gulden zu Stübern à 16 Pf. Holl. Cour. 1 Pf. vlämisch = 1·4 Holl. Thaler = 4²/₇ Gold-Gulden = 6 Holl. Gulden = 20 Schill vlämisch = 120 Holl. Stüber = 240 Groot Holl. = 1920 H Pf.

Gold.

Ruiter, dopp., 21 K. 11·95 Gr. f.	416·69	11·6754	12·7390	23·"
» einfach, 21 K. 11·91 G. f.	206·32	23·5797	25·7325	11·6367
Halbe nach Verhältniß.				
Dukaten, älterer, 23 Kar. 7 Gr. f.	72·60	67·	68·18375	4·3910
Neue Goldmünzen seit 1816 u. 1825:				
Zehnguldenstücke (seit 1816) 21 Kar.				
7·2 Gr. fein	140·	34·75	38·6111	7·7555
Fünfguldenstücke (seit 1825) 21 Kar.				
7·2 Gr fein	70·	69·5	77·2222	3·8777
Duk. 23 Kar. 7 Gr.f. (sogen.holländ.)	72·68	66·932	68·11454	4·3939

Silber.

Ältere Sorten:

Dukaton 15 Loth 0 56 Gr. f. .	676·95	7·186641	7·6499	2·6144
Dreyguldenstück, Holl. 14 Loth 11·99				
Gr. fein	656·72	7·407995	8·081751	2·4747
von Batavia 14 Loth 7·8 Gr. f. .	651·33	7·469345	8·280224	2·4154
Reichsthaler à 50 Stuber 13 Loth				
13·17 Gr. fein	590·64	8·236744	9·597483	2·0839
Gulden à 20 Stüber 14 L. 8·98 Gr. f.	218·46	22·269714	24·575570	0·8138
. Neue gesetzliche Ausprägung seit				
28. Sept. 1816:				
Guldenstücke à 100 Cents seit 1816,				
14 Loth 5·14 Gr. fein	224·00	21·71875	24·325	0·8221
Dreyguldenstücke und Halbegulden-				
stücke nach Verhältniß.				
Silber-Dukaten à 2 fl. 50 Cents,				
13 Loth 16 Gr. fein	584·20	8·327667	9·593472	2·0841
Silber-Ruiter à 3 fl. 25 Cents, 14 L.				
17·75 Gr. fein	677·74	7·1782954	7·6639447	2·6090

Lombardei.

Im ganzen Königreiche rechnet man nach dem k. k. Münz-Patente vom 1. Nov. 1823 nach Lire austria. che zu 100 Centesimi.

Ältere Mailändische und Mantuani- sche Goldmünzen:

Zecchino (Sequin) 23 K. 9·05 G. f.	72·48	67·1199	69·1129	4·4156
Doppia oder Pistole 21 K. 9·12 G. f.	131·48	37·002	40·811	7·3274

	Gew. von 1 Stück in holl. Assen	Hiervon gehen Stück auf eine Köln. Mark		Werth in C.M. fl.
		rauh	fein	
Stück à 40 Lire v. J. 1808, 21 Kar, 6·77 Gr. fein	269·70	18·0385	20·0762	14·9154
Nach der neuern Ausprägung:				
Souveraine (Sewerin) = 40 östr. Lire 21 Kar. 7·2 Gr. fein . .	235·56	20·65812	22·9479	13·0486
Halber Souveraine à 20 Lire = 6²/₃ fl. nach Verhältniß.				
Silber.				
Ältere Sorten:				
Scudo à 6 Lire 14 Loth 6·01 Gr. f.	481·08	10·11267	11·288153	1·772
neue Lire (v. 1780 ec.) 8 L. 14·4 G. f.	129·46	37·580143	68·327532	0·2927
alte Lire 14 Loth 10·68 Gr. f. . .	78·21	62·201615	68·198369	0·2932
Neue Ausprägung nach dem Gesetze vom 1. Nov. 1823:				
Scudo = 6 Lire; 14 Loth 7·2 Gr. f.	539·48	9·017885	10·019873	2·000
Halber Scudo nach Verhältniß.				
Neue österr. Lire = 100 Centesimi 14 Loth 7·2 Gr. fein	89·91	54·107312	60·119236	0·333
Halbe Lire nach Verhältniß.				
Lübeck				
rechnet gewöhnlich nach Mark zu 16 Schillingen à 12 Pf. Lübisch Cour., wovon 34 Stück 1 Köln. Mark f. S. ausmachen.				
1 Thaler Cour. = 3 Mark.				
Reichs- oder Speciesthaler 13 Loth 16·82 Gr. fein . . .	606·83	8·01710	9·20565	2·1726
Die Mark 11 Loth 16·67 Gr. fein	190·14	25·58648	34·3263	0·5826
Zwey-Markstücke nach Verhältniß.				
Neapel				
Hier rechnet man seit dem J. 1818 nach Ducati zu 100 Grani à 10 Cavalli, wovon 12·2273 auf die Köln. Mark f. Silber gehen.				
Früher rechnete man nach Ducati di Regno zu 10 Carlini à 10 Grani.				
Gold.				
Sechs-Dukaten-Stücke vom J. 1752, 20 Kar. 11·36 Gr. fein	183·40	26·5272	30·3934	9·8523
Vier- u Zwey-Duk. St. nach Verh.				
Sechs-Duk. Stücke vom J. 1767 und 1772, 20 Kar. 3·76 Gr. fein . . .	186·09	26·1427	30·8878	9·6942
vom J. 1783, 21 Kar 6·14 Gr. fein	183·40	26·5272	29·5955	10·1176
Vier-Duk. Stücke (Pistole) vom J. 1752, 20 Kar. 11·35 Gr. fein . .	122·38	39·7625	45·5517	6·5735
v. J. 1767 u, 1770, 20 K. 3·73 G.f.	122·38	39·7625	46·9752	6·3742

	Gew. von 1 Stück in holl. Assen	Hiervon gehen Stücke auf eine Köln. Mark		Werth in C.M. fl.
		rauh	fein	
Zechine = 2 Dukat. vom J. 1762, 20 Kar. 3.42 Gr. fein	59·67	81·5298	96·4624	3·1039
Oncetta = 3 Dukaten vom J. 1818, 20 Kar. 11.26 Gr. fein . . .	78·55	61·9347	62·0946	4·8215
Fünf= und zehnfache nach Verhältniß.				
Silber.				
1 Ducato = 10 Carlini vom J. 1818, 13 Loth 6·08 Gr. fein	477·37	10·191225	12·225326	1·6359
Stücke zu 12, 6, 2 und 1 Carl. nach Verhältniß.				
1 Ducato = 100 Grani (in Neapel) = 100 Barochi (in Sicilien).				

Nord = Amerika.

Der Nord=Amerikan. Freystaat rechnete sonst wie England nach Pfunden zu 20 Schillingen à 12 Pence Cour.; jetzt rechnet man nach Dollars zu 10 Dimes à 10 Cents, wovon 9¾ St. = 1 Köln. Mark fein S.

Gold.

	Gew. von 1 Stück	rauh	fein	Werth
1 Adler (Eagle) gesetzmäßig 22 K. f.	364·00	13.363	14·5778	20·5368
Neuere Untersuch. geben im Durchschnitte (von 12 J.) dieses Goldstück 21 Kar. 10·51 Gr. fein	364·1	13·3618	14·6595	20·4266

Silber.

Dollar (Piaster) à 10 Dimes = 100 Cents.

	Gew.	rauh	fein	Werth
Dollar v. J. 1795, 14 Lth. 6·58 Gr. f.	560·98	8·672341	9·659153	2·0706
vom Jahr 1798, 14 Loth 6 Gr. f.	564·38	8·620535	9·623083	2·0783
vom Jahr 1802, 14 Loth 1·76 Gr. f.	563·67	8·630846	9·795530	2·0418
bis 1820, 14 Loth 4·22 Gr. f. . .	560·98	8·672341	9·747889	2·0517
Halbe und Viertel nach Verhältniß.				

Österreich.

Der ganze Kaiserstaat rechnet nach Gulden zu 60 Kreuzer à 4 Pfennige in dem Zahlwerthe des 20 fl. Fußes.

Gold.

	Gew.	rauh	fein	Werth
Souverainsd'or, einfacher, 22 Kar. f. nach dem österr. M. Tarif . . .	231·10	21·0471	22·9605	13·0387
Nach franz. und engl. Untersuchungen 21 Kar. 11·22 Gr. fein .	231·94	20·9750	22·9749	13·0480
Halber Souveraine 22 Kar. fein, nach dem M. Tarif . . .	115·55	42·0942	45·9210	6·5194
Nach engl. und franz. Untersuchungen 21 Kar. 11·22 Gr. fein. .	115·97	41·9499	45·8994	6·5237

	Gew. von 1 Stück in holl. Aſſen	Hiervon gehen Stücke auf eine Köln. Mark		Werth in C.M. fl.
		rauh	fein	
Dukaten, ehemals Brabantiſch, 23 Kar. 8 Gr. fein	72·00	67·5556	68·5060	4·3701
Löwen (Lionsd'or) Belgiſche von 1790, 22 Kar. fein	127·20	28·25	30·8160	9·7150
Nach engl. Unterſuchungen 21 Kar. 11·99 Gr. fein	127·27	28·2403	30·8037	9·7193
Dukaten, kaiſ., 23 Kar. 8 Gr. f.	72·6	67·00	67·944	4·4065.
Silber.				
Species-Rthlr. à 2 Reichsgulden 13 Loth 6 Gr. fein	583·98	8·3333	10·	2·0000
Halbe und Viertel nach Verhältniß.				
Zwanziger 9 Loth 6 Gr. fein . .	138·97	35·00	60·	0·3333
Zehner 8 Loth fein	81·07	60·100	120·	0·1667
Fünf-Kreuzerſtücke 7 Loth f.	46·32	105·00	240·	0·0833
Drey-Kreuzerſt. 5 Loth 9 Gr. f.	35·37	137·5	400·	0·0500,
von 1820, 5 Loth fein . .	38·92	125·4	400·	0·0500
Reichs- oder Speciesth. ſeit 1753, 14 Loth 1·26 Gr. f. . . .	598·06	8·13460	9·2505	2·1620
Conventions-Speciesthlr. ſeit 1753, 13 Loth 1·26 Gr. f. . .	583·90	8·33186	10·19987	1·9608
Speciesthlr. von 1800, 13 Loth 2·45 Gr. fein	583·90	8·33186	10·14822	1·9708
Ungar. Speciesthaler 13 Lt. 6 04 Gr. fein	583·90	8·33186	9·99638	2·0007
Ungar. halbe Speciesthlr. 13 Loth 4·91 Gr. fein . . .	291·95	16·6637	20·08738	0·9957
Kronenthlr. (Brabantiſche) ſeit 1755, 13 Loth 16 Gr. fein . .	610·37	7·969	9·1803	2·1786
nach engl. und franz. Unterſuchungen 13 Loth 15·6 Gr. fein . . .	614·92	7·9116	9·12878	2·1908
geſetzmäßig 13 Loth 17·5 Gr. fein .	617·165	7·88283	9·02686	2·2156
unter M. Thereſia, Franz I., Joſeph II., Leopold II. und Franz II. nach Bonneville 13 Loth 16 Gr. fein	614·641	7·91519	9·11828	2·1934

1 fl. C. M. W. W. = 0·66667 Conv.
   Thaler oder ſächſ. Thlr.
   = 1·200000 fl. Rhein. (Reichsw.)
   = 0·70000 Thlr. Preuß. Cour.
   = 2·60870 neue franz. Francs
   = 2·59750 Francs nach dem
     Annuaire pour l'an 1833
   = 2·64131 alte franz. Livres
   = 2·09907 engl. Schilling, bis
     zum Jahr 1816
   = 2·23463 engl. Sch. ſeit 1816
   = 1·38121 Hamb. Mark Banko
   = 1·71526 Hamb. Mark Cour.

	Gew. von 1 Stück in holl. Assen	Hiervon gehen Stücke auf eine Köln. Mark		Werth in C.M. fl.
		rauh	fein	
Polen.				
Im ganzen Königreiche rechnet man jetzt nach Gulden zu 30 Groschen Polnisch.				
Gold.				
Dukaten f. 1766 bis 1794, 23 Kar. 7 Gr. fein	72·60	67·	68·1837	4·3910
nach neuern Unterf. 28 K. 7·45 G. f.	72·48	67·1199	68·1989	4·3910
Duk., alte, 23 Kar. 4 Gr. fein .	72·60	67·	68·9143	4·3441
Souverains, neue, seit 1794, 20 Kar. fein	256·50	18·9583	22·75	13·1594
Halbe nach Verhältniß.				
Dukaten v. J. 1812, unter Friedrich August, 23 Kar. 5 Gr. f.	72·60	67·	68·669	4·3595
Königl. doppelte Goldstücke oder 50 Guldenstücke, seit 1816, 22 K. f.	204·13	23·8333	26·	11·5173
Dergl. einfache oder 25 Guldenstücke nach Verhältniß.				
Silber.				
Neue gesetzl. Münzen seit 1816:				
10 Guldenstücke 13 Loth 16 Gr. f. .	646·51	7·525	8·6688	2·3071
5 Guldenstücke 13 Loth 16 Gr. f. . .	323·26	15·05	17·3376	1·1536
2 Guldenstücke 9 Loth 9 Gr. f. . .	189·04	25·7355	43·344	0·4614
1 Guldenstück 9 Loth 9 Gr. f. . .	94·52	51·471	86·688	0·2307
10 Groschenstücke 3 Loth 2 Gr. f. .	60·43	80·50	414·	0·0483
5 Groschenstücke 3 Loth 2 Gr. f. .	30·22	161·	828·	0·0242
Portugal.				
In diesem Königreich rechnet man nach Reïs oder Rees, wovon 8631·5 = 1 Köln. Mark f. S., oder auch nach Millerees = 1000 Rees.				
Nach genauern Berechnungen kommen im Durchschnitte 8671·4736 Rees auf die Köln. Mark fein Silber und 113777⁷/₉ Rees auf die Köln. M. fein Gold.				
Gold.				
Lisboninen v. 12800 Rees 22 K. f.	590 64	8·23674	8·98554	33·3244
Dobraon v. 24000 Rees 22 K. f.	1116·56	4·35712	4·75322	62·9971
Halbe von 12000 R. nach Verhältn.				
Johannes von 6400 Rees 21 Kar. 11·28 Gr. fein	300·04	16·21435	17·73694	16·8819
Halber 3200 R. 21 Kar. 11·35 G. f.	149·68	32·50175	35·54378	8·4243
Moidore 22 Kar. 0·58 Gr. f. . .	223·85	21·73309	23·70364	12·6325
Halbe nach Verhältniß.				
Stück à 16 Testones = 1600 Rees 21 Loth 10·93 Gr. fein	72·82	66·80914	73·17837	4·0918

	Gew. von 1 Stück in holl. Aſſen	Hiervon gehen Stücke auf eine Köln. Mark		Werth in C.M. fl.
		rauh	fein	
Stück à 12 Testones oder 1200 Rees 21 Kar. 10·60 Gr. fein	54·28	89·63214.	98·30228	3·0461
Stück à 8 Testones oder 800 Rees 21 Kar. 10·74 Gr. fein	38·43	126·58574.	138·75745	2·1580
Crusade, alte = 400 Rees 21 K. 9·12 Gr. fein	20·23	240·51291	265·2716	1·1288
neue = 480 R. 21 Kar. 10·3 Gr. f.	21·91	222·01192	243·7631	1·2286
Millerees für die afrikaniſchen Kolonien 21 Kar. 11·94 Gr. fein .	26·63	182·66804	199·3201	1·5024
Silber.				
Crusade, neue, von 1718, 14 Loth 5·4 Gr. fein	302·06	16·10577	18·02045	1·1098
neue von 1795, 14 Loth 6·05 Gr. f.	303·41	16·03419	17·89530	1·1176
Doze (12) Vintems = 240 R. v. 1799, 14 Loth 6·17 Gr. fein . . .	151·03	32·21155	35·93320	0·5566
Teston v. J. 1799, 14 L. 5·72 G. f.	65·40	74·38544	83·1266	0·2406
Crusade, neu, v. 1802, 14 L. 3·62 G. f.	303·41	16·03419	18·06556	1·1071
von 1809, 14 Loth 8·65 Gr. fein	293·32	16·47311	18·20228	1·0988
Seis (6) Vintems = 120 R. v. 1802, 14 Loth 3·63 Gr. f.	70·80	68·718	77·41832	0·2583
Teston von 1802, 14 Lt. 3 Gr. f.	64·73	75·1603	84·8869	0·2356
Tres (3) Vintems = 60 R. v. 1802, 14 Loth 3·63 Gr. fein . . .	35·40	137·43595	154·8366	0·1292
Teston, halber, von 1802, 14 Lt. 3·44 Gr. fein	31·02	156·85622	176·8477	0·1131

Preußen.

Im ganzen Königreiche wird gegenwärtig geſetzmäßig gerechnet nach Reichsthalern od. Thalern zu 30 Silbergroſchen à 12 Pf. Preuß. Cour. Vor dem J. 1825 aber nach Thalern zu 24 Gr. à 12 Pf. Cour.

Gold.				
Dukaten vom J. 1748, 23 Kar. 7·45 Gr. fein	72·48	67·1199	68·1989	4·3910
von 1787, 23 Kar. 5·84 Gr. fein	72·48	67·1199	68·5873	4·3657
Fridrich·Wilhelmsd'or (Piſtole) seit 1821, 21 Kar. 8 Gr. fein	139·	35·	38·7692	7·7239
Friedrichsd'or, dopp., v. 1769, 21 Kar. 6·64 Gr. fein . . .	277·79	17·5131	19·5010	15·3349
einf., von 1778, 21 K. 7·48 Gr. f.	138·90	35·0262	38·8760	7·7024
Dopp., von 1800, 21 K. 5·94 Gr. f.	277·79	17·5131	19·5539	15·3136
einf., von 1800, 21 K. 5·8 Gr. f.	138·90	35·0262	39·1290	7·6525
Silber.				
Reichsthaler oder Thalerſtücke à 24 gGr., jetzt zu 30 Silbergroſchen 12 Loth fein . . .	463·24	10·5	14·	1·4286

	Gew. von 1 Stück in holl. Aßen	Hiervon gehen Stücke auf eine Köln. Mark		Werth in C.M. fl.
		rauh	fein	
Halbe (jetzt nicht mehr gebräuchlich) ½ Loth fein	231·63	21·	28·	0·7143
Zwey Drittel seit 1792 (nicht mehr gebräuchlich)	308·82	15·75	21·	0·9524
Neue Silbergroschen à 12 Pf. 3 Loth 10 Gr. fein	45·60	106·6667	480·	0·0417
Halbe Silbergr. à 6 Pf. nach Verh.				
Rußland.				
Ganz Rußland rechnet jetzt nach Rubeln zu 100 Kopeken. 1 Rubel = 10 Griwn = 33⅓ Altins = 100 Kopeken = 200 Denuschken = 400 Poluschken war die frühere Eintheilung.				
Gold.				
Imperial vom J. 1801, 23 Kar. 6·79 Gr. fein	249·81	19·4747	19·8334	15·0976
Halbe v. J. 1801, 23 K. 7·02 G. f.	124·74	39·0021	39·6886	7·5448
Halbe v. J. 1818, 22 K. 0·27 G. f.	134·18	36·2582	39·5147	7·5781
Platina-Stück (Dukl.) = 3 Silber-Rubel; ganz fein	215·2014	22·602085	67·530375	4·4341
Platina-Stück zu 6 Silber-Rubel (Platina-Dublone) nach Verhältn.				
Silber.				
Neue Ausmünzung seit den Jahren 1810 und 1813:				
Rubel zu 100 Kop. 13 Lt. 16 Gr. f.	431·01	11·287478	13·003175	1·5381
Halbe, Viertel, Fünftel ꝛc. Rubel nach Verhältniß.				
Rubel unter Alexander I. vom Jahre 1805, 13 Loth 13·2 Gr. f.	436·91	14·13486	12·97265	1·5417
Platina-Stück zu 3 Silberling, auch Platina-Dukaten genannt (13·0031746 Silber-Rubel auf eine Köln. Mark f. Silber gerechnet), gesetzmäßig seit May 1828 16 Loth f.	215·20	22·602085	4·384392	4·6143
Doppelt-Platina-Stück zu 6 Silber-Rubel ganz nach Verhältniß seit December 1829.				
Sachsen.				
Das ganze Königreich rechnet nach Thalern zu 24 Groschen à 12 Pf. in dem Zahlwerthe des 20 fl. Fußes.				
Gold.				
Dukaten vom J. 1784, 23 Kar. 5·84 Gr. fein	72·48	67·1199	68·5873	4·3657

	Gew. von 1 Stück in holl. Assen	Hiervon gehen Stücke auf eine Köln. Mark		Werth in C.M. fl.
		rauh	fein	
Dukaten vom Jahr 1797, 23 Kar. 7·45 Gr. fein	72·48	67·1199	68·1989	4·3910
Augustd'or von 1754, 21 Kar. 4·25 Gr. fein	138·22	35·1970	39·5580	7·5694
von 1784, 21 Kar. 7·06 Gr. fein	138·22	35·1970	39·1290	7·6525
Silber.				
Spec. Reichsthaler = 2 Reichs-Gulden = 32 gGr. C.M. 132.6 G. f. Halbe und Viertel nach Verhältniß.	583·68	8·3333	10·	2·0000
Vier-Gute-Groschenstücke 8 Loth 12 Gr. fein	112·25	43·3333	80·	0·2500
Zwey-Gute-Groschenstücke = 3 Mariengroschen 7 Loth fein	69·49	70·	160·	0·1250
Ein-Gute-Groschenstück 5 L. 16 Gr. fein	41·3	117·7778	320·	0·0625
Nach neuern genauen Untersuchungen ist der Convent. Species-Thaler 13 Loth 4.8 Gr. fein. Halbe und Viertel nach Verhältniß.	582·55	8·35114	10·07173	1·9858
Sardinien.				
Seit 1827 rechnet man nach Lire nuove à 100 Centesimi, wovon 51·9345 auf 1 Köln. Mark f. S. gehen; früher aber rechnete man nach Lire zu 20 Soldi à 12 Denari, wovon 27·609896 auf die Köln. Mark fein S. gehen.				
Gold.				
Carlini à 25 Lire bis zum Jahr 1827 21 Kar. 6 Gr. fein. Halbe und Viertel-Doppiette oder Scudi d'oro nach Verhältniß.	334·28	14·5506	16·2426	18·4318
Nach den neuern Untersuchungen aber ist der Carlino 21 Kar. 3·77 Gr. f.	333·75	14·57654	16·41353	18·2434
Silber.				
1 Scudo od. Thaler 14 Lt. 5·97 G. f. Halber und Viertel nach Verhältniß.	488·83	9·95226	11·110852	1·8000
Der neue Scudo à 5 Lire nuove vom J. 1826, 14 Loth 6 Gr. fein	527·25	9·225225	10·297926	1·9421
Schweden.				
Hier rechnet man nach Species-Reichsthaler zu 24 Mark Silber-Münze oder 48 Schillinge Species. 1 Schill. Sp. = 96 Pf.				

	Gew. von 1 Stück in holl. Aſſen	Hiervon gehen Stücke auf eine Köln. Mark		Werth in C.M. fl.
		rauh	fein	
Gold.				
Dukaten 23 Kar. 6·02 Gr. f. . .	71·47	·68·0697	69·5124	4·3079
Der geſetzl. Werth dieſer Dukaten ist 94 Schillinge.				
Silber.				
Species=Reichsthaler, neue vom Jahr 1830, 12 Loth fein .	708·20	5·86953	9·15937	·2·1836
(nach einer andern Annahme 12 L.) .	707·84	6·87161	9·16215	2·1814
Spec. Reichsbankthaler vom J. 1822, 14 Loth fein	608.	8·	9·142857	2·1875
Sicilien.				
Hier rechnete man bis zum J. 1818 nach Oncien zu 30 Tari à 20 Grani. 1 Oncia = 2·5 Scudi = 5 Fiorini = 3600 Piccioli.				
Seit dem Jahre 1818 rechnet man wie in Neapel nach Ducati zu 100 Bajocchi à 10 Piccioli.				
Gold.				
Oncia v. J. 1751, 20 K. 4·69 Gr. f.	92·37	54·6671	61·9875	4·8304
Doppelte Oncia vom J. 1758, 20 Kar. 5·96 Gr. fein	184·47	26·3335	30·8350	9·7108
Carlino, zwölffache à 120 Grani v. J. 1805, 20 K. 0·5 G. f.	574·844	8·4632	10·19460	29·5464
ſechsfache à 60 Grani v. J. 1805 20 Kar. 0·5 Gr. f.	287·422	16·9263	20·2692	14·7731
Doppelte und einfache nach Verhältn.				
Oncetta (Oncia) seit 1818 zu 3 Ducati 23 Kar. 10·56 Gr. fein	·78·81	61·7277	62·0379	4·8267
Zehnfache, fünffache und zweyfache Oncie nach Verhältniß.				
Silber.				
Scudo à 12 Tari vom Jahr 1785, 13 Loth 4 Gr. fein . . .	568·21	8·56196	10·36079	1·9304
Halber à 6 Tari vom Jahr 1785, 13 Loth 5 Gr. fein . . .	283·00	17·19081	20·71572	0·9654
Stück à 40 Grani vom Jahr 1785, 13 Loth 6 Gr. fein . . .	190·14	25·58633	30·70431	0·6514
Stück à 12 Tari vom Jahr 1798, 13 Loth 4 Gr. fein . . .	568·21	8·56196	10·36079	1·9304
Ducato di Regno (Silber=Dukaten) = 100 Barochi v. J. 1818, 13 Loth 6 Gr. fein . . .	477·46	10·18949	12·22731	1·635
Stücke à 12, 6, 2 u. 1 Carl. Siehe Neapel.				

	Gew. von 1 Stück in holl. Aßen	Hiervon gehen Stücke auf eine Köln. Mark		Werth in C. M. fl.
		rauh	fein	

Spanien.

In Spanien wird nach acht verschie-
enen Münzwährungen gerechnet, von
velchen wir die vorzüglichste, nämlich
ie Castilianische Rechnungsart anfüh-
en.

Am gewöhnlichsten rechnet man nach
Reales de Velon zu 34 Maravedis
le Velon, oder nach Reales de Plata
antigua zu 34 Maravedis de Plata
antigua. — Hierbey betragen 32 Rea-
es de Velon 17 Reales de Plata an-
igua.

1 Real de Plata ant. = 1·15/17 R.
le Vel. = 16 Quartos = 32 Ocha-
vos = 34 Maravedis de Plata antigua = 64 Mar. de Vel. = 640 Di-
eros Castili.

Gold.

Vierfache Pistole (Dublöne) vom J. 1801, 20 Kar. 8·98 Gr. f.	562·32	8·65154	10·0075	29·9213
Doppelte Pistole v. J. 1801, 20 Kar. 9·05 Gr. fein	281·16	17·3013	20·0094	14·9647
Einfache Pistole vom J. 1801, 20 Kar. 8·91 Gr. fein	140·58	34·6062	40·0410	7·4784
Gold-Piaster (Coronilla oder Vintem) v. J. 1801, 20 K. 3·2 G. f.	36·41	133·6183	158·2322	1·8927

Silber.

Piaster seit 1772, 14 Loth 6 Gr. f. Halbe, Viertel, Achtel, Sechzehntel nach Verhältniß.	561·23	8·6667	9·674419	2·0673
Colonnato (Säulen-Piaster oder Mexikan. Piaster) zu 8 Realen v. J. 1778, 14 Loth 6 Gr. fein . . Halbe Piaster v. 4 Realen vom J. 1780 nach Verhältniß.	561·58	8·663087	9·670493	2·0681
Sevillan (neuer Piaster) vom J. 1788, 14 Loth 6 Gr. fein . . Halbe solche Piaster nach Verhältniß.	561·58	8·66309	9·670493	2·0681
Peseta = 2 Realen de Plata = 1/5 Piaster 13 Loth fein	121·60	40·00771	49·23750	0·4062
Real de Plata = 1/10 Piaster v. J. 1772, 12 Loth 17 Gr. fein . .	60·80	80·01542	98·89546	0·2022
Neuer Sevillan. Piaster vom J. 1798, 14 Loth 6 Gr. fein . .	561·58	8·663087	9·670493	2·0681
Halbe solche Piaster à 4 Realen vom J. 1791, 14 Loth 6 Gr. fein . .	278·58	17·463683	19·494344	1·0259
Peseta = 2 Real de Plata = 1/5 Piaster v. J. 1791, 12 L. 15 G. f.	119·39	40·748593	50·800509	0·3937

	Gew. von 1 Stück in holl. Assen	Hiervon gehen auf eine Köln Mark		Werth in C.M. fl.
		rauh	fein	
Real de Plata = ¹⁄₁₀ Piaster v. J. 1795, 12 Loth 15 Gr. f. . .	60·80	80·01542	99·769849	0·7008
Halbe Real de Plata oder Realillo de vellon v. J. 1796, 12 Loth 15 Gr. fein . . .	30·95	157·173145	195·941588	0·3511

Toskana.

Im ganzen Großherzogthume rechnet man nach Lire zu 20 Soldi à 12 Denari, wovon 61·826 = 1 Köln. Mark fein S. — ; 1 Scudo = 1·⁵⁄₂₃ Pezza da otto Reali = 7 Lire = 10·5 Paoli = 84 Grazii = 140 Soldi = 420 Quatrini = 1680 Denari.

Gold.

	Gew. von 1 Stück in holl. Assen	rauh	fein	Werth in C.M. fl.
1 Ruspone à 40 Lire gesetzlich 24 Kar. fein	217·79	22·33827	22·33827	13·4050
Nach engl. und franz. Untersuchungen 23 Kar. 11·2 Gr. fein . . .	217·45	22·3733	22·4359	13·3464
1 Zecchino = 13¹⁄₃ Lire, gesetzmäßig 24 Kar. fein . . .	72·60	67·01481	67·0481	4·4685
Nach engl. und franz. Untersuchungen 23 Kar. 11·2 Gr. f.	72·48	67·1199	67·3077	4·4488

Silber.

	Gew. von 1 Stück in holl. Assen	rauh	fein	Werth in C.M. fl.
Franceseone oder Leopoldino à 10 Paoli nach dem Remedium und Tarif 14 Loth 4 Gr. f. . Halbe nach Verhältniß.	574·43	8·467556	9·526	2·0995
Testono = 3 Paoli = 2 Lire, nach dem Remedio 14 Loth 4 Gr. f.	172·35	28·2222	31·75	0·6299
Paoli oder Giuli, einfache à 8 Crazie 14 Loth 4 Gr. fein . . .	57·44	84·675556	95·26	0·2100
1 Lira à 12 Crazie, nach dem Tarif 13 Loth 6 Gr. fein . . .	92·75	52·441667	62·93	0·3178
Talaro à 9 Paoli = 6 Lire, nach dem Tarif 13 Loth 6 Gr. fein .	564·21	8·620833	10·345	1·9333

Nach der gegenwärtigen gesetzlichen Ausprägung erhält man folgende Vergleichungen, wenn die toskan. Libra = 6392 franz. Grän = 7066·15625 holl. Assen, u. 1 Köln. Mark = 0·68849312524 tosk. Pf. gesetzt wird, das gesetzliche Remedium mitbegriffen:

	Gew. von 1 Stück in holl. Assen	rauh	fein	Werth in C.M. fl.
1 Francescone à 6²⁄₃ Lire = 10 Paoli, 14 Loth 12 Gr. fein . .	572·49	8·497972	9·270515	2·1574
Franceschino = ¹⁄₂ Francescone = 5 Paoli nach Verhältniß .				

	Gew. von 1 Stück in holl. Assen	Hiervon gehen Stücke auf eine Köln. Mark		Werth in C.M. fl.
		rauh	fein	
Lira = 1·5 Paolo, 14 L. 12 G. f. halbe nach Verhältniß.	85·16	57·129225	62·322791	0·3219
Paolo = 2/3 Lire, 14 L. 12 Gr. f. halbe nach Verhältniß.	56·77	85·693838	93·484187	0·2139
Doppel-Grazie = 1/10 Lira = 1/4 Paolo, 4 Loth 15 Gr. fein .	39·92	121·863283	403·409489	0·0496

Türkey.

Hier rechnet man gewöhnlich nach Piaster (Dollars) zu 100. und auch zu Aspers. 1 Piaster = 40 Para à 5 gute oder 3 Curant Aspern.

Gold.

Primahbab oder Zindsjerli, seit 1781 à 3 türk. Piaster, 19 K. 3 G.f.	55·29	87·9685	109·6750	2·7298
Fonduc à 5 Piaster = 400 Para von 1789, befunden 19 K. 3 Gr. f. halbe nach Verhältniß, eben so 1/4 Fonduc = 1 Rubbie.	71·27	68·25	85·091	3·5183

Die in London und Paris 1819 und 1820 angestellten Münz-Untersuchungen lieferten folgende Resultate:

Fonducli-Zecchine von Konstantinopel vom Jahr 1773, 19 Kar. 4·01 Gr. fein	72·48	67·1199	83·3186	3·5639
vom J. 1789, 19 Kar. 1·86 Gr. f.	72·48	67·1199	84·0954	3·5607
Doppelte Mahbub-Zecchine von 1773, 23 Kar. 0·1 Gr. f.	102·82	47·3140	49·3528	6·0676
Mahbub-Zecchine von 1789, 19 Kar. 3·2 Gr. f.	48·55	100·2137	124·8337	2·3986
von Cairo v. 1773, 18 K. 11·46 G.f.	52·93	91·9157	116·3772	2·5728
— v. 1789, 16 K. 5·38 Gr. f.	52·93	91·9157	134·1150	2·2324
halber Misseir vom J. 1818, 15 K. 11·89 Gr. fein	24·61	197·6818	296·6853	1·0694
Fonducli-Zecchine 19 Kar. 2·94 Gr. fein	71·47	68·0697	84·8869	3·5275
Rubbie = 1/3 Zecchine 19 K. 0·10 Gr. fein	16·85	288·6155	364·4134	0·8218
Meebeshlek 22 Karat 10·53 Gr. fein .	99·45	48·9179	51·3185	5·8349

Der jetzige Großherr Mahmud II. läßt goldene Zwanzig-Piasterstücke (beyläufig 1/2 Duk. werth) und Zwölf-Piasterstücke prägen, die am Gehalte sehr von einander abweichen.

	Gew. von 1 Stück in holl. Assen	Hiervon gehen Stücke auf eine Köln. Mark		Werth in C.M. fl.
		rauh	fein	
Silber.				
Doppelte Iselotta oder Za-lota oder Altmischlik = 1·5 Piaster = 60 Para bis 1757, 9 Loth 6 Gr. fein	599·16	8·1254	13·9293	1·4369
Grusch oder Piaster = 40 Para von Mustapha III. von 1757, 8 Loth 13·18 Gr. fein . . .	397·97	12·2295	22·4080	0·8920
Altmischl. v.1773, 8L.14·97G.f.	557·16	8·7305	15·8163	1·2645
Piaster von Abdul Hamed von 1773, 8 Loth fein . . .	397·97	12·2295	24·4589	0·8180
von ders. Zeit 8 Loth 15·6 Gr. fein	388·02	12·5267	22·6046	0·8861
Juslik oder Juspara-Stück v. 100 Para von Selim vom Jahr 1789, 7 Loth 9·63 Gr. fein	657·75	7·3966	15·7061	1·2769
Doppel-Piaster (Ikilik-Iki-grusch) 7 Loth 9·63 Gr. fein .	548·31	8·8696	19·3546	1·0330
Piaster von Selim vom J.1801, 7 Loth 13·20 Gr. fein . . .	267·06	18·2207	37·6979	0·5478
Halber Piaster (Jarimlik) 5 Loth 16·59 Gr. fein	130·83	37·1927	100·4929	0·1991
Piaster v. 1818, 7 Loth 3·55 G.f.	202·95	23·9714	53·2894	0·3753
Piaster à 40 Para vom J. 1820, 7 Loth 4·50 Gr. fein . . .	201·58	24·1296	53·2515	0·3756
Beshlik = ⅕ Piaster = 5 Para 7 Loth 9 50 Gr. fein . . .	32·06	151·7037	324·4356	0·06164
Onlik, Onpara od. Rubbie-Stück von 10 Para = 30 As-per; 7 Loth 8·0 Gr. fein . . .	61·18	79·5340	170·9387	0·1170
Ungarn.				
Gold.				
Dukaten, ältere, sogenannte Krem-nitzer Duk., gesetzm. 23 K. 9 G.f.	72·69	67·	67 7053	4·4217
nach engl. und franz. Untersuchungen aber 23 Kar. 9 Gr. fein	72·48	67·1199	67·6866	4·4242
Dopelter Dukaten unter Jo-seph II. 23 Kar. 9·01 Gr. fein	144·82	33·5943	33·9467	8·8208
Einfacher unter Leopold II. und Franz II. 23 Kar. 8·23 Gr. f.	72·86	67 7054	68·6025	4·3651
Diese letztern Angaben sind nach Bonneville's Untersuchung.				
Silber.				
Siehe Österreich.				
Würtemberg.				
Hier rechnet man durchgängig nach Gulden zu 60 Kreuzer à 4 Heller im Zahlwerthe des 24 fl. Fußes.				

	Gew. von 1 Stück in holl. Assen	Hiervon gehen Stücke auf eine Köln. Mark		Werth in C.M. fl:
		rauh	fein	
Gold.				
Dukaten (ehemals) 23 K. 6 02 G.f.	71·47	68·0697	69·5124	4·3079
Carolin (ehemals) à 3 Goldgulden 18 Kar. 6 Gr. fein in Gold und 3 Loth 8 Gr. fein Silber . . .	202·70	24·	31·1351	9·6453
Halbe und Viertel nach Verhältniß.				
Zehn- und Fünf-Guldenstücke in Gold seit 1824. Die genaue Angabe der eigentlichen Ausbringung ist unbekannt.				
Silber.				
Kronenthaler vom Jahr 1818 13 Loth 14 Gr. fein	613·91	7·9229798	9·2008798	2·1737
vom J. 1810, 13 Loth 15·5 Gr. f.	611·76	7·95243	9·179562	2·1788
Guldenstück von 1824, 12 Loth f.	264·76	18·375	24·5	0·8163
Zwey-Guldenstücke von 1824, 12 Loth fein, nach Verhältniß.				
Zwanzig-Kreuzerstücke vom J. 1824, 9 Loth 4 Gr. fein . . .	139·00	35·	60·7229	0·3294
Zwölf-Kreuzerstücke vom J. 1824, 7 Loth 16 Gr. fein . . .	81·08	60·	121·6901	0·1644